L'analyse
structurale
du récit

L'analyse
structurale
du récit

Éditions du Seuil

594660

P
302
.A53
1981

ISBN 2-02-005837-5

Roland Barthes

Introduction à
l'analyse structurale des récits

Innombrables sont les récits du monde. C'est d'abord une variété prodigieuse
genres, eux-mêmes distribués entre des substances différentes, comme si toute
atière était bonne à l'homme pour lui confier ses récits : le récit peut être sup-
rté par le langage articulé, oral ou écrit, par l'image, fixe ou mobile, par le
ste et par le mélange ordonné de toutes ces substances; il est présent dans le
ythe, la légende, la fable, le conte, la nouvelle, l'épopée, l'histoire, la tragédie,
drame, la comédie, la pantomime, le tableau peint (que l'on pense à la Sainte-
rsule de Carpaccio), le vitrail, le cinéma, les comics, le fait divers, la conversa-
on. De plus, sous ces formes presque infinies, le récit est présent dans tous les
mps, dans tous les lieux, dans toutes les sociétés; le récit commence avec
istoire même de l'humanité; il n'y a pas, il n'y a jamais eu nulle part aucun
uple sans récit; toutes les classes, tous les groupes humains ont leurs récits,
bien souvent ces récits sont goûtés en commun par des hommes de culture
fférente, voire opposée[1] : le récit se moque de la bonne et de la mauvaise litté-
ture : international, transhistorique, transculturel, le récit est là, comme la vie.
Une telle universalité du récit doit-elle faire conclure à son insignifiance?
st-il si général que nous n'avons rien à en dire, sinon à décrire modestement
uelques unes de ses variétés, fort particulières, comme le fait parfois l'histoire
téraire? Mais ces variétés même, comment les maîtriser, comment fonder notre
oit à les distinguer, à les reconnaître? Comment opposer le roman à la nouvelle,
conte au mythe, le drame à la tragédie (on l'a fait mille fois) sans se référer à un
odèle commun? Ce modèle est impliqué par toute parole sur la plus particu-
re, la plus historique des formes narratives. Il est donc légitime que, loin
abdiquer toute ambition à parler du récit, sous prétexte qu'il s'agit d'un fait
iversel, on se soit périodiquement soucié de la forme narrative (dès Aristote);
il est normal que cette forme, le structuralisme naissant en fasse l'une de ses
emières préoccupations : ne s'agit-il pas toujours pour lui de maîtriser l'infini
s paroles, en parvenant à décrire la « langue » dont elles sont issues et à partir
laquelle on peut les engendrer? Devant l'infini des récits, la multiplicité des
ints de vue auxquels on peut en parler (historique, psychologique, sociologique,
hnologique, esthétique, etc.), l'analyste se trouve à peu près dans la même situa-
on que Saussure, placé devant l'hétéroclite du langage et cherchant à dégager

1. Ceci n'est le cas, il faut le rappeler, ni de la poésie, ni de l'essai, tributaires du niveau
lturel des consommateurs.

de l'anarchie apparente des messages un principe de classement et un foyer
description. Pour en rester à la période actuelle, les Formalistes russes, Prop
Lévi-Strauss nous ont appris à cerner le dilemme suivant : ou bien le récit est
simple radotage d'événements, auquel cas on ne peut en parler qu'en s'en reme
tant. à l'art, au talent ou au génie du conteur (de l'auteur) — toutes form
mythiques du hasard [1] —, ou bien il possède en commun avec d'autres récits u
structure accessible à l'analyse, quelque patience qu'il faille mettre à l'énonce
car il y a un abîme entre l'aléatoire le plus complexe et la combinatoire la pl
simple, et nul ne peut combiner (produire) un récit, sans se référer à un systèr
implicite d'unités et de règles.

Où donc chercher la structure du récit? Dans les récits, sans doute. *Tous*
récits? Beaucoup de commentateurs, qui admettent l'idée d'une structure narr
tive, ne peuvent cependant se résigner à dégager l'analyse littéraire du modè
des sciences expérimentales : ils demandent intrépidement que l'on appliq
à la narration une méthode purement inductive et que l'on commence par ét
dier tous les récits d'un genre, d'une époque, d'une société, pour ensuite passer
l'esquisse d'un modèle général. Cette vue de bon sens est utopique. La linguistiq
elle-même, qui n'a que quelque trois mille langues à étreindre, n'y arrive pa
sagement, elle s'est faite déductive et c'est d'ailleurs de ce jour-là qu'elle s'e
vraiment constituée et a progressé à pas de géants, parvenant même à prévc
des faits qui n'avaient pas encore été découverts [2]. Que dire alors de l'analy
narrative, placée devant des millions de récits? Elle est par force condamn
à une procédure déductive; elle est obligée de concevoir d'abord un modè
hypothétique de description (que les linguistes américains appellent une « thé
rie »), et de descendre ensuite peu à peu, à partir de ce modèle, vers les espèces qu
à la fois, y participent et s'en écartent : c'est seulement au niveau de ces confc
mités et de ces écarts qu'elle retrouvera, munie alors d'un instrument uniq
de description, la pluralité des récits, leur diversité historique, géographiqu
culturelle [3].

Pour décrire et classer l'infinité des récits, il faut donc une « théorie » (au se
pragmatique que l'on vient de dire), et c'est à la chercher, à l'esquisser qu
faut d'abord travailler [4]. L'élaboration de cette théorie peut être grandeme
facilitée si l'on se soumet dès l'abord à un modèle qui lui fournisse ses premie
termes et ses premiers principes. Dans l'état actuel de la recherche, il para

---

1. Il existe, bien entendu, un « art » du conteur : c'est le pouvoir d'engendrer d
récits (des messages) à partir de la structure (du code); cet art correspond à la noti
de *performance* chez Chomsky, et cette notion est bien éloignée du « génie » d'un auteu
conçu romantiquement comme un secret individuel, à peine explicable.
2. Voir l'histoire du *a* hittite, postulé par Saussure et découvert en fait cinquante a
plus tard, dans : E. Benveniste : *Problèmes de linguistique générale*, Gallimard, 196
p. 35.
3. Rappelons les conditions actuelles de la description linguistique : « ... La structu
linguistique est toujours relative non seulement aux données du corpus mais aussi à
théorie grammaticale qui décrit ces données » (E. Bach, *An introduction to transform
tional grammars*, New York, 1964, p. 29. Et ceci, de Benveniste (*op. cit.*, p. 119)
« ... On a reconnu que le langage devait être décrit comme une structure formel
mais que cette description exigeait au préalable l'établissement de procédures et
critères adéquats et qu'en somme la réalité de l'objet n'était pas séparable de
méthode propre à le définir. »
4. Le caractère apparemment « abstrait » des contributions théoriques qui suiver
dans ce numéro, vient d'un souci méthodologique : celui de formaliser rapidement d
analyses concrètes : la formalisation n'est pas une généralisation comme les autres.

isonnable [1] de donner comme modèle fondateur à l'analyse structurale du
*cit, la linguistique elle-même.

I. LA LANGUE DU RÉCIT

Au-delà de la phrase.

On le sait, la linguistique s'arrête à la phrase : c'est la dernière unité dont elle
*time avoir le droit de s'occuper; si, en effet, la phrase, étant un ordre et non une
*rie, ne peut se réduire à la somme des mots qui la composent, et constitue
*ar là même une unité originale, un énoncé, au contraire, n'est rien d'autre
*ue la succession des phrases qui le composent : du point de vue de la linguistique,
* discours n'a rien qui ne se retrouve dans la phrase : « La phrase, dit Martinet,
*st le plus petit segment qui soit parfaitement et intégralement représentatif
*u discours [2]. » La linguistique ne saurait donc se donner un objet supérieur à la
*hrase, parce qu'au-delà de la phrase, il n'y a jamais que d'autres phrases : ayant
*écrit la fleur, le botaniste ne peut s'occuper de décrire le bouquet.

Et pourtant il est évident que le discours lui-même (comme ensemble de
*hrases) est organisé et que par cette organisation il apparaît comme le message
*'une autre langue, supérieure à la langue des linguistes [3] : le discours a ses
*nités, ses règles, sa « grammaire » : au-delà de la phrase et quoique composé
*niquement de phrases, le discours doit être naturellement l'objet d'une seconde
*nguistique. Cette linguistique du discours, elle a eu pendant très longtemps
*n nom glorieux : la Rhétorique; mais, par suite de tout un jeu historique, la
*iétorique étant passée du côté des belles-lettres et les belles-lettres s'étant
*parées de l'étude du langage, il a fallu reprendre récemment le problème à neuf :
* nouvelle linguistique du discours n'est pas encore développée, mais elle est
*u moins postulée, par les linguistes eux-mêmes [4]. Ce fait n'est pas insignifiant :
*uoique constituant un objet autonome, c'est à partir de la linguistique que le
*iscours doit être étudié; s'il faut donner une hypothèse de travail à une analyse
*ont la tâche est immense et les matériaux infinis, le plus raisonnable est de
*ostuler un rapport homologique entre la phrase et le discours, dans la mesure
*ù une même organisation formelle règle vraisemblablement tous les systèmes
*émiotiques, quelles qu'en soient les substances et les dimensions : le discours
*erait une grande « phrase » (dont les unités ne sauraient être nécessairement des
*hrases), tout comme la phrase, moyennant certaines spécifications, est un petit
*discours ». Cette hypothèse s'harmonise bien à certaines propositions de l'anthro-

---

1. Mais non pas impératif (voir la contribution de CL. BREMOND, plus logique que
*nguistique).
2. « Réflexions sur la phrase », in *Language and Society* (Mélanges Jansen), Copen-
*ague, 1961, p. 113.
3. Il va de soi, comme l'a remarqué JAKOBSON, qu'entre la phrase et son au-delà, il y a
*es transitions : la coordination, par exemple, peut agir plus loin que la phrase.
4. Voir notamment : BENVENISTE, *op. cit.*, ch. X. — Z. S. HARRIS : « Discourse Ana-
*sis », *Language*, 28, 1952, 1-30. — N. RUWET : « Analyse structurale d'un poème
*ançais », *Linguistics*, 3, 1964, 62-83.

pologie actuelle : Jakobson et Lévi-Strauss ont fait remarquer que l'humanit
pouvait se définir par le pouvoir de créer des systèmes secondaires, « démult
plicateurs » (outils servant à fabriquer d'autres outils, double articulation d
langage, tabou de l'inceste permettant l'essaimage des familles) et le linguist
soviétique Ivanov suppose que les langages artificiels n'ont pu être acquis qu'apr
le langage naturel : l'important, pour les hommes, étant de pouvoir user d
plusieurs systèmes de sens, le langage naturel aide à élaborer les langages art
ficiels. Il est donc légitime de postuler entre la phrase et le discours un rappo
« secondaire » — que l'on appellera homologique, pour respecter le caractè
purement formel des correspondances.

La langue générale du récit n'est évidemment que l'un des idiomes offerts à l
linguistique du discours [1], et elle se soumet en conséquence à l'hypothèse hom
logique : structurellement, le récit participe de la phrase, sans pouvoir jamais s
réduire à une somme de phrases : le récit est une grande phrase, comme tout
phrase constative est, d'une certaine manière, l'ébauche d'un petit récit. Bie
qu'elles y disposent de signifiants originaux (souvent fort complexes), on retrouv
en effet dans le récit, agrandies et transformées à sa mesure, les principales cat
gories du verbe : les temps, les aspects, les modes, les personnes; de plus, l
« sujets » eux-mêmes opposés aux prédicats verbaux, ne laissent pas de se sou
mettre au modèle phrastique : la typologie actantielle proposée par A. J. Gre
mas [2] retrouve dans la multitude des personnages du récit les fonctions élémer
taires de l'analyse grammaticale. L'homologie que l'on suggère ici n'a pas seule
ment une valeur heuristique : elle implique une identité entre le langage et l
littérature (pour autant qu'elle soit une sorte de véhicule privilégié du récit)
il n'est plus guère possible de concevoir la littérature comme un art qui se désir
téresserait de tout rapport avec le langage, dès qu'elle en aurait usé comm
d'un instrument pour exprimer l'idée, la passion ou la beauté : le langage n
cesse d'accompagner le discours en lui tendant le miroir de sa propre structure
la littérature, singulièrement aujourd'hui, ne fait-elle pas un langage des cond
tions mêmes du langage ? [3]

2. *Les niveaux de sens.*

La linguistique fournit dès l'abord à l'analyse structurale du récit un concep
décisif, parce que, rendant compte tout de suite de ce qui est essentiel dans tou
système de sens, à savoir son organisation, il permet à la fois d'énoncer commen
un récit n'est pas une simple somme de propositions et de classer la masse énorm

---

1. Ce serait précisément l'une des tâches de la linguistique du discours que de fonde
une typologie des discours. Provisoirement, on peut reconnaître trois grands types d
discours : métonymique (récit), métaphorique (poésie lyrique, discours sapientiel
enthymématique (discursif intellectuel).
2. Cf. *infra*, III, 1.
3. Il faut ici rappeler cette intuition de MALLARMÉ, formée au moment où il projetai
un travail de linguistique : « Le langage lui est apparu l'instrument de la fiction : il suivr
la méthode du langage (la déterminer). Le langage se réfléchissant. Enfin la fictio
lui semble être le procédé même de l'esprit humain — c'est elle qui met en jeu tout
méthode, et l'homme est réduit à la volonté » (*Œuvres complètes*, Pléiade, p. 851
On se rappellera que pour MALLARMÉ : « la Fiction ou Poésie » (*ib.*, p. 335).

éléments qui rentrent dans la composition d'un récit. Ce concept est celui de *niveau de description*[1].

Une phrase, on le sait, peut être décrite, linguistiquement, à plusieurs niveaux (phonétique, phonologique, grammatical, contextuel); ces niveaux sont dans un rapport hiérarchique, car, si chacun a ses propres unités et ses propres corrélations, obligeant pour chacun d'eux à une description indépendante, aucun niveau ne peut à lui seul produire du sens : toute unité qui appartient à un certain niveau ne prend de sens que si elle peut s'intégrer dans un niveau supérieur : un phonème, quoique parfaitement descriptible, en soi ne veut rien dire; il ne participe au sens qu'intégré dans un mot; et le mot lui-même doit s'intégrer dans la phrase[2]. La théorie des niveaux (telle que l'a énoncée Benveniste) fournit deux types de relations : distributionnelles (si les relations sont situées sur un même niveau), intégratives (si elles sont saisies d'un niveau à l'autre). Il s'ensuit que les relations distributionnelles ne suffisent pas à rendre compte du sens. Pour mener une analyse structurale, il faut donc d'abord distinguer plusieurs instances de description et placer ces instances dans une perspective hiérarchique (intégratoire).

Les niveaux sont des opérations[3]. Il est donc normal qu'en progressant, la linguistique tende à les multiplier. L'analyse du discours ne peut encore travailler que sur des niveaux rudimentaires. A sa manière, la rhétorique avait assigné au discours au moins deux plans de description : la *dispositio* et l'*elocutio*[4]. De nos jours, dans son analyse de la structure du mythe, Lévi-Strauss a déjà précisé que les unités constitutives du discours mythique (mythèmes) n'acquièrent de signification que parce qu'elles sont groupées en paquets et que ces paquets eux-mêmes se combinent[5]; et T. Todorov, reprenant la distinction des Formalistes russes, propose de travailler sur deux grands niveaux, eux-mêmes subdivisés : l'*histoire* (l'argument), comprenant une logique des actions et une « syntaxe » des personnages, et le *discours*, comprenant les temps, les aspects et les modes du récit[6]. Quel que soit le nombre des niveaux qu'on propose et quelque définition qu'on en donne, on ne peut douter que le récit soit une hiérarchie d'instances. Comprendre un récit, ce n'est pas seulement suivre le dévidement de l'histoire, c'est aussi y reconnaître des « étages », projeter les enchaînements horizontaux du « fil » narratif sur un axe implicitement vertical; lire (écouter) un récit, ce n'est pas seulement passer d'un mot à l'autre, c'est aussi passer d'un niveau à l'autre. Que l'on permette ici une manière d'apologue : das *la Lettre volée*, Poe a analysé avec acuité l'échec du Préfet de Police, impuissant à retrouver

1. « Les descriptions linguistiques ne sont jamais monovalentes. Une description n'est pas exacte ou fausse, elle est meilleure ou pire, plus ou moins utile. » (J. K. Halliday : « Linguistique générale et linguistique appliquée », *Études de linguistique appliquée*, 1, 1962, p. 12).
2. Les niveaux d'intégration ont été postulés par l'École de Prague (v. J. Vachek : *A Prague School Reader in Linguistics*, Indiana Univ. Press, 1964, p. 468), et repris depuis par bien des linguistes. C'est, à notre sens, Benveniste qui en a donné l'analyse la plus éclairante (*op. cit.*, ch. x).
3. « En termes quelque peu vagues, un niveau peut être considéré comme un système de symboles, règles, etc. dont on doit user pour représenter les expressions. » (E. Bach, *op. cit.*, p. 57-58).
4. La troisième partie de la rhétorique, l'*inventio*, ne concernait pas le langage : elle portait sur les *res*, non sur les *verba*.
5. *Anthropologie structurale*, p. 233.
6. Ici même, *infra* : « Les catégories du récit littéraire ».

la lettre : ses investigations étaient parfaites, dit-il, « *dans le cercle de sa spécialité »* le Préfet n'omettait aucun lieu, il « saturait » entièrement le niveau de la « perqu sition »; mais pour trouver la lettre, protégée par son évidence, il fallait passe à un autre niveau, substituer la pertinence du receleur à celle du policier. De l même façon, la « perquisition » exercée sur un ensemble horizontal de relation narratives a beau être complète, pour être efficace, elle doit aussi se dirige « verticalement » : le sens n'est pas « au bout » du récit, il le traverse; tout aus évident que *la Lettre volée*, il n'échappe pas moins qu'elle à toute exploratio unilatérale.

Bien des tâtonnements seront encore nécessaires avant de pouvoir s'assure des niveaux du récit. Ceux que l'on va proposer ici constituent un profil prov soire, dont l'avantage est encore presque exclusivement didactique : ils per mettent de situer et de grouper les problèmes, sans être en désaccord, croit-or avec les quelques analyses qui ont eu lieu[1]. On propose de distinguer dar l'œuvre narrative trois niveaux de description : le niveau des « *fonctions* » (a sens que ce mot a chez Propp et chez Bremond), le niveau des « *actions* » (a sens que ce mot a chez Greimas lorsqu'il parle des personnages comme d'actants et le niveau de la « *narration* » (qui est, en gros, le niveau du « discours » che Todorov). On voudra bien se rappeler que ces trois niveaux sont liés entre eu selon un mode d'intégration progressive : une fonction n'a de sens que pou autant qu'elle prend place dans l'action générale d'un actant; et cette actio elle-même reçoit son sens dernier du fait qu'elle est narrée, confiée à un discour qui a son propre code.

II. LES FONCTIONS

1. *La détermination des unités.*

Tout système étant la combinaison d'unités dont les classes sont connues, i faut d'abord découper le récit et déterminer les segments du discours narrati que l'on puisse distribuer dans un petit nombre de classes; en un mot, il fau définir les plus petites unités narratives.

Selon la perspective intégrative qui a été définie ici, l'analyse ne peut s contenter d'une définition purement distributionnelle des unités : il faut que l sens soit dès l'abord le critère de l'unité : c'est le caractère fonctionnel de certain segments de l'histoire qui en fait des unités : d'où le nom de « fonctions » qu l'on a tout de suite donné à ces premières unités. Depuis les Formalistes russes[2]

1. J'ai eu le souci, dans cette Introduction, de gêner le moins possible les recherche en cours.

2. Voir notamment B. Tomachevski, *Thématique* (1925), in : *Théorie de la Littérature* Seuil, 1965. — Un peu plus tard, Propp définissait la fonction comme « l'action d'u personnage, définie du point de vue de sa signification pour le développement d conte dans sa totalité » (*Morphology of Folktale*, p. 20). On verra ici même la définitio de T. Todorov (« Le sens (ou la fonction) d'un élément de l'œuvre, c'est sa possibilit d'entrer en corrélation avec d'autres éléments de cette œuvre et avec l'œuvre entière ») et les précisions apportées par A. J. Greimas, qui en vient à définir l'unité par sa corré lation paradigmatique, mais aussi par sa place à l'intérieur de l'unité syntagmatiqu dont elle fait partie.

n constitue en unité tout segment de l'histoire qui se présente comme le terme 'une corrélation. L'âme de toute fonction, c'est, si l'on peut dire, son germe, e qui lui permet d'ensemencer le récit d'un élément qui mûrira plus tard, sur le même niveau, ou ailleurs, sur un autre niveau : si, dans *Un cœur simple*, Flaubert ous apprend à un certain moment, apparemment sans y insister, que les filles lu sous-préfet de Pont-l'Evêque possédaient un perroquet, c'est parce que ce erroquet va avoir ensuite un grande importance dans la vie de Félicité : l'énoncé le ce détail (quelle qu'en soit la forme linguistique) constitue donc une fonction, ou unité narrative.

Tout, dans un récit, est-il fonctionnel? Tout, jusqu'au plus petit détail, a-t-il un ens? Le récit peut-il être intégralement découpé en unités fonctionnelles? On e verra à l'instant, il y a sans doute plusieurs types de fonctions, car il y a plu-ieurs types de corrélations. Il n'en reste pas moins qu'un récit n'est jamais ait que de fonctions : tout, à des degrés divers, y signifie. Ceci n'est pas une question d'art (de la part du narrateur), c'est une question de structure : dans 'ordre du discours, ce qui est noté est, par définition, notable : quand bien même n détail paraîtrait irréductiblement insignifiant, rebelle à toute fonction, il a'en aurait pas moins pour finir le sens même de l'absurde ou de l'inutile : tout a un sens ou rien n'en a. On pourrait dire d'une autre manière que l'art ne connaît as le bruit (au sens informationnel du mot) [1] : c'est un système pur, il n'y a pas, l n'y a jamais d'unité perdue [2], si long, si lâche, si ténu que soit le fil qui la relie à l'un des niveaux de l'histoire [3].

La fonction est évidemment, du point de vue linguistique, une unité le contenu : c'est « ce que veut dire » un énoncé qui le constitue en unité fonction-nelle [4], non la façon dont cela est dit. Ce signifié constitutif peut avoir des signi-iants différents, souvent très retors : si l'on m'énonce (dans *Goldfinger*) que James Bond vit un homme d'une cinquantaine d'années, etc., l'information recèle à la fois deux fonctions, de pression inégale : d'une part l'âge du personnage 'intègre dans un certain portrait (dont l' « utilité » pour le restant de l'histoire, l'est pas nulle, mais diffuse, retardée), et d'autre part le signifié immédiat de 'énoncé est que Bond ne connaît pas son futur interlocuteur : l'unité implique lonc une corrélation très forte (ouverture d'une menace et obligation d'identifier). Pour déterminer les premières unités narratives, il est donc nécessaire de ne jamais perdre de vue le caractère fonctionnel des segments que l'on examine, et d'ad-mettre à l'avance qu'ils ne coïncideront pas fatalement avec les formes que nous

---

1. C'est en cela qu'il n'est pas « la vie », qui ne connaît que des communications « brouillées ». Le « brouillé » (ce au-delà de quoi on ne peut voir) peut exister en art, mais alors à titre d'élément codé (Watteau, par exemple); encore ce « brouillé » est-il nconnu du code écrit : l'écriture est fatalement nette.

2. Du moins en littérature, où la liberté de notation (par suite du caractère abstrait du langage articulé) entraîne une responsabilité bien plus forte que dans les arts « ana-logiques », tels le cinéma.

3. La fonctionnalité de l'unité narrative est plus ou moins immédiate (donc apparente), selon le niveau où elle joue : lorsque les unités sont placées sur le même niveau (dans le cas du suspense, par exemple), la fonctionnalité est très sensible; beaucoup moins lorsque la fonction est saturée sur le niveau narrationnel : un texte moderne, faiblement signifiant sur le plan de l'anecdote, ne retrouve une grande force de sens que sur le plan de l'écriture.

4. « Les unités syntaxiques (au-delà de la phrase) sont en fait des unités de contenu » (A. J. Greimas, *Cours de Sémantique structurale*, cours ronéotypé, VI, 5). — L'explora-tion du niveau fonctionnel fait donc partie de la sémantique générale.

reconnaissons traditionnellement aux différentes parties du discours narratif (actions, scènes, paragraphes, dialogues, monologues intérieurs, etc.), encore moins avec des classes « psychologiques » (conduites, sentiments, intentions, motivations, rationalisations des personnages).

De la même façon, puisque la « langue » du récit n'est pas la langue du langage articulé — quoique bien souvent supportée par elle —, les unités narratives seront substantiellement indépendantes des unités linguistiques : elles pourront certes coïncider, mais occasionnellement, non systématiquement; les fonctions seront représentées tantôt par des unités supérieures à la phrase (groupes de phrases de tailles diverses, jusqu'à l'œuvre dans son entier), tantôt inférieures (le syntagme, le mot, et même, dans le mot, seulement certains éléments litté raires[1]); lorsqu'on nous dit qu'étant de garde dans son bureau du Service Secret et le téléphone ayant sonné, « *Bond souleva l'un des quatre récepteurs* », le monème *quatre* constitue à lui tout seul une unité fonctionnelle, car il renvoie à un concept nécessaire à l'ensemble de l'histoire (celui d'une haute technique bureaucratique) en fait l'unité narrative n'est pas ici l'unité linguistique (le mot), mais seulement sa valeur connotée (linguistiquement, le mot /quatre/ ne veut jamais dire « qua tre »); ceci explique que certaines unités fonctionnelles puissent être inférieures à la phrase, sans cesser d'appartenir au discours : elles débordent alors, non la phrase, à laquelle elles restent matériellement inférieures, mais le niveau de dénotation, qui appartient, comme la phrase, à la linguistique proprement dite.

2. *Classes d'unités.*

Ces unités fonctionnelles, il faut les répartir dans un petit nombre de classes formelles. Si l'on veut déterminer ces classes sans recourir à la substance du contenu (substance psychologique, par exemple), il faut de nouveau considérer les différents niveaux du sens : certaines unités ont pour corrélats des unités de même niveau; au contraire, pour saturer les autres, il faut passer à un autre niveau. D'où, dès l'abord, deux grandes classes de fonctions, les unes distributionnelles, les autres intégratives. Les premières correspondent aux fonctions de Propp, reprises notamment par Bremond, mais que nous considérons ici d'une façon infiniment plus détaillée que ces auteurs; c'est à elles que l'on réservera le nom de « *fonctions* » (bien que les autres unités soient, elles aussi fonctionnelles); le modèle en est classique depuis l'analyse de Tomachevski : l'achat d'un revolver a pour corrélat le moment où l'on s'en servira (et si l'on ne s'en sert pas, la notation est retournée en signe de velléitarisme, etc.), décrocher le téléphone a pour corrélat le moment où on le raccrochera; l'intrusion du perroquet dans la maison de Félicité a pour corrélat l'épisode de l'empaillage, de l'adoration, etc. La seconde grande classe d'unités, de nature intégrative, comprend tous les « *indices* » (au sens très général du mot[2]); l'unité renvoie alors, non à un acte complémentaire et conséquent, mais à un concept plus ou moins diffus, nécessaire cependant au sens de l'histoire : indices caractériels concernant

---

1. « On ne doit pas partir du mot comme d'un élément indivisible de l'art littéraire, le traiter comme la brique avec laquelle on construit le bâtiment. Il est décomposable en des « éléments verbaux » beaucoup plus fins. » (J. TYNIANOV, cité par T. TODOROV, in : *Langages*, 6, p. 18.)

2. Ces désignations, comme celles qui suivent, peuvent être toutes provisoires.

es personnages, informations relatives à leur identité, notations d' « atmosphèes », etc.; la relation de l'unité et de son corrélat n'est plus alors distributionnelle souvent plusieurs indices renvoient au même signifié et leur ordre d'apparition dans le discours n'est pas nécessairement pertinent), mais intégrative; pour comprendre « à quoi sert » une notation indicielle, il faut passer à un niveau supérieur (actions des personnages ou narration), car c'est seulement là que se dénoue l'indice; la puissance administrative qui est derrière Bond, indexée par le nombre des appareils téléphoniques, n'a aucune incidence sur la séquence d'actions où s'engage Bond en acceptant la communication; elle ne prend son sens qu'au niveau d'une typologie générale des actants (Bond est du côté de l'ordre); les indices, par la nature en quelque sorte verticale de leurs relations, sont des unités véritablement sémantiques, car, contrairement aux « fonctions » proprement dites, ils renvoient à un signifié, non à une « opération »; la sanction des Indices est « plus haut », parfois même virtuelle, hors du syntagme explicite (le « caractère » d'un personnage peut n'être jamais nommé, mais cependant sans cesse indexé), c'est une sanction paradigmatique; au contraire, la sanction des « Fonctions » n'est jamais que « plus loin », c'est une sanction syntagmatique [1]. *Fonctions* et *Indices* recouvrent donc une autre distinction classique : les Fonctions impliquent des relata métonymiques, les Indices des relata métaphoriques; les unes correspondent à une fonctionnalité du faire, les autres à une fonctionnalité de l'être [2].

Ces deux grandes classes d'unités, Fonctions et Indices, devraient permettre déjà un certain classement des récits. Certains récits sont fortement fonctionnels (tels les contes populaires), et à l'opposé certains autres sont fortement indiciels (tels les romans « psychologiques »); entre ces deux pôles, toute une série de formes intermédiaires, tributaires de l'histoire, de la société, du genre. Mais ce n'est pas tout : à l'intérieur de chacune de ces deux grandes classes, il est tout de suite possible de déterminer deux sous-classes d'unités narratives. Pour reprendre la classe des Fonctions, ses unités n'ont pas toutes la même « importance »; certaines constituent de véritables charnières du récit (ou d'un fragment du récit); d'autres ne font que « remplir » l'espace narratif qui sépare les fonctions-charnières : appelons les premières des *fonctions cardinales* (ou *noyaux*) et les secondes, eu égard à leur nature complétive, des *catalyses*. Pour qu'une fonction soit cardinale, il suffit que l'action à laquelle elle se réfère ouvre (ou maintienne, ou ferme) une alternative conséquente pour la suite de l'histoire, bref qu'elle inaugure ou conclue une incertitude; si, dans un fragment de récit, *le téléphone sonne*, il est également possible qu'on y réponde ou n'y réponde pas, ce qui ne manquera pas d'entraîner l'histoire dans deux voies différentes. Par contre entre deux fonctions cardinales, il est toujours possible de disposer des notations subsidiaires, qui s'agglomèrent autour d'un noyau ou d'un autre sans en modifier la nature alternative : l'espace qui sépare « *le téléphone sonna* » et « *Bond décrocha* » peut être saturé par une foule de menus incidents ou de menues descriptions : « *Bond se dirigea vers le bureau, souleva un récepteur, posa sa cigarette* », etc. Ces

---

1. Cela n'empêche pas que *finalement* l'étalement syntagmatique des fonctions puisse recouvrir des rapports paradigmatiques entre fonctions séparées, comme il est admis depuis Lévi-Strauss et Greimas.
2. On ne peut réduire les Fonctions à des actions (verbes) et les Indices à des qualités (adjectifs), car il y a des actions qui sont indicielles, étant « signes » d'un caractère, d'une atmosphère, etc.

catalyses restent fonctionnelles, dans la mesure où elles entrent en corrélation
avec un noyau, mais leur fonctionnalité est atténuée, unilatérale, parasite :
c'est qu'il s'agit ici d'une fonctionnalité purement chronologique (on décrit
ce qui sépare deux moments de l'histoire), tandis que dans le lien qui unit deux
fonctions cardinales, s'investit une fonctionnalité double, à la fois chronologique
et logique : les catalyses ne sont que des unités consécutives, les fonctions cardinales sont à la fois consécutives et conséquentes. Tout laisse à penser, en effet,
que le ressort de l'activité narrative est la confusion même de la consécution et
de la conséquence, ce qui vient *après* étant lu dans le récit comme *causé par* :
le récit serait, dans ce cas, une application systématique de l'erreur logique dénon-
cée par la scolastique sous la formule *post hoc, ergo propter hoc*, qui pourrait bien
être la devise du Destin, dont le récit n'est en somme que la « langue »; et cet
« écrasement » de la logique et de la temporalité, c'est l'armature des fonctions
cardinales qui l'accomplit. Ces fonctions peuvent être à première vue fort insi-
gnifiantes; ce qui les constitue, ce n'est pas le spectacle (l'importance, le volume,
la rareté ou la force de l'action énoncée), c'est, si l'on peut dire, le risque : les
fonctions cardinales sont les moments de risque du récit; entre ces points d'alternative, entre ces « dispatchers », les catalyses disposent des zones de sécurité,
des repos, des luxes; ces « luxes » ne sont cependant pas inutiles : du point de vue
de l'histoire, il faut le répéter, la catalyse peut avoir une fonctionnalité faible
mais non point nulle : serait-elle purement redondante (par rapport à son noyau),
elle n'en participerait pas moins à l'économie du message; mais ce n'est pas le
cas : une notation, en apparence explétive, a toujours une fonction discursive :
elle accélère, retarde, relance le discours, elle résume, anticipe, parfois même
déroute[1] : le noté apparaissant toujours comme du notable, la catalyse réveille
sans cesse la tension sémantique du discours, dit sans cesse : il y a eu, il va y avoir
du sens; la fonction constante de la catalyse est donc, en tout état de cause,
une fonction phatique (pour reprendre le mot de Jakobson) : elle maintient le
contact entre le narrateur et le narrataire. Disons qu'on ne peut supprimer
un noyau sans altérer l'histoire, mais qu'on ne peut non plus supprimer une
catalyse sans altérer le discours. Quant à la seconde grande classe d'unités
narratives (les Indices), classe intégrative, les unités qui s'y trouvent ont en
commun de ne pouvoir être saturées (complétées) qu'au niveau des personnages
ou de la narration; elles font donc partie d'une relation *paramétrique*[2], dont le
second terme, implicite, est continu, extensif à un épisode, un personnage ou une
œuvre tout entière; on peut cependant y distinguer des *indices* proprement dits,
renvoyant à un caractère, à un sentiment, à une atmosphère (par exemple de
suspicion), à une philosophie, et des *informations*, qui servent à identifier, à
situer dans le temps et dans l'espace. Dire que Bond est de garde dans un bureau
dont la fenêtre ouverte laisse voir la lune entre de gros nuages qui roulent,
c'est indexer une nuit d'été orageuse, et cette déduction elle-même forme un
indice atmosphériel qui renvoie au climat lourd, angoissant d'une action que
l'on ne connaît pas encore. Les indices ont donc toujours des signifiés implicites;
les informants, au contraire, n'en ont pas, du moins au niveau de l'histoire :

---

1. VALÉRY parlait de « signes dilatoires ». Le roman policier fait grand usage de ces
unités « déroutantes ».
2. N. RUWET appelle élément paramétrique un élément qui est constant pendant
toute la durée d'une pièce de musique (par exemple le tempo d'un allegro de Bach, le
caractère monodique d'un solo).

e sont des données pures, immédiatement signifiantes. Les indices impliquent
ne activité de déchiffrement : il s'agit pour le lecteur d'apprendre à connaître
n caractère, une atmosphère; les informants apportent une connaissance toute
ite; leur fonctionnalité, comme celle des catalyses, est donc faible, mais elle
'est pas non plus nulle : quelle que soit sa « matité » par rapport au reste de
histoire, l'informant (par exemple l'âge précis d'un personnage) sert à authen-
fier la réalité du référent, à enraciner la fiction dans le réel : c'est un opérateur
éaliste, et à ce titre, il possède une fonctionnalité incontestable, non au niveau
e l'histoire, mais au niveau du discours [1].

Noyaux et catalyses, indices et informants (encore une fois peu importe les
oms), telles sont, semble-t-il, les premières classes entre lesquelles on peut
épartir les unités du niveau fonctionnel. Il faut compléter ce classement par
eux remarques. Tout d'abord, une unité peut appartenir en même temps à
eux classes différentes : boire un whisky (dans un hall d'aéroport) est une
ction qui peut servir de catalyse à la notation (cardinale) d'*attendre*, mais c'est
ussi et en même temps l'indice d'une certaine atmosphère (modernité, détente,
ouvenir, etc.) : autrement dit, certaines unités peuvent être mixtes. Tout un jeu
st de la sorte possible dans l'économie du récit; dans le roman *Goldfinger*, Bond,
evant perquisitionner dans la chambre de son adversaire, reçoit un passe-partout
e son commanditaire : la notation est une pure fonction (cardinale); dans le
lm, ce détail est changé : Bond enlève en plaisantant son trousseau à une femme
e chambre qui ne proteste pas; la notation n'est plus seulement fonctionnelle,
nais aussi indicielle, elle renvoie au caractère de Bond (sa désinvolture et son
uccès auprès des femmes). En second lieu, il faut remarquer (ce qui sera d'ail-
eurs repris plus tard) que les quatre classes dont on vient de parler peuvent être
oumises à une autre distribution, plus conforme d'ailleurs au modèle linguistique.
es catalyses, les indices et les informants ont en effet un caractère commun : ce
ont des *expansions*, par rapport aux noyaux : les noyaux (on va le voir à l'ins-
ant) forment des ensembles finis de termes peu nombreux, ils sont régis par une
ogique, ils sont à la fois nécessaires et suffisants; cette armature donnée, les
utres unités viennent la remplir selon un mode de prolifération en principe
nfini; on le sait, c'est ce qui se passe pour la phrase, faite de propositions simples,
ompliquées à l'infini de duplications, de remplissages, d'enrobements, etc. :
omme la phrase, le récit est infiniment catalysable. Mallarmé attachait une telle
mportance à ce type de structure qu'il en a constitué son poème *Jamais un coup
e dés*, que l'on peut bien considérer, avec ses « nœuds » et ses « ventres », ses
mots-nœuds » et ses « mots-dentelles » comme le blason de tout récit — de
out langage.

3. La syntaxe fonctionnelle.

Comment, selon quelle « grammaire », ces différentes unités s'enchaînent-elles
es unes aux autres le long du syntagme narratif? Quelles sont les règles de la

---

1. Ici même, G. GENETTE distingue deux sortes de descriptions : ornementale et
ignificative. La description significative doit évidemment être rattachée au niveau de
'histoire et la description ornementale au niveau du discours, ce qui explique qu'elle
 formé pendant longtemps un « morceau » rhétorique parfaitement codé : la *descriptio*
u *ekphrasis*, exercice très prisé de la néo-rhétorique.

combinatoire fonctionnelle? Les informants et les indices peuvent librement se combiner entre eux : tel est par exemple le portrait, qui juxtapose sans contrainte des données d'état civil et des traits caractériels. Une relation d'implication simple unit les catalyses et les noyaux : une catalyse implique nécessairement l'existence d'une fonction cardinale à quoi se rattacher mais non réciproquement. Quant aux fonctions cardinales, c'est un rapport de solidarité qui les unit : une fonction de cette sorte oblige à une autre de même sorte et réciproquement. C'est cette dernière relation sur laquelle il faut s'arrêter un instant : d'abord parce qu'elle définit l'armature même du récit (les expansions sont supprimables, les noyaux ne le sont pas), ensuite parce qu'elle préoccupe principalement ceux qui cherchent à structurer le récit.

On a déjà signalé que par sa structure même, le récit instituait une confusion entre la consécution et la conséquence, le temps et la logique. C'est cette ambiguïté qui forme le problème central de la syntaxe narrative. Y a-t-il derrière le temps du récit une logique intemporelle? Ce point divisait encore récemment les chercheurs. Propp, dont l'analyse, on le sait, a ouvert la voie aux études actuelles, tient absolument à l'irréductibilité de l'ordre chronologique : le temps est à ses yeux le réel, et pour cette raison il lui paraît nécessaire d'enraciner le conte dans le temps. Cependant, Aristote lui-même, en opposant la tragédie (définie par l'unité d'action) à l'histoire (définie par la pluralité des actions et l'unité du temps) attribuait déjà la primauté au logique sur le chronologique [1]. C'est ce que font tous les chercheurs actuels (Lévi-Strauss, Greimas, Bremond, Todorov), qui pourraient tous souscrire sans doute (quoique divergeant sur d'autres points) à la proposition de Lévi-Strauss : « L'ordre de succession chronologique se résorbe dans une structure matricielle atemporelle [2]. » L'analyse actuelle tend en effet à « déchronologiser » le continu narratif et à le « relogifier », à le soumettre à ce que Mallarmé appelait, à propos de la langue française, « *les primitives foudres de la logique* [3] ». Ou plus exactement — c'est là du moins notre souhait — la tâche est de parvenir à donner une description structurale de l'illusion chronologique; c'est à la logique narrative à rendre compte du temps narratif. On pourrait dire d'une autre façon que la temporalité n'est qu'une classe structurelle du récit (du discours), tout comme dans la langue, le temps n'existe que sous forme de système; du point de vue du récit, ce que nous appelons le temps n'existe pas, ou du moins n'existe que fonctionnellement, comme élément d'un système sémiotique : le temps n'appartient pas au discours proprement dit, mais au référent; le récit et la langue ne connaissent qu'un temps sémiologique; le « vrai » temps est une illusion référentielle, « réaliste », comme le montre le commentaire de Propp, et c'est à ce titre que la description structurale doit en traiter [4].

Quelle est donc cette logique qui contraint les principales fonctions du récit? C'est ce qu'on cherche à établir activement et ce qui a été jusqu'ici le plus largement débattu. On renverra donc aux contributions de A. J. Greimas, Cl. Bremond et T. Todorov, publiées ici même, et qui traitent toutes de la logique des fonctions.

---

1. *Poétique*, 1459 a.
2. Cité par Cl. Bremond, « Le message narratif », *Communications*, n° 4, 1964.
3. *Quant au Livre* (Œuvres complètes, Pléiade, p. 386).
4. À sa manière, comme toujours perspicace mais inexploitée, Valéry a bien énoncé le statut du temps narratif : « La croyance au temps comme agent et fil conducteur est fondée sur *le mécanisme de la mémoire et sur celui du discours combiné* » (*Tel Quel*, II, 348); c'est nous qui soulignons : l'illusion est en effet produite par le discours lui-même.

'rois directions principales de recherche se font jour, exposées plus loin par . Todorov. La première voie (Bremond) est plus proprement logique : il s'agit e reconstituer la syntaxe des comportements humains mis en œuvre par le récit, e retracer le trajet des « choix »auxquels, en chaque point de l'histoire, tel personage est fatalement soumis [1], et de mettre ainsi à jour ce que l'on pourrait appeler n logique énergétique [2], puisqu'elle saisit les personnages au moment où ils hoisissent d'agir. Le second modèle est linguistique (Lévi-Strauss, Greimas) : a préoccupation essentielle de cette recherche est de retrouver dans les fonctions es oppositions paradigmatiques, ces oppositions, conformément au principe akobsonien du « poétique », étant « étendues » le long de la trame du récit (on erra cependant ici même les développements nouveaux par lesquels Greimas orrige ou complète le paradigmatisme des fonctions). La troisième voie, esquissée ar Todorov est quelque peu différente, car elle installe l'analyse au niveau des actions » (c'est-à-dire des personnages), en essayant d'établir les règles par lesuelles le récit combine, varie et transforme un certain nombre de prédicats de ase.

Il n'est pas question de choisir entre ces hypothèses de travail; elles ne sont as rivales mais concurrentes, situées d'ailleurs actuellement en pleine élabo-ation. Le seul complément qu'on se permettra ici de leur apporter concerne les imensions de l'analyse. Même si l'on met à part les indices, les informants et es catalyses, il reste encore dans un récit (surtout s'il s'agit d'un roman, et non lus d'un conte) un très grand nombre de fonctions cardinales; beaucoup ne euvent être maîtrisées par les analyses que l'on vient de citer, qui ont travaillé asqu'à présent sur les grandes articulations du récit. Il faut cependant prévoir ne description suffisamment serrée pour rendre compte de *toutes* les unités du écit, de ses plus petits segments; les fonctions cardinales, rappelons-le, ne euvent être déterminées par leur « importance », mais seulement par la nature loublement implicative) de leurs relations : un « coup de téléphone », si futile qu'il pparaisse, d'une part comporte lui-même quelques fonctions cardinales (sonner, écrocher, parler, raccrocher), et d'autre part, pris en bloc, il faut pouvoir e rattacher, tout au moins de proche en proche, aux grandes articulations de anecdote. La couverture fonctionnelle du récit impose une organisation de relais, ont l'unité de base ne peut être qu'un petit groupement de fonctions, qu'on ppellera ici (à la suite de Cl. Bremond) une *séquence*.

Une séquence est une suite logique de noyaux, unis entre eux par une relation e solidarité [3] : la séquence s'ouvre lorsque l'un de ses termes n'a point d'antécé-ent solidaire et elle se ferme lorsqu'un autre de ses termes n'a plus de consé-uent. Pour prendre un exemple volontairement futile, commander une consom-nation, la recevoir, la consommer, la payer, ces différentes fonctions constituent ne séquence évidemment close, car il n'est pas possible de faire précéder la ommande ou de faire suivre le paiement sans sortir de l'ensemble homogène

---

1. Cette conception rappelle une vue d'ARISTOTE : la *proaïresis*, choix rationnel des ctions à commettre, fonde la *praxis*, science pratique qui ne produit aucune œuvre istincte de l'agent, contrairement à la *poièsis*. Dans ces termes, on dira que l'analyste ssaye de reconstituer la praxis intérieure au récit.
2. Cette logique, fondée sur l'alternative *(faire ceci ou cela)* a le mérite de rendre ompte du procès de dramatisation dont le récit est ordinairement le siège.
3. Au sens hjelmslevien de double implication : deux termes se présupposent l'un autre.

« *Consommation* ». La séquence est en effet toujours nommable. Déterminant le
grandes fonctions du conte, Propp, puis Bremond, ont déjà été amenés à les nommer
(*Fraude, Trahison, Lutte, Contrat, Séduction*, etc); l'opération nominative es
également inévitable pour des séquences futiles, ce que l'on pourrait appeler de
« micro-séquences », celles qui forment souvent le grain le plus fin du tissu narratif.
Ces nominations sont-elles uniquement du ressort de l'analyste. Autrement di
sont-elles purement méta-linguistiques? Elles le sont sans doute, puisqu'elle
traitent du code du récit, mais on peut imaginer qu'elles font partie d'un méta
langage intérieur au lecteur (à l'auditeur) lui-même, qui saisit toute suite logiqu
d'actions comme un tout nominal : lire, c'est nommer ; écouter, ce n'est pas seule
ment percevoir un langage, c'est aussi le construire. Les titres de séquences son
assez analogues à ces *mots-couverture (cover-words)* des machines à traduire
qui recouvrent d'une manière acceptable une grande variété de sens et de nuance
La langue du récit, qui est en nous, comporte d'emblée ces rubriques essentielles
la logique close qui structure une séquence est indissolublement liée à son nom
toute fonction qui inaugure une *séduction* impose dès son apparition, dans l
nom qu'elle fait surgir, le procès entier de la séduction, tel que nous l'avon
appris de tous les récits qui ont formé en nous la langue du récit.

Quel que soit son peu d'importance, étant composée d'un petit nombre de noyau
(c'est-à-dire, en fait, de « dispatchers »), la séquence comporte toujours de
moments de risque, et c'est ce qui en justifie l'analyse : il pourrait paraître déri
soire de constituer en séquence la suite logique des menus actes qui composen
l'offre d'une cigarette *(offrir, accepter, allumer, fumer)* ; mais c'est que, précisé
ment, à chacun de ces points, une alternative, donc une liberté de sens, est pos
sible : du Pont, le commanditaire de James Bond, lui offre du feu avec son brique
mais Bond refuse; le sens de cette bifurcation est que Bond craint instinctivemen
un gadget piégé [1]. La séquence est donc, si l'on veut, une *unité logique menacée*
c'est ce qui la justifie *a minimo*. Elle est aussi fondée *a maximo* : fermée sur se
fonctions, subsumée sous un nom, la séquence elle-même constitue une unit
nouvelle, prête à fonctionner comme le simple terme d'une autre séquence
plus large. Voici une micro-séquence : *tendre la main, la serrer, la relâcher;* cett
Salutation devient une simple fonction : d'une part, elle prend le rôle d'un indic
(mollesse de du Pont et répugnance de Bond), et d'autre part elle forme globale
ment le terme d'une séquence plus large, dénommée *Rencontre*, dont les autre
termes *(approche, arrêt, interpellation, salutation, installation)* peuvent êtr
eux-mêmes des micro-séquences. Tout un réseau de subrogations structure ains
le récit, des plus petites matrices aux plus grandes fonctions. Il s'agit là, bie
entendu, d'une hiérarchie qui reste intérieure au niveau fonctionnel : c'est seule
ment lorsque le récit a pu être agrandi, de proche en proche, de la cigarette d
du Pont au combat de Bond contre Goldfinger, que l'analyse fonctionnelle es
terminée : la pyramide des fonctions touche alors au niveau suivant (celui de
Actions). Il y a donc à la fois une syntaxe intérieure aux séquences et une syntax

---

1. Il est très possible de retrouver, même à ce niveau infinitésimal, une opposition
de modèle paradigmatique, sinon entre deux termes, du moins entre deux pôles de l
séquence : la séquence *Offre de cigarette* étale, en le suspendant, le paradigme *Danger
Sécurité* (mis à jour par CHEGLOV dans son analyse du cycle de Sherlock Holmes), *Soupçon
Protection, Agressivité/Amicalité.*

ubrogeante) des séquences entre elles. Le premier épisode de *Goldfinger* prend
e la sorte une allure « stemmatique » :

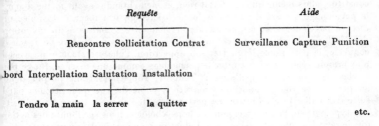

etc.

ette représentation est évidemment analytique. Le lecteur, lui, perçoit une suite
néaire de termes. Mais ce qu'il faut noter, c'est que les termes de plusieurs
équences peuvent très bien s'imbriquer les uns dans les autres : une séquence
'est pas finie, que, déjà, s'intercalant, le terme initial d'une nouvelle séquence
eut surgir : les séquences se déplacent en contrepoint[1]; fonctionnellement, la
tructure du récit est fuguée : c'est ainsi que le récit, à la fois, « tient » et « aspire ».
'imbrication des séquences ne peut en effet se permettre de cesser, à l'intérieur
'une même œuvre, par un phénomène de rupture radicale, que si les quelques
locs, (ou « stemmas ») étanches, qui, alors, la composent, sont en quelque sorte
écupérés au niveau supérieur des Actions (des personnages) : *Goldfinger* est
omposé de trois épisodes fonctionnellement indépendants, car leurs stemmas
onctionnels cessent deux fois de communiquer : il n'y a aucun rapport séquentiel
ntre l'épisode de la piscine et celui de Fort-Knox; mais il subsiste un rapport
ctantiel, car les personnages (et par conséquent la structure de leurs rapports)
ont les mêmes. On reconnaît ici l'épopée (« ensemble de fables multiples ») :
'épopée est un récit brisé au niveau fonctionnel mais unitaire au niveau actantiel
ceci peut se vérifier dans l'Odyssée ou le théâtre de Brecht). Il faut donc cou-
onner le niveau des fonctions (qui fournit la majeure partie du syntagme nar-
atif) par un niveau supérieur, dans lequel, de proche en proche, les unités du
remier niveau puisent leur sens, et qui est le niveau des Actions.

III. LES ACTIONS

1. *Vers un statut structural des personnages.*

Dans la Poétique aristotélicienne, la notion de personnage est secondaire,
entièrement soumise à la notion d'action : il peut y avoir des fables sans « carac-
ères », dit Aristote, il ne saurait y avoir de caractères sans fable. Cette vue a été
eprise par les théoriciens classiques (Vossius). Plus tard, le personnage, qui

---

1. Ce contrepoint a été pressenti par les Formalistes russes, qui en ont esquissé la typo-
ogie; il n'est pas sans rappeler les principales structures « retorses » de la phrase (cf. *infra*,
V, 1).

jusque-là n'était qu'un nom, l'agent d'une action [1], a pris une consistance psycho
logique, il est devenu un individu, une « personne », bref un « être » pleinemen
constitué, alors même qu'il ne ferait rien, et bien entendu, avant même d'agir
le personnage a cessé d'être subordonné à l'action, il a incarné d'emblée un
essence psychologique ; ces essences pouvaient être soumises à un inventair
dont la forme la plus pure a été la liste des « emplois » du théâtre bourgeois (l
coquette, le père noble, etc). Dès son apparition, l'analyse structurale a eu l
plus grande répugnance à traiter le personnage comme une essence, fût-ce pou
la classer ; comme le rappelle ici T. Todorov, Tomachevski alla jusqu'à dénie
au personnage toute importance narrative, point de vue qu'il atténua par l
suite. Sans aller jusqu'à retirer les personnages de l'analyse, Propp les réduisit
une typologie simple, fondée, non sur la psychologie, mais sur l'unité des action
que le récit leur impartit (Donateur d'objet magique, Aide, Méchant, etc.).

Depuis Propp, le personnage ne cesse d'imposer à l'analyse structurale d
récit le même problème : d'une part les personnages (de quelque nom qu'on le
appelle : *dramatis personae* ou *actants*) forment un plan de description nécessaire
hors duquel les menues « actions » rapportées cessent d'être intelligibles, e
sorte qu'on peut bien dire qu'il n'existe pas un seul récit au monde sans « person
nages [3] », ou du moins sans « agents » ; mais d'autre part ces « agents », for
nombreux, ne peuvent être ni décrits ni classés en termes de « personnes », soi
que l'on considère la « personne » comme une forme purement historique
restreinte à certains genres (il est vrai les mieux connus de nous) et que pa
conséquent il faille réserver le cas, fort vaste, de tous les récits (contes popu
laires, textes contemporains) qui comportent des agents, mais non des personne
soit que l'on professe que la « personne » n'est jamais qu'une rationalisatio
critique imposée par notre époque à de purs agents narratifs. L'analyse structu
rale, très soucieuse de ne point définir le personnage en termes d'essence
psychologiques, s'est efforcée jusqu'à présent, à travers des hypothèses diverses
dont on trouvera l'écho dans certaines des contributions qui suivent, de défini
le personnage non comme un « être », mais comme un « participant ». Pou
Cl. Bremond, chaque personnage peut être l'agent de séquences d'action
qui lui sont propres *(Fraude, Séduction)* ; lorsqu'une même séquence impliqu
deux personnages (c'est le cas normal), la séquence comporte deux perspectives
ou, si l'on préfère, deux noms (ce qui est *Fraude* pour l'un est *Duperie* pou
l'autre) ; en somme, chaque personnage, même secondaire, est le héros de s
propre séquence. T. Todorov, analysant un roman « psychologique » *(Les Liaison
dangereuses)* part, non des personnages-personnes, mais des trois grands rapport
dans lesquels ils peuvent s'engager et qu'il appelle prédicats de base (amour
communication, aide) ; ces rapports sont soumis par l'analyse à deux sortes d

---

1. N'oublions pas que la tragédie classique ne connaît encore que des « acteurs », no
des « personnages ».
2. Le « personnage-personne » règne dans le roman bourgeois ; dans *Guerre et Paix*
Nicolas Rostov est d'emblée un bon garçon, loyal, courageux, ardent ; le prince Andr
un être racé, désenchanté, etc. : ce qui leur arrive les illustre, mais ne les fait pas.
3. Si une part de la littérature contemporaine s'est attaquée au « personnage », c
n'est pas pour le détruire (chose impossible), c'est pour le dépersonnaliser, ce qui es
tout différent. Un roman apparemment sans personnages, comme *Drame* de Philippe
Sollers, éconduit entièrement la personne au profit du langage, mais n'en garde pas
moins un fondamental d'actants, face à l'action même de la parole. Cette littératur
connaît toujours un « sujet », mais ce « sujet » est dorénavant celui du langage.

gles : de *dérivation* lorsqu'il s'agit de rendre compte d'autres rapports et *'action* lorsqu'il s'agit de décrire la transformation de ces rapports au cours e l'histoire : il y a beaucoup de personnages dans *Les Liaisons dangereuses*, ais « ce qu'on en dit » (leurs prédicats) se laisse classer. Enfin, A. J. Greimas a roposé de décrire et de classer les personnages du récit, non selon ce qu'ils ont, mais selon ce qu'ils font (d'où leur nom d'*actants*), pour autant qu'ils articipent à trois grands axes sémantiques, que l'on retrouve d'ailleurs dans a phrase (sujet, objet, complément d'attribution, complément circonstanciel) t qui sont la communication, le désir (ou la quête) et l'épreuve [1]; comme cette articipation s'ordonne par couples, le monde infini des personnages est lui ussi soumis à une structure paradigmatique *(Sujet/Objet, Donateur/Desti-ataire, Adjuvant/Opposant)*, projetée le long du récit; et comme l'actant défini ne classe, il peut se remplir d'acteurs différents, mobilisés selon des règles de ultiplication, de substitution ou de carence.

Ces trois conceptions ont beaucoup de points communs. Le principal, il faut e répéter, est de définir le personnage par sa participation à une sphère d'actions, es sphères étant peu nombreuses, typiques, classables; c'est pourquoi l'on a ppelé ici le second niveau de description, quoique étant celui des personnages, iveau des Actions : ce mot ne doit donc pas s'entendre ici au sens des menus ctes qui forment le tissu du premier niveau, mais au sens des grandes articu-ations de la *praxis* (désirer, communiquer, lutter).

. Le problème du sujet.

Les problèmes soulevés par une classification des personnages du récit ne sont as encore bien résolus. Certes on s'accorde bien sur ce que les innombrables ersonnages du récit peuvent être soumis à des règles de susbstitution et que, même à l'intérieur d'une œuvre, une même figure peut absorber des personnages ifférents [2]; d'autre part le modèle actantiel proposé par Greimas (et repris ans une perspective différente par Todorov) semble bien résister à l'épreuve 'un grand nombre de récits : comme tout modèle structural, il vaut moins ar sa forme canonique (une matrice de six actants) que par les transformations églées (carences, confusions, duplications, substitutions), auxquelles il se prête, aissant ainsi espérer une typologie actantielle des récits [3]; cependant, lorsque a matrice a un bon pouvoir classificateur (c'est le cas des actants de Greimas), lle rend mal compte de la multiplicité des participations, dès lors qu'elles sont nalysées en termes de perspectives; et lorsque ces perspectives sont respectées dans la description de Bremond), le système des personnages reste trop morcelé; a réduction proposée par Todorov évite les deux écueils, mais elle ne porte usqu'à ce jour que sur un seul récit. Tout ceci peut être harmonisé rapidement, emble-t-il. La véritable difficulté posée par la classification des personnages

1. *Sémantique structurale*, Larousse, 1966, p. 129 sq.
2. La psychanalyse a largement accrédité ces opérations de condensation. — MAL-ARMÉ disait déjà, à propos d'*Hamlet* : « Comparses, il le faut ! car dans l'idéale peinture de a scène tout se meut selon une réciprocité symbolique de types entre eux ou relative-ment à une figure seule. » (*Crayonné au théâtre*, Pléiade, p. 301).
3. Par exemple : les récits où l'objet et le sujet se confondent dans un même personnage ont les récits de la quête de soi-même, et de sa propre identité (*L'Ane d'or*) ; récits où le ujet poursuit des objets successifs (*Mme Bovary*), etc.

est la place (et donc l'existence) du *sujet* dans toute matrice actantielle, quell
qu'en soit la formule. *Qui* est le sujet (le héros) d'un récit? Y a-t-il — ou n'
a-t-il pas une classe privilégiée d'acteurs? Notre roman nous a habitués à accen
tuer d'une façon ou d'une autre, parfois retorse (négative), un personnage parm
d'autres. Mais le privilège est loin de couvrir toute la littérature narrative. Ains
beaucoup de récits mettent aux prises, autour d'un enjeu, deux adversaires
dont les « actions » sont de la sorte égalisées; le sujet est alors véritablemen
double, sans qu'on puisse davantage le réduire par substitution; c'est mêm
peut-être là une forme archaïque courante, comme si le récit, à l'instar de cer
taines langues, avait connu lui aussi un *duel* de personnes. Ce duel est d'autan
plus intéressant qu'il apparente le récit à la structure de certains jeux (for
modernes), dans lesquels deux adversaires égaux désirent conquérir un obje
mis en circulation par un arbitre; ce schéma rappelle la matrice actantiell
proposée par Greimas, ce qui ne peut étonner si l'on veut bien se persuader qu
le jeu, étant un langage, relève lui aussi de la même structure symbolique qu
l'on retrouve dans la langue et dans le récit : le jeu lui aussi est une phrase [1]
Si donc l'on garde une classe privilégiée d'acteurs (le sujet de la quête, du désir
de l'action), il est au moins nécessaire de l'assouplir en soumettant cet actan
aux catégories mêmes de la personne, non psychologique, mais grammaticale
une fois de plus, il faudra se rapprocher de la linguistique pour pouvoir décrir
et classer l'instance personnelle *(je/tu)* ou apersonnelle *(il)* singulière, duell
ou plurielle, de l'action. Ce seront — peut-être — les catégories grammaticale
de la personne (accessibles dans nos pronoms) qui donneront la clef du nivea
actionnel. Mais comme ces catégories ne peuvent se définir que par rapport à
l'instance du discours, et non à celle de la réalité [2], les personnages, comm
unités du niveau actionnel, ne trouvent leur sens (leur intelligibilité) que s
on les intègre au troisième niveau de la description, que nous appelons ic
niveau de la Narration (par opposition aux Fonctions et aux Actions).

IV. LA NARRATION

1. *La communication narrative.*

De même qu'il y a, à l'intérieur du récit, une grande fonction d'échange (répar-
tie entre un donateur et un bénéficiaire), de même, homologiquement, le récit,
comme objet, est l'enjeu d'une communication : il y a un donateur du récit, il
y a un destinataire du récit. On le sait, dans la communication linguistique, *je*
et *tu* sont absolument présupposés l'un par l'autre; de la même façon, il ne peut
y avoir de récit sans narrateur et sans auditeur (ou lecteur). Ceci est peut-être
banal, et cependant encore mal exploité. Certes le rôle de l'émetteur a été abon-
damment paraphrasé (on étudie l'« auteur » d'un roman, sans se demander
d'ailleurs s'il est bien le « narrateur »), mais lorsqu'on passe au lecteur, la théorie

---

1. L'analyse du cycle James Bond, faite par U. Eco un peu plus loin, se réfère davantage au jeu qu'au langage.
2. Voir les analyses de la personne données par BENVENISTE dans *Problèmes de Linguistique générale.*

ttéraire est beaucoup plus pudique. En fait, le problème n'est pas d'introspecter les motifs du narrateur ni les effets que la narration produit sur le lecteur; il est de décrire le code à travers lequel narrateur et lecteur sont signifiés le long du récit lui-même. Les signes du narrateur paraissent à première vue plus visibles et plus nombreux que les signes du lecteur (un récit dit plus souvent *je* que *tu*); en réalité, les seconds sont simplement plus retors que les premiers; ainsi, chaque fois que le narrateur, cessant de « représenter », rapporte des faits qu'il connaît parfaitement mais que le lecteur ignore, il se produit, par carence signifiante, un signe de lecture, car ce n'aurait pas de sens que le narrateur se donnât à lui-même une information : *Léo était le patron de cette boîte* [1], nous dit un roman à la première personne : ceci est un signe du lecteur, proche de ce que Jakobson appelle la fonction conative de la communication. Faute d'inventaire, on laissera cependant de côté pour le moment les signes de la réception (bien qu'aussi importants), pour dire un mot des signes de la narration [2].

Qui est le donateur du récit? Trois conceptions semblent avoir été, jusqu'ici, énoncées. La première considère que le récit est émis par une personne (au sens pleinement psychologique du terme); cette personne a un nom, c'est l'auteur, en qui s'échangent sans arrêt la « personnalité » et l'art d'un individu parfaitement identifié, qui prend périodiquement la plume pour écrire une histoire : le récit (notamment le roman) n'est alors que l'expression d'un *je* qui lui est extérieur. La deuxième conception fait du narrateur une sorte de conscience totale, apparemment impersonnelle, qui émet l'histoire d'un point de vue supérieur, celui de Dieu [3] : le narrateur est à la fois intérieur à ses personnages (puisqu'il sait tout ce qui se passe en eux) et extérieur (puisqu'il ne s'identifie jamais avec l'un plus qu'avec l'autre). La troisième conception, la plus récente (Henry James, Sartre) édicte que le narrateur doit limiter son récit à ce que peuvent observer ou savoir les personnages : tout se passe comme si chaque personnage était tour à tour l'émetteur du récit. Ces trois conceptions sont également gênantes, dans la mesure où elles semblent toutes trois voir dans le narrateur et les personnages des personnes réelles, « vivantes » (on connaît l'indéfectible puissance de ce mythe littéraire), comme si le récit se déterminait originellement à son niveau référentiel (il s'agit de conceptions également « réalistes »). Or, du moins à notre point de vue, narrateur et personnages sont essentiellement des « êtres de papier »; l'auteur (matériel) d'un récit ne peut se confondre en rien avec le narrateur de ce récit [4]; les signes du narrateur sont immanents au récit, et par conséquent parfaitement accessibles à une analyse sémiologique; mais pour décider que l'auteur lui-même (qu'il s'affiche, se cache ou s'efface) dispose de « signes » dont il parsèmerait son œuvre, il faut supposer entre la « personne »

---

1. *Double bang à Bangkok*. La phrase fonctionne comme un « clin d'œil » au lecteur, comme si l'on se tournait vers lui. Au contraire, l'énoncé « *Ainsi, Léo venait de sortir* » est un signe du narrateur, car cela fait partie d'un raisonnement mené par une « personne ».
2. Ici même, TODOROV traite d'ailleurs de l'image du narrateur et de l'image du lecteur.
3. « Quand est-ce qu'on écrira au point de vue d'une *blague supérieure*, c'est-à-dire comme le bon Dieu les voit d'en haut? » (FLAUBERT, *Préface à la vie d'écrivain*, Seuil, 1965 p. 91.)
4. Distinction d'autant plus nécessaire, à l'échelle qui nous occupe, que, historiquement, une masse considérable de récits sont sans auteur (récits oraux, contes populaires, épopées confiées à des aèdes, à des récitants, etc.).

et son langage un rapport signalétique qui fait de l'auteur un sujet plein et de récit l'expression instrumentale de cette plénitude : ce à quoi ne peut se résoudre l'analyse structurale : *qui parle* (dans le récit) n'est pas *qui écrit* (dans la vie) et *qui écrit* n'est pas *qui est* [1].

En fait, la narration proprement dite (ou code du narrateur) ne connaît, comme d'ailleurs la langue, que deux systèmes de signes : personnel et a-personnel ces deux systèmes ne bénéficient pas forcément des marques linguistiques attachées à la personne *(je)* et à la non-personne *(il)* ; il peut y avoir, par exemple des récits, ou tout au moins des épisodes, écrits à la troisième personne et dont l'instance véritable est cependant la première personne. Comment en décider ? Il suffit de « rewriter » le récit (ou le passage) du *il* en *je* : tant que cette opération n'entraîne aucune autre altération du discours que le changement même des pronoms grammaticaux, il est certain que l'on reste dans un système de la personne : tout le début de *Goldfinger*, quoique écrit à la troisième personne, est en fait parlé par James Bond ; pour que l'instance change, il faut que le rewriting devienne impossible ; ainsi la phrase : « il aperçut un homme d'une cinquantaine d'années, d'allure encore jeune, etc. », est parfaitement personnelle, en dépit du *il* (« Moi, James Bond, j'aperçus, etc. ») ,mais l'énoncé narratif « le tintement de la glace contre le verre sembla donner à Bond une brusque inspiration » ne peut être personnel, en raison du verbe « sembler », qui devient signe d'a-personnel (et non le *il*). Il est certain que l'a-personnel est le mode traditionnel du récit, la langue ayant élaboré tout un système temporel, propre au récit (articulé sur l'aoriste [2]), destiné à évincer le présent de celui qui parle : « Dans le récit, dit Benveniste, personne ne parle. » Cependant l'instance personnelle (sous des formes plus ou moins déguisées) a envahi peu à peu le récit, la narration étant rapportée au *hic et nunc* de la locution (c'est la définition du système personnel) ; aussi voit-on aujourd'hui bien des récits, et des plus courants, mêler à un rythme extrêmement rapide, souvent dans les limites d'une même phrase, le personnel et l'a-personnel ; telle cette phrase de *Goldfinger* :

Ses yeux	*personnel*
gris-bleu	*a-personnel*
étaient fixés sur ceux de du Pont qui ne savait quelle contenance prendre	*personnel*
car ce regard fixe comportait un mélange de candeur, d'ironie et d'auto-dépréciation.	*a-personnel*

Le mélange des systèmes est évidemment ressenti comme une facilité. Cette facilité peut aller jusqu'au truquage : un roman policier d'Agatha Christie (*Cinq heures vingt-cinq*) ne maintient l'énigme qu'en trichant sur la personne de la narration : un personnage est décrit de l'intérieur, alors qu'il est déjà le meurtrier [3] : tout se passe comme si dans une même personne il y avait une conscience de témoin, immanente au discours, et une conscience de meurtrier, immanente au référent : le tourniquet abusif des deux systèmes permet seul l'énigme. On comprend donc qu'à l'autre pôle de la littérature, on fasse de la rigueur du sys-

---

1. J. LACAN : « Le sujet dont je parle quand je parle est-il le même que celui qui parle ? »
2. E. BENVENISTE, *op. cit.*
3. Mode personnel : « Il semblait même à Burnaby que rien ne paraissait changé, etc. » — Le procédé est encore plus grossier dans *Le meurtre de Roger Akroyd*, puisque le meurtrier y dit franchement *je*.

ème choisi une condition nécessaire de l'œuvre — sans cependant pouvoir
oujours l'honorer jusqu'au bout.

Cette rigueur — recherchée par certains écrivains contemporains — n'est pas
orcément un impératif esthétique; ce qu'on appelle le roman psychologique
est ordinairement marqué par un mélange des deux systèmes, mobilisant succes-
ivement les signes de la non-personne et ceux de la personne; la « psychologie »
ne peut en effet — paradoxalement — s'accommoder d'un pur système de la
personne, car en ramenant tout le récit à l'instance seule du discours, ou si l'on
préfère à l'acte de locution, c'est le contenu même de la personne qui est menacé :
a personne psychologique (d'ordre référentiel) n'a aucun rapport avec la personne linguistique, qui n'est jamais définie par des dispositions, des intentions
ou des traits, mais seulement par sa place (codée) dans le discours. C'est cette
personne formelle que l'on s'efforce aujourd'hui de parler; il s'agit d'une subver-
sion importante (le public a d'ailleurs l'impression qu'on n'écrit plus de « romans »)
car elle vise à faire passer le récit, de l'ordre purement constatif (qu'il occupait
usqu'à présent) à l'ordre performatif, selon lequel le sens d'une parole est l'acte
même qui la profère[1] : aujourd'hui, écrire n'est pas « raconter », c'est dire que
l'on raconte, et rapporter tout le référent (« ce qu'on dit ») à cet acte de locution;
c'est pourquoi une partie de la littérature contemporaine n'est plus descriptive,
mais transitive, s'efforçant d'accomplir dans la parole un présent si pur que tout
le discours s'identifie à l'acte qui le délivre, tout le *logos* étant ramené — ou
étendu — à une *lexis*[2].

2. La situation de récit.

Le niveau narrationnel est donc occupé par les signes de la narrativité, l'ensemble des opérateurs qui réintègrent fonctions et actions dans la communication
narrative, articulée sur son donateur et son destinataire. Certains de ces signes
ont déjà été étudiés : dans les littératures orales, on connaît certains codes de
récitation (formules métriques, protocoles conventionnels de présentation),
et l'on sait que l' « auteur » n'est pas celui qui invente les plus belles histoires,
mais celui qui maîtrise le mieux le code dont il partage l'usage avec les auditeurs :
dans ces littératures, le niveau narrationnel est si net, ses règles si contrai-
gnantes, qu'il est difficile de concevoir un « conte » privé des signes codés du
récit (« *il y avait une fois* », etc.). Dans nos littératures écrites, on a très tôt repéré
les « formes du discours » (qui sont en fait des signes de narrativité) : classification des modes d'intervention de l'auteur, esquissée par Platon, reprise par
Diomède[3], codage des débuts et des fins de récits, définition des différents
styles de représentation (l'*oratio directa*, l'*oratio indirecta*, avec ses *inquit*, l'*oratio
tecta*)[4], étude des « points de vue », etc. Tous ces éléments font partie du niveau

---

1. Sur le performatif, cf. *infra* la contribution de T. Todorov. — L'exemple classique
de performatif est l'énoncé : *je déclare la guerre*, qui ne « constate » ni ne « décrit » rien,
mais épuise son sens dans sa propre profération (contrairement à l'énoncé : *le roi a déclaré
la guerre*, qui est constatif, descriptif).
   2. Sur l'opposition de *logos* et *lexis*, voir plus loin le texte de G. Genette.
   3. *Genus activum vel imitativum* (pas d'intervention du narrateur dans le discours :
théâtre, par exemple); *genus ennarativum* (seul le poète a la parole : sentences, poèmes
didactiques); *genus commune* (mélange des deux genres : l'épopée).
   4. H. Sörensen : Mélanges Jansen, p. 150.

narrationnel. Il faut y ajouter évidemment l'écriture dans son ensemble, car son rôle n'est pas de « transmettre » le récit, mais de l'afficher.

C'est en effet dans une affiche du récit que viennent s'intégrer les unités de niveaux inférieurs : la forme ultime du récit, comme récit, transcende ses contenus et ses formes proprement narratives (fonctions et actions). Ceci explique que le code narrationnel soit le dernier niveau que notre analyse puisse atteindre, sauf à sortir de l'objet-récit, c'est-à-dire sauf à transgresser la règle d'immanence qui la fonde. La narration ne peut en effet recevoir son sens que du monde qui en use : au-delà du niveau narrationnel, commence le monde, c'est-à-dire d'autres systèmes (sociaux, économiques, idéologiques), dont les termes ne sont plus seulement les récits, mais des éléments d'une autre substance (faits historiques, déterminations, comportements, etc.). De même que la linguistique s'arrête à la phrase, l'analyse du récit s'arrête au discours : il faut ensuite passer à une autre sémiotique. La linguistique connaît ce genre de frontières, qu'elle a déjà postulées — sinon explorées — sous le nom de *situation*. Halliday définit la « situation » (par rapport à une phrase) comme l'ensemble des faits linguistiques non associés [1]; Prieto, comme « l'ensemble des faits connus par le récepteur au moment de l'acte sémique et indépendamment de celui-ci [2] ». On peut dire de la même façon que tout récit est tributaire d'une « situation de récit », ensemble des protocoles selon lesquels le récit est consommé. Dans les sociétés dites « archaïques », la situation de récit est fortement codée [3]; seule, de nos jours, la littérature d'avant-garde rêve encore de protocoles de lecture, spectaculaires chez Mallarmé, qui voulait que le livre fût récité en public selon une combinatoire précise, typographiques chez Butor qui essaye d'accompagner le livre de ses propres signes. Mais pour le courant, notre société escamote aussi soigneusement que possible le codage de la situation de récit : on ne compte plus les procédés de narration qui tentent de naturaliser le récit qui va suivre, en feignant de lui donner pour cause une occasion naturelle, et, si l'on peut dire, de le « désinaugurer » : romans par lettres, manuscrits prétendument retrouvés, auteur qui a rencontré le narrateur, films qui lancent leur histoire avant le générique. La répugnance à afficher ses codes marque la société bourgeoise et la culture de masse qui en est issue : à l'une et à l'autre, il faut des signes qui n'aient pas l'air de signes. Ceci n'est pourtant, si l'on peut dire, qu'un épiphénomène structural : si familier, si négligent que soit aujourd'hui le fait d'ouvrir un roman, un journal ou un poste de télévision, rien ne peut empêcher que cet acte modeste n'installe en nous, d'un seul coup et dans son entier, le code narratif dont nous allons avoir besoin. Le niveau narrationnel a de la sorte un rôle ambigu : contigu à la situation de récit (et parfois même l'incluant), il ouvre sur le monde où le récit se défait (se consomme); mais en même temps, couronnant les niveaux antérieurs, il ferme le récit, le constitue définitivement comme parole d'une langue qui prévoit et porte son propre métalangage.

1. J. K. Halliday : « Linguistique générale et linguistique appliquée », in : *Études de linguistique appliquée*, n° 1, 1962, p. 6.
2. L. J. Prieto : *Principes de Noologie*, Mouton et Co, 1964, p. 36.
3. Le conte, rappelait L. Sebag, peut être dit à tout moment et en tout lieu, non le récit mythique.

V. LE SYSTÈME DU RÉCIT

La langue proprement dite peut être définie par le concours de deux procès ondamentaux : l'articulation, ou segmentation, qui produit des unités (c'est a *forme*, selon Benveniste), l'intégration, qui recueille ces unités dans des unités l'un rang supérieur (c'est le *sens*). Ce double procès se retrouve dans la langue lu récit; elle aussi connaît une articulation et une intégration, une forme et un ens.

1. *Distorsion et expansion.*

La forme du récit est essentiellement marquée par deux pouvoirs : celui de listendre ses signes le long de l'histoire, et celui d'insérer dans ces distorsions des xpansions imprévisibles. Ces deux pouvoirs apparaissent comme des libertés; nais le propre du récit est précisément d'inclure ces « écarts » dans sa langue [1]. La distorsion des signes existe dans la langue, où Bally l'étudie, à propos du rançais et de l'allemand [2]; il y a dystaxie, dès que les signes (d'un message) ne sont plus simplement juxtaposés, dès que la linéarité (logique) est troublée (le prédicat précédant par exemple le sujet). Une forme notable de la dystaxie se rencontre lorsque les parties d'un même signe sont séparées par d'autres signes le long de la chaîne du message (par exemple, la négation *ne jamais* et le verbe *a pardonné* dans : *elle ne nous a jamais pardonné*) : le signe étant fractionné, son signifié est réparti sous plusieurs signifiants, distants les uns des autres et dont chacun pris à part ne peut être compris. On l'a déjà vu à propos du niveau fonctionnel, c'est exactement ce qui se passe dans le récit : les unités d'une séquence, quoique formant un tout au niveau de cette séquence même, peuvent être séparées les unes des autres par l'insertion d'unités qui viennent d'autres séquences : on l'a dit, la structure du niveau fonctionnel est fuguée [3]. Selon la terminologie de Bally, qui oppose les langues synthétiques, où prédomine la dystaxie (tel l'allemand) et les langues analytiques, qui respectent davantage la linéarité logique et la monosémie (tel le français), le récit serait une langue fortement synthétique, fondée essentiellement sur une syntaxe d'emboîtement et d'enveloppement : chaque point du récit irradie dans plusieurs directions à la fois : lorsque James Bond commande un whisky en attendant l'avion, ce whisky, comme indice, a une valeur polysémique, c'est une sorte de nœud symbolique qui rassemble plusieurs signifiés (modernité, richesse, oisiveté); mais comme unité fonctionnelle, la commande du whisky doit parcourir, de proche en proche, de nombreux relais (consommation, attente, départ, etc.) pour trouver son sens

1. VALÉRY : « Le roman se rapproche formellement du rêve; on peut les définir l'un et l'autre par la considération de cette curieuse propriété : *que tous leurs écarts leur appartiennent.* »
2. CH. BALLY : *Linguistique générale et linguistique française*, Berne, 4e éd. 1965.
3. Cf. LÉVI-STRAUSS (*Anthropologie structurale*, p. 234) : « Des relations qui proviennent du même paquet peuvent apparaître à intervalles éloignés, quand on se place à un point de vue diachronique. » — A. J. GREIMAS a insisté sur l'écartement des fonctions (*Sémantique structurale*).

final : l'unité est « prise » par tout le récit, mais aussi le récit ne « tient » que par la distorsion et l'irradiation de ses unités.

La distorsion généralisée donne à la langue du récit sa marque propre : phénomène de pure logique, puisqu'elle est fondée sur une relation, souvent lointaine, et qu'elle mobilise une sorte de confiance dans la mémoire intellective, elle substitue sans cesse le sens à la copie pure et simple des événements relatés selon la « vie », il est peu probable que dans une rencontre, le fait de s'asseoir ne suive pas immédiatement l'invitation à prendre place ; dans le récit, ces unités, contiguës d'un point de vue mimétique, peuvent être séparées par une longue suite d'insertions appartenant à des sphères fonctionnelles tout à fait différentes : ainsi s'établit une sorte de *temps logique*, qui a peu de rapport avec le temps réel, la pulvérisation apparente des unités étant toujours maintenue fermement sous la logique qui unit les noyaux de la séquence. Le « suspense » n'est évidemment qu'une forme privilégiée, ou, si l'on préfère, exaspérée, de la distorsion : d'une part, en maintenant une séquence ouverte (par des procédés emphatiques de retard et de relance), il renforce le contact avec le lecteur (l'auditeur), détient une fonction manifestement phatique ; et d'autre part, il lui offre la menace d'une séquence inaccomplie, d'un paradigme ouvert (si, comme nous le croyons, toute séquence a deux pôles), c'est-à-dire d'un trouble logique, et c'est ce trouble qui est consommé avec angoisse et plaisir (d'autant qu'il est toujours finalement, réparé) ; le « suspense » est donc un jeu avec la structure, destiné, si l'on peut dire, à la risquer et à la glorifier : il constitue un véritable « thrilling » de l'intelligible : en représentant l'ordre (et non plus la série) dans sa fragilité, il accomplit l'idée même de langue : ce qui apparaît le plus pathétique est aussi le plus intellectuel : le « suspense » capture par l' « esprit », non par les « tripes »[1].

Ce qui peut être séparé, peut être aussi rempli. Distendus, les noyaux fonctionnels présentent des espaces intercalaires, qui peuvent être comblés quasi infiniment ; on peut en remplir les interstices d'un nombre très grand de catalyses ; toutefois, ici, une nouvelle typologie peut intervenir, car la liberté de catalyse peut être réglée selon le contenu des fonctions (certaines fonctions sont mieux exposées que d'autres à la catalyse : l'*Attente*, par exemple[2]), et selon la substance du récit (l'écriture a des possibilités de diérèse — et donc de catalyse — bien supérieures à celles du film : on peut « couper » un geste récité plus facilement que le même geste visualisé[3]). Le pouvoir catalytique du récit a pour corollaire son pouvoir elliptique. D'une part, une fonction (*il prit un repas substantiel*) peut économiser toutes les catalyses virtuelles qu'elle recèle (le détail du repas)[4] ; d'autre part, il est possible de réduire une séquence à ses noyaux et une hiérarchie de séquences à ses termes supérieurs, sans altérer le sens de l'histoire : un récit peut être identifié, même si l'on réduit son syntagme total à ses actants et à ses grandes fonctions, telles qu'elles résultent de l'assomption progressive

1. J. P. Faye, à propos du *Baphomet* de Klossovski : « Rarement la fiction (ou le récit) n'a aussi nettement dévoilé ce qu'elle est toujours, forcément : une expérimentation de la « pensée » sur la « vie ». » (*Tel Quel*, n° 22, p. 88.)
2. L'*Attente* n'a logiquement que deux noyaux : 1° attente posée ; 2° attente satisfaite ou déçue ; mais le premier noyau peut être largement catalysé, parfois même indéfiniment (*En attendant Godot*) : encore un jeu, cette-fois-ci extrême, avec la structure.
3. Valéry : « Proust divise — et nous donne la sensation de pouvoir diviser indéfiniment — ce que les autres écrivains ont accoutumé de franchir. »
4. Ici encore, il y a des spécifications selon la substance : la littérature a un pouvoir elliptique inégalable — que n'a pas le cinéma.

es unités fonctionnelles [1]. Autrement dit, le récit s'offre au *résumé* (ce qu'on ppelait autrefois l'*argument*). A première vue, il en est ainsi de tout discours ; nais chaque discours a son type de résumé ; le poème lyrique, par exemple, n'étant que la vaste métaphore d'un seul signifié [2], le résumer, c'est donner ce signifié, t l'opération est si drastique qu'elle fait évanouir l'identité du poème (résumés, es poèmes lyriques se réduisent aux signifiés *Amour* et *Mort*) : d'où la conviction que l'on ne peut résumer un poème. Au contraire, le résumé du récit (s'il est onduit selon des critères structuraux) maintient l'individualité du message. Autrement dit, le récit est *traductible*, sans dommage fondamental : ce qui n'est pas traduisible ne se détermine qu'au dernier niveau, narrationnel : les signifiants de narrativité, par exemple, peuvent difficilement passer du roman au film, qui ne connaît le traitement personnel que très exceptionnellement [3] ; et la dernière couche du niveau narrationnel, à savoir l'écriture, ne peut passer d'une langue à l'autre (ou passe fort mal). La traductibilité du récit résulte de la structure de sa langue ; par un chemin inverse, il serait donc possible de retrouver cette structure en distinguant et en classant les éléments (diversement) traductibles et intraductibles d'un récit : l'existence (actuelle) de sémiotiques différentes et concurrentes (littérature, cinéma, comics, radiodiffusion) faciliterait beaucoup cette voie d'analyse.

2. Mimesis et Sens.

Dans la langue du récit, le second procès important, c'est l'intégration : ce qui a été disjoint à un certain niveau (une séquence, par exemple) est rejoint le plus souvent à un niveau supérieur (séquence d'un haut degré hiérarchique, signifié total d'une dispersion d'indices, action d'une classe de personnages) ; la complexité d'un récit peut se comparer à celle d'un organigramme, capable d'intégrer les retours en arrière et les sauts en avant ; ou plus exactement, c'est l'intégration, sous des formes variées, qui permet de compenser la complexité, apparemment immaîtrisable, des unités d'un niveau ; c'est elle qui permet d'orienter la compréhension d'éléments discontinus, contigus et hétérogènes (tels qu'ils sont donnés par le syntagme, qui, lui ne connaît qu'une seule dimension : la succession) ; si l'on appelle, avec Greimas, *isotopie*, l'unité de signification (celle, par exemple, qui imprègne un signe et son contexte), on dira que l'intégration est un facteur d'isotopie : chaque niveau (intégratoire) donne son isotopie aux unités du niveau inférieur, empêche le sens de « baller » — ce qui ne manquerait pas de se produire, si l'on ne percevait pas le décalage des niveaux. Cependant, l'intégration narrative ne se présente pas d'une façon sereinement régulière,

1. Cette réduction ne correspond pas forcément au découpage du livre en chapitres ; il semble au contraire que, de plus en plus, les chapitres ont pour rôle d'installer des ruptures, c'est-à-dire des suspenses (technique du feuilleton).
2. N. RUWET (« Analyse structurale d'un poème français », *Linguistics*, n° 3, 1964, p. 82) : « Le poème peut être compris comme le résultat d'une série de transformations appliquées à la proposition « Je t'aime ». » RUWET fait justement allusion, ici, à l'analyse du délire paranoïaque donnée par FREUD à propos du Président Schreber *(Cinq psychanalyses)*.
3. Encore une fois, il n'y a aucun rapport entre la « personne » grammaticale du narrateur et la « personnalité » (ou la subjectivité) qu'un metteur en scène met dans sa façon de présenter une histoire : la *caméra-je* (identifiée continûment à l'œil d'un personnage) est un fait exceptionnel dans l'histoire du cinéma.

comme une belle architecture qui conduirait par des chicanes symétriques, d'un
infinité d'éléments simples, à quelques masses complexes; très souvent un
même unité peut avoir deux corrélats, l'un sur un niveau (fonction d'un
séquence) l'autre sur un autre (indice renvoyant à un actant); le récit se pré
sente ainsi comme une suite d'éléments médiats et immédiats, fortement imbr
qués; la dystaxie oriente une lecture « horizontale », mais l'intégration lui supe
pose une lecture « verticale » : il y a une sorte de « boitement » structural, comm
un jeu incessant de potentiels, dont les chutes variées donnent au récit so
« tonus » ou son énergie : chaque unité est perçue dans son affleurement et s
profondeur et c'est ainsi que le récit « marche » : par le concours de ces deu
voies, la structure se ramifie, prolifère, se découvre — et se ressaisit : le nouvea
ne cesse d'être régulier. Il y a, bien sûr, une liberté du récit (comme il y a un
liberté de tout locuteur, face à sa langue), mais cette liberté est à la lettre *bornée*
entre le code fort de la langue et le code fort du récit, s'établit, si l'on peut dir
un creux : la phrase. Si l'on essaye d'embrasser l'ensemble d'un récit écrit, o
voit qu'il part du plus codé (le niveau phonématique, ou même mérismatique)
se détend progressivement jusqu'à la phrase, pointe extrême de la liberté com
binatoire, puis recommence à se tendre, en partant des petits groupes de phrase
(micro-séquences), encore très libres, jusqu'aux grandes actions, qui formen
un code fort et restreint : la créativité du récit (du moins sous son apparenc
mythique de « vie ») se situerait ainsi *entre deux codes*, celui de la linguistique e
celui de la translinguistique. C'est pourquoi l'on peut dire paradoxalement qu
l'*art* (au sens romantique du terme) est affaire d'énoncés de détail, tandis qu
l'*imagination* est maîtrise du code : « En *somme*, disait Poe, *on verra que l'homm
ingénieux est toujours plein d'imaginative et que l'homme* vraiment *imaginati
n'est jamais autre chose qu'un analyste...* »[1].

Il faut donc en rabattre sur le « réalisme » du récit. Recevant un coup d
téléphone dans le bureau où il est de garde, Bond « songe », nous dit l'auteur
« Les communications avec Hong-Kong sont toujours aussi mauvaises et auss
difficiles à obtenir. » Or, ni le « songe » de Bond ni la mauvaise qualité de la com
munication téléphonique ne sont la vraie information; cette contingence fai
peut-être « vivant », mais l'information véritable, celle qui germera plus tard
c'est la localisation du coup de téléphone, à savoir *Hong-Kong*. Ainsi, dans tou
récit, l'imitation reste contingente[2]; la fonction du récit n'est pas de « repré
senter », elle est de constituer un spectacle qui nous reste encore très énigmatique
mais qui ne saurait être d'ordre mimétique; la « réalité » d'une séquence n'es
pas dans la suite « naturelle » des actions qui la composent, mais dans la logiqu
qui s'y expose, s'y risque et s'y satisfait; on pourrait dire d'une autre manièr
que l'origine d'une séquence n'est pas l'observation de la réalité, mais la nécessit
de varier et de dépasser la première *forme* qui se soit offerte à l'homme, à savoi
la répétition : une séquence est essentiellement un tout au sein duquel rien ne s
répète; la logique a ici une valeur émancipatrice — et tout le récit avec elle
il se peut que les hommes réinjectent sans cesse dans le récit ce qu'ils ont connu
ce qu'ils ont vécu; du moins est-ce dans une forme qui, elle, a triomphé de la
répétition et institué le modèle d'un devenir. Le récit ne fait pas voir, il n'imit

---

1. *Le double assassinat de la rue Morgue*, trad. Baudelaire.
2. G. GENETTE a raison de réduire la *mimesis* aux morceaux de dialogue rapporté
(cf. *infra*); encore le dialogue recèle-t-il toujours une fonction intelligible, et non
mimétique.

as; la passion qui peut nous enflammer à la lecture d'un roman n'est pas celle une « vision » (en fait, nous ne « voyons » rien), c'est celle du sens, c'est-à-dire un ordre supérieur de la relation, qui possède, lui aussi, ses émotions, ses espoirs, es menaces, ses triomphes : « ce qui se passe » dans le récit n'est, du point de le référentiel (réel), à la lettre : *rien* [1]; « ce qui arrive », c'est le langage tout seul, aventure du langage, dont la venue ne cesse jamais d'être fêtée. Bien qu'on en sache guère plus sur l'origine du récit que sur celle du langage, on peut isonnablement avancer que le récit est contemporain du monologue, création, mble-t-il, postérieure à celle du dialogue; en tout cas, sans vouloir forcer l'hypo- lèse phylogénétique, il peut être significatif que ce soit au même moment (vers âge de trois ans) que le petit de l'homme « invente » à la fois la phrase, le récit : l'Œdipe.

ROLAND BARTHES
École Pratique des Hautes Études, Paris.

---

1. MALLARMÉ *(Crayonné au théâtre,* Pléiade, p. 296) : «... Une œuvre dramatique ontre la succession des extérieurs de l'acte sans qu'aucun moment garde de réalité et ı'il se passe, en fin de compte, rien. »

A. J. Greimas

Éléments pour une théorie de l'interprétation du récit mythique

en hommage à Claude Lévi-Strau̇

I. LA THÉORIE SÉMANTIQUE ET LA MYTHOLOGIE

Les progrès accomplis récemment dans les recherches mythologiques, grâ
surtout aux travaux de Claude Lévi-Strauss, constituent un apport de matériau
et d'éléments de réflexion considérable à la théorie sémantique qui se pose, on
sait, le problème général de la *lisibilité* des textes et cherche à établir un inventai
de procédures de leur description.

Or, il semble que la méthodologie de l'interprétation des mythes se situe, d
fait de leur complexité, en dehors des limites qu'assignent à la sémantique,
l'heure actuelle, les théories les plus en vue aux États-Unis, celles notammei
de J. J. Katz et J. A. Fodor.

1. Loin de se limiter à l'interprétation des énoncés, la théorie sémantique q
chercherait à rendre compte de la lecture des mythes, doit opérer avec d
séquences d'énoncés articulées en récits.

2. Loin d'exclure toute référence au contexte, la description des mythes e
amenée à utiliser les informations extra-textuelles sans lesquelles l'établisseme:
de l'isotopie narrative serait impossible.

3. Le sujet parlant (= le lecteur), enfin, ne peut être considéré comme l'inv
riant de la communication mythique, car celle-ci transcende la catégorie
conscient vs *inconscient*. L'objet de la description se situe au niveau de la tra
mission, du *texte-invariant*, et non au niveau de la réception, du *lecteur-variab*

Nous sommes, par conséquent, obligé de partir non d'une théorie sémantiq
constituée, mais d'un ensemble de faits décrits et de concepts élaborés par
mythologue afin de voir :

1° en quelle mesure les uns et les autres peuvent être formulés en term
d'une sémantique générale susceptible de rendre compte, entre autre, de l'inte
prétation mythologique;

2° quelles exigences les conceptualisations des mythologues posent à une te
théorie sémantique.

Nous avons choisi, pour ce faire, le mythe de référence bororo qui sert à Lé
Strauss, dans *le Cru et le Cuit*, de point de départ à la description de l'unive

ythologique, saisi dans une de ses dimensions, celle de la culture alimentaire.
ependant, tandis que Lévi-Strauss s'était proposé l'inscription de ce mythe-
ccurrence dans l'univers mythologique progressivement dégagé, notre but sera
e partir du mythe de référence considéré comme unité narrative, en essayant
'expliciter les procédures de description qu'il faut mettre en place pour aboutir,
ar étapes successives, à la lisibilité maximale de ce mythe particulier. S'agissant,
ar conséquent, d'une interprétation méthodologique bien plus que mytholo-
ique, notre travail consistera essentiellement dans le regroupement et l'exploi-
ation des découvertes qui ne nous appartiennent pas.

II. LES COMPOSANTES STRUCTURALES DU MYTHE

I.1. *Les trois composantes.*

Toute description du mythe doit tenir compte, selon Lévi-Strauss, de trois
léments fondamentaux qui sont : 1º l'armature; 2º le code; 3º le message.

Il s'agira donc pour nous de nous demander (1) comment interpréter, dans
 cadre d'une théorie sémantique, ces trois composantes du mythe et (2) quelle
lace attribuer, à chacune d'elles, dans l'interprétation d'un récit mythique.

I.2. *L'armature.*

Il semble que par l'armature, qui est un élément invariant, il faut entendre le
tatut structurel du mythe en tant que narration. Ce statut paraît être double :
) on peut dire que l'ensemble des propriétés structurelles communes à tous les
ythes-récits constitue un modèle narratif (2) mais que ce modèle doit rendre
ompte à la fois (*a*) du mythe considéré comme unité discursive transphrastique
 (*b*) de la structure du contenu qui est manifesté au moyen de cette narration.

1. L'unité discursive qu'est le récit est à considérer comme un *algorithme*,
'est-à-dire, comme une succession d'énoncés dont les fonctions-prédicats simu-
nt linguistiquement un ensemble de comportements ayant un but. En tant
ue succession, le récit possède une *dimension temporelle:* les comportements qui
y trouvent étalés entretiennent entre eux des relations d'antériorité et de
ostériorité.

Le récit, pour avoir un sens, doit être un tout de signification et se présente,
e ce fait, comme une *structure sémantique simple.* Il en résulte que les développe-
ents secondaires de la narration, ne trouvant pas leur place dans la structure
imple, constituent une couche structurelle subordonnée : la narration, considérée
omme un tout, aura donc pour contrepartie une structure hiérarchique du
ontenu.

2. Une sous-classe de récits (mythes, contes, pièces de théâtre, etc.) possède
ne caractéristique commune qui peut être considérée comme la propriété
tructurelle de cette sous-classe de *récits dramatisés:* la dimension temporelle,
ur laquelle ils se trouvent situés, est dichotomisée en *un avant* vs *un après*.

A cet *avant* vs *après* discursif correspond ce qu'on appelle un « renversement de
 situation » qui, sur le plan de la structure implicite, n'est autre chose qu'une

inversion des signes du contenu. Une corrélation existe ainsi entre les deu
plans :

$$\frac{\text{avant}}{\text{après}} \simeq \frac{\text{contenu inversé}}{\text{contenu posé}}$$

3. En restreignant, une fois de plus, l'inventaire de récits, on trouve qu'u
grand nombre d'entre eux (le conte populaire russe, mais aussi notre mythe c
référence) possèdent une autre propriété qui consiste à comporter une séquenc
initiale et une séquence finale situées sur des plans de « réalité » mythique diff
rents que le corps du récit lui-même.

A cette particularité de la narration correspond une nouvelle articulatic
du contenu : aux deux *contenus topiques* — dont l'un est posé et l'autre, inversé -
se trouvent adjoints deux autres *contenus corrélés* qui sont, en principe, dans
même rapport de transformation entre eux que les contenus topiques.

Cette première définition de l'armature qui n'est pas en contradiction avec
formule générale du mythe proposée naguère par Lévi-Strauss, même si el
n'est pas entièrement satisfaisante — elle ne permet pas encore, dans l'état actu
de nos connaissances, d'établir la classification de l'ensemble des récits considér
comme *genre* — constitue cependant un *élément de prévisibilité* de l'interprét
tion non négligeable : on peut dire que la première démarche procédurièr
dans le processus de la description du mythe, est le découpage du récit mythiqu
en séquences auquel doit correspondre, à titre d'hypothèse, une articulatic
prévisible des contenus.

II.3. *Le message.*

Une telle conception de l'armature laisse prévoir que le message, c'est-à-di
la signification particulière du mythe-occurrence, se situe, lui aussi, sur deux is
topies à la fois et donne lieu à deux lectures différentes, l'une sur le plan discursi
l'autre, sur le plan structurel. Il ne sera peut-être pas inutile de préciser que pa
isotopie nous entendons un ensemble redondant de catégories sémantiques q
rend possible la lecture uniforme du récit, telle qu'elle résulte des lectures pa
tielles des énoncés après résolution de leurs ambiguïtés, cette résolution elle-mêm
étant guidée par la recherche de la lecture unique.

1. L'isotopie narrative est déterminée par une certaine perspective anthropc
centrique qui fait que le récit est conçu comme une succession d'événemen
dont les acteurs sont des êtres animés, agissant ou agis. A ce niveau, une premièr
catégorisation : *individuel* vs *collectif* permet de distinguer un héros asocial qu
se disjoignant de la communauté, apparaît comme un agent grâce à qui se produ
le renversement de la situation, qui se pose, autrement dit, comme médiateu
personnalisé entre la situation-avant et la situation-après.

On voit que cette première isotopie rejoint, du point de vue linguistiqu
l'*analyse des signes :* les acteurs et les événements narratifs sont des lexème
(= morphèmes, au sens américain), analysables en sémèmes (= acceptions o
« sens » des mots) qui se trouvent organisés, à l'aide de relations syntaxiques, e
énoncés univoques.

2. La seconde isotopie se situe, au contraire, au niveau de la structure d
contenu, postulée à ce plan discursif. Aux séquences narratives corresponden
des contenus dont les relations réciproques sont théoriquement connues. L

oblème qui se pose à la description est celui de l'équivalence à établir entre les
xèmes et les énoncés constitutifs des séquences narratives et les articulations
ructurelles des contenus qui leur correspondent, et c'est à le résoudre que nous
lons nous employer. Il suffira de dire pour le moment qu'une telle transpo-
tion suppose une *analyse en sèmes* (= traits pertinents de la signification) qui
ule peut permettre la mise entre parenthèses des propriétés anthropomorphes
es lexèmes-acteurs et des lexèmes-événements. — Quant aux performances
a héros qui occupent la place centrale dans l'économie de la narration, elles ne
euvent que correspondre aux opérations linguistiques de transformation,
ndant compte des inversions des contenus.

Une telle conception du message qui serait lisible sur les deux isotopies dis-
nctes et dont la première ne serait que la manifestation discursive de la seconde,
est peut-être qu'une formulation théorique. Elle peut ne correspondre qu'à une
us-classe de récits (les contes populaires, par exemple), tandis qu'une autre
us-classe (les mythes) serait caractérisée par l'enchevêtrement, dans une seule
arration, des séquences situées tantôt sur l'une, tantôt sur l'autre des deux iso-
pies. Ceci nous paraît secondaire dans la mesure où *(a)* la distinction que nous
nons d'établir enrichit notre connaissance du modèle narratif et peut même
rvir de critère à la classification des récits, *(b)* dans la mesure également où
le sépare nettement deux procédures de description distinctes et complémen-
ires, contribuant ainsi à l'élaboration des techniques d'interprétation.

.4. *Le Code.*

La réflexion mythologique de Lévi-Strauss, depuis sa première étude sur la
ructure du Mythe jusqu'aux *Mythologiques* d'aujourd'hui, est marquée par le
placement de l'intérêt qui, porté d'abord sur la définition de la structure du
ythe-récit, comprend maintenant la problématique de la description de l'univers
ythologique, concentré d'abord sur les propriétés formelles de la structure
hronique, envisage actuellement la possibilité d'une description comparative
ii serait à la fois générale et historique. Cette introduction du comparatisme
ntient des apports méthodologiques importants qu'il nous revient à expliciter.

.4.1. *La définition des unités narratives.*

L'utilisation, par voie de comparaison, des données que peut fournir l'univers
ythologique n'est, à première vue, qu'une exploitation, conçue sous un certain
agle, des informations du contexte. Dans cette perspective, elle peut prendre
eux formes différentes : (1) on peut chercher à élucider la lecture d'un mythe-
ccurrence en le comparant à d'autres mythes ou, de façon générale, les tranches
ntagmatiques du récit à d'autres tranches syntagmatiques; (2) on peut mettre
a corrélation tel élément narratif avec d'autres éléments comparables.

La mise en corrélation de deux éléments narratifs non identiques appartenant
deux récits différents aboutit à reconnaître l'existence d'une disjonction
aradigmatique qui, opérant à l'intérieur d'une catégorie sémantique donnée,
it considérer le second élément narratif comme la transformation du premier.
ependant — et ceci est plus important — on constate que la transformation
a l'un des éléments a pour conséquence de provoquer des transformations en

chaîne tout le long de la séquence considérée. Cette constatation, à son tou
comporte des conséquences théoriques que voici :

1° elle permet d'affirmer l'existence des *rapports nécessaires* entre les élémen
dont les conversions sont concomitantes;

2° elle permet de délimiter les *syntagmes narratifs* du récit mythique, dé
nissables à la fois par leurs éléments constitutifs et par leur enchaînemer
nécessaire;

3° finalement, elle permet de définir les éléments narratifs eux-mêmes no
plus seulement par leur corrélation paradigmatique, c'est-à-dire, au fond, pa
la procédure de la commutation, naguère proposée par Lévi-Strauss, mais aus
par leur emplacement et leur fonction à l'intérieur de l'unité syntagmatiqu
dont ils font partie. La double définition de l'*élément narratif* correspond, on
voit, à l'approche convergente, praguoise et danoise, de la définition du phonèm

Il est inutile d'insister sur l'importance de cette *définition formelle* des unit
narratives dont l'extrapolation et l'application à d'autres univers sémantiqu
ne peuvent manquer de s'imposer. Dans le stade actuel, elle ne peut que consolid
nos tentatives de délimitation et de définition de telles unités à partir des analys
de V. Propp. Ne pouvant pas procéder ici à des vérifications exhaustives nou
dirons simplement, à titre d'hypothèse, que trois types caractérisés de sy
tagmes narratifs peuvent être reconnus :

1° les syntagmes performanciels (épreuves);

2° les syntagmes contractuels (établissements et ruptures de contrat);

3° les syntagmes disjonctionnels (départs et retours).

On voit que la définition des éléments et des syntagmes narratifs ne relè
pas de la connaissance du contexte, mais de la méthodologie générale de l'établi
sement des unités linguistiques et que les unités ainsi définies le sont au pro
du modèle narratif, c'est-à-dire, de l'armature.

II.4.2. *Délimitations et reconversions.*

La connaissance théorique des unités narratives peut dès lors être exploit
au niveau des procédures de description. Ainsi, la mise en parallèle de deu
séquences quelconques, dont l'une est la séquence à interpréter et l'autre,
séquence transformée, peut avoir deux buts différents :

1° Si la séquence à interpréter paraît se situer sur l'isotopie présumée
l'ensemble du récit, la comparaison permettra de déterminer, à l'intérieur de
séquence donnée, les limites des syntagmes narratifs qui y sont contenus.

Il faut toutefois prévenir contre la conception selon laquelle les syntagm
narratifs, correspondant aux séquences du texte, seraient eux-mêmes contin
et amalgamés : leur manifestation, au contraire, épouse souvent la forme d
signifiants discontinus de telle sorte que le récit, analysé et décrit comme ur
série de syntagmes narratifs, cesse d'être synchrone et isomorphe par rappo
au texte tel qu'il se présente à l'état brut.

2° Si la séquence à interpréter paraît inversée par rapport à l'isotopie prés
mée, la comparaison, en confirmant l'hypothèse, permettra de procéder à
reconversion du syntagme narratif reconnu et au rétablissement de l'isotop
générale.

En utilisant le terme de reconversion, proposé par Hjelmslev dans son *Langa*
nous souhaitons introduire une nouvelle précision afin de distinguer les vérita

ansformations, c'est-à-dire, les inversions des contenus, correspondant soit aux
xigences du modèle narratif, soit aux mutations inter-mythiques, des manifes-
tions antiphrastiques des contenus inversés et dont la reconversion, nécessaire
l'établissement de l'isotopie, ne change rien au statut structurel du mythe.
Notons ici, en passant, que la procédure de reconversion que nous venons
envisager, ne manque pas de soulever le problème théorique plus général,
lui de l'existence de deux *modes narratifs* distincts qu'on pourrait désigner
mme le *mode déceptif* et le *mode véridique*. Quoique s'appuyant sur une caté-
rie grammaticale fondamentale, celle de *l'être vs le paraître* qui constitue, on
sait, la première articulation sémantique des propositions attributives, le
u de la déception et de la vérité provoque l'enchevêtrement narratif, bien
nnu en psychanalyse. qui constitue souvent une des principales difficultés
e la lecture parce qu'il crée, à l'intérieur du récit, des couches hiérarchiques de
ception stylistique, dont le nombre reste en principe indéfini.

1.4.3. *Contexte et dictionnaire.*

L'exploitation des renseignements fournis par le contexte mythologique
mble, par conséquent, se situer au niveau des éléments narratifs qui se mani-
stent dans le discours sous forme de lexèmes. Encore faut-il distinguer les
aractéristiques formelles, qu'ils comportent nécessairement, de leurs caracté-
stiques substantielles. Les premières sont (1) soit des *propriétés grammaticales*
ui font que les lexèmes sont, par exemple, ou bien des actants ou bien des
rédicats, (2) soit des *propriétés narratives* qu'ils tirent de la définition fonc-
onnelle du rôle qu'ils assument tant à l'intérieur du syntagme narratif que
ans le récit considéré dans son ensemble. Ainsi, les actants peuvent être des
ujets-héros ou des Objets-valeurs, des Destinateurs ou des Destinataires, des
pposants-traîtres ou des Adjuvants-forces bénéfiques. La structure actantielle
u modèle narratif fait partie de l'armature, et les jeux des distributions, des
umuls et des disjonctions des rôles font partie du savoir-faire du descripteur
ntérieurement à l'utilisation du code.

Ces précisions ne sont introduites que pour établir une nette séparation entre
exploitation du contexte et l'exploitation des connaissances concernant le
odèle narratif. Le contexte se présente sous forme de contenus investis, indé-
endants du récit lui-même et pris en charge a posteriori par le modèle narratif.
es contenus investis sont, en même temps, déjà des contenus constitués : de
ême qu'un romancier constitue petit à petit, en poursuivant son récit, ses
ersonnages à partir d'un nom propre arbitrairement choisi, de même l'affabula-
on mythique ininterrompue a constitué les acteurs de la mythologie, pourvus
e contenus conceptuels, et c'est cette connaissance diffuse des contenus, que
ossèdent les Bororo et non le descripteur, qui forme la matière première qu'est
e *contexte* et qu'il s'agit d'organiser en *code*.

Étant donné que ces contenus constitués sont manifestés sous forme de
xèmes, on pourrait considérer que le contexte dans son ensemble est réductible
un *dictionnaire mythologique* où la dénomination « jaguar » serait accompagnée
'une définition comportant (1) d'une part, tout ce que l'on sait sur la « nature »
u jaguar (l'ensemble de ses qualifications) et (2) d'autre part, tout ce que le
aguar est susceptible de faire ou de subir (l'ensemble de ses fonctions). L'article
jaguar » ne serait, dans ce cas, pas tellement différent de l'article « table »,

dont la définition, proposée par le *Dictionnaire général de la langue française*, est

1° *qualificative :* « surface plane de bois, de pierre, etc., soutenue par un o
plusieurs pieds » et

2° *fonctionnelle :* « sur laquelle on pose les objets (pour manger, écrire, tra
vailler, jouer, etc.) ».

Un tel dictionnaire (à condition qu'il ne comporte pas d'*etc.*) pourrait rend
de grands services :

1° en permettant de résoudre, dans une certaine mesure, des *ambiguïtés* e
lecture des énoncés mythiques, grâce aux procédures de sélection de compat
bilités et d'exclusion d'incompatibilités entre les différents sens de lexème

2° en facilitant la *pondération* du récit, c'est-à-dire, en permettant (*a*) d
combler les lacunes dues à l'utilisation litotique de certains lexèmes et (*b*) d
condenser certaines séquences en expansion stylistique, les deux procédur
parallèles visant à établir un équilibre économique de la narration.

II.4.4. *Dictionnaire et code.*

Malheureusement, un.tel dictionnaire, pour être constitué et utilisé, présu
pose une classification préalable des contenus constitués et une connaissanc
suffisante des modèles narratifs. Ainsi, en se limitant aux seuls lexèmes-actant
on pourrait dire qu'ils relèvent tous d'un « système des êtres » dont parle Lév
Strauss, d'un système qui classifierait tous les êtres animés ou susceptibl
d'animation, allant des esprits surnaturels jusqu'aux « êtres » minéraux. Mais o
s'aperçoit tout de suite qu'une telle classification ne serait pas « vraie » en soi
dire, par exemple, que le jaguar appartient à la classe des animaux n'a pas d
sens mythologiquement parlant. La mythologie ne s'intéresse qu'aux cadre
classificatoires, elle n'opère qu'avec des « critères de classification », c'est-à-dir
des catégories sémiques, et non avec les lexèmes qui se trouvent ainsi classés. C
point, méthodologiquement important, mérite d'être précisé.

1. Supposons qu'une opposition catégorique, celle d'*humains* vs *animau*
se trouve mise en corrélation, à l'intérieur d'un récit, avec la catégorie du modè
narratif : *antériorité* vs *postériorité*. Dans ce cas, elle fonctionnera comme u
articulation des contenus topiques en contenus posés et contenus inversés
selon les termes corrélés, on dira que les humains étaient autrefois des animau
ou inversement. Sur le plan lexématique pourtant, le jaguar pourra se promen
tout le long du récit sans changer de dénomination : dans la première partie,
sera un être humain, dans la seconde, un animal, ou inversement. — Autremen
dit, le contenu du lexème « jaguar » n'est pas seulement *taxinomique*, il est e
même temps *positionnel*.

2. Parmi les nombreux « effets de sens » que peut comporter le lexème « jaguar
celui qui finalement sera retenu comme pertinent pour la description dépen
de l'isotopie générale du message, c'est-à-dire de la dimension de l'univer
mythologique dont le mythe particulier est la manifestation. Si la dimensio
traitée est celle de la culture alimentaire, le jaguar sera considéré dans sa foncti
de consommateur, et l'analyse sémique de son contenu permettra de voir e
lui, en corrélation avec *l'avant* vs *l'après* narratifs, comme consommateur.

$$\frac{\text{avant}}{\text{(du) cuit} + \text{frais}} \cong \frac{\text{après}}{\text{(du) cru} + \text{frais}}$$

Par conséquent, dire que le jaguar est maître du feu n'est pas correct : il ne l'est que dans certaines positions et non dans d'autres. Le dictionnaire envisagé doit comporter non seulement les définitions positives et inversées du jaguar, présuppose la classification de l'univers mythologique selon les dimensions culturelles fondamentales qu'il peut comporter.

3. Il existe, finalement, des transformations d'éléments narratifs qui se situent non pas entre les mythes, mais à l'intérieur du mythe-occurence. Tel est le cas de notre mythe de référence qui présente la métamorphose du héros-jaguar en héros-cerf. Sur le plan du code alimentaire, il s'agit tout simplement de la transformation du consommateur du

$$\text{cru + frais + animal} \rightarrow \text{cru + frais + végétal}$$
$$\text{(jaguar)} \qquad\qquad \text{(cerf)}$$

et la transformation linguistique se résume en une substitution paradigmatique à l'intérieur de la catégorie (nourriture) *animale* vs *végétale*, dont la justification doit être recherchée au niveau des exigences structurelles du modèle narratif.

Par rapport au *dictionnaire* que nous continuerons à envisager, l'exemple présent est opposé à celui que nous avons étudié dans (1) :

a) dans le premier cas, la dénomination ne change pas, tandis que le contenu change;

b) dans le second cas, la dénomination change, le contenu change aussi, mais partiellement.

Ce qui rend compte de ces changements, c'est par conséquent, l'analyse sémique des contenus et non l'analyse située au niveau des lexèmes. Le dictionnaire, pour être complet, devrait donc pouvoir indiquer les séries de dénominations équivalentes, elles-mêmes résultat des transformations reconnues au niveau du code. Il en résulte que le dictionnaire, dont la nécessité pour l'interprétation automatique des mythes paraît impérieuse, ne peut se constituer qu'en fonction des progrès accomplis dans notre connaissance de l'armature et de l'univers mythologique articulé en codes particuliers : un article de dictionnaire n'aura quelque consistance que du jour où il sera solidement encadré par un ensemble de catégories sémantiques élaborées grâce aux autres composantes de la théorie interprétative des mythes.

I.4.5. *Code et manifestation.*

Nos efforts pour préciser les conditions dans lesquelles un dictionnaire mythologique serait possible et rentable nous permettent de mieux saisir ce qu'il faut entendre, dans la perspective de Lévi-Strauss, par code et, plus particulièrement, par code alimentaire. Le code est une structure formelle (1) constituée d'un petit nombre de catégories sémiques (2) dont la combinatoire est susceptible de rendre compte, sous forme de sémèmes, de l'ensemble de contenus investis faisant partie de la dimension choisie de l'univers mythologique. Ainsi, à titre d'exemple, le code alimentaire pourrait être présenté, partiellement, sous forme d'un arbre :

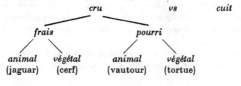

Si l'on considère que chaque parcours, de haut en bas, rend compte d'un combinaison sémique constitutive d'un sémème et que chaque semème repré sente un contenu investi en tant que « objet de consommation », on voit que l combinatoire vise à épuiser, dans les conditions établies a priori, tous les contenus objets de consommation possibles.

A chaque sémème correspond, d'autre part, sur le plan de la manifestatio narrative, des lexèmes particuliers (que nous avons mis entre parenthèses) La relation qui existe entre le lexème et le sémème qui rend compte de so contenu est contraignante de deux manières différentes :

1º Le lexème manifesté apparaît chaque fois comme *sujet* de consommatio par rapport au sémème qui est *objet* de consommation. Il s'agit donc d'un relation constante, définie sémantiquement et que l'on peut considérer comme l *distance stylistique* entre le plan de la manifestation et le plan du contenu.

2º Le choix de telle ou telle figure animale pour manifester telle combinaiso codique du contenu, ne dépend pas de la structure formelle, il constitue cepen dant une clôture du corpus mythologique tel qu'il se trouve manifesté dans un communauté culturelle donnée. Cela veut dire que l'inventaire lexématiqu d'une mythologie (c'est-à-dire, le dictionnaire) représente une combinatoir fermée, parce que réalisée, tandis que le code fonctionne comme une combinatoir relativement ouverte. On comprend dès lors que le même code puisse rendr compte de plusieurs univers mythologiques comparables, mais manifestés d manière différente et qu'il constitue ainsi, à condition d'être bien construit, u modèle général qui fonde le comparatisme mythologique lui-même.

L'armature et le code, le modèle narratif et le modèle taxinomique sont, pa conséquent, les deux composantes d'une théorie de l'interprétation mytholo gique et la lisibilité plus ou moins grande des textes mythiques est fonctio de la connaissance théorique de ces deux structures dont la rencontre a pou effet de produire des messages mythiques.

III. LE MESSAGE NARRATIF

III.1. *La praxis descriptive.*

Théoriquement donc, la lecture du message mythique présuppose la connais sance de la structure du mythe et celle des principes organisateurs de l'univer mythologique dont il est la manifestation réalisée dans des conditions historique données. Pratiquement, cette connaissance n'est que partielle, et la descriptio apparaît dès lors comme une praxis qui, opérant conjointement avec le messag occurrence et les modèles de l'armature et du code, arrive à augmenter à la foi et notre compréhension du message et celle des modèles qui lui sont immanent — Nous serons donc obligé de partir du plan manifesté et de ses isotopies variée en cherchant en même temps à atteindre l'isotopie structurelle unique du messag et à définir, dans la mesure du possible, les procédures permettant de ménage ce passage.

Après avoir découpé le texte en séquences correspondant aux articulations d contenu prévisibles, nous essayerons d'analyser chaque séquence séparémen herchant à dégager, à l'aide d'une transcription normalisée, les éléments et les yntagmes mythiques qu'elle contient.

II.2. *Le découpage en séquences.*

L'articulation présumée du contenu selon les deux catégories de

contenu topique **vs** contenu corrélé
contenu posé **vs** contenu inversé

»ermet le découpage du texte en quatre séquences. Les deux séquences topiques »araissent cependant susceptibles d'une nouvelle subdivision, chacune comportant des séries d'événements situées sur deux isotopies en apparence hétérogènes : a première comprend deux expéditions successives du héros, la seconde disjoint patialement les événements relatifs au retour du héros, en situant les uns dans e village, les autres dans la forêt. Ce deuxième découpage pragmatique, que nous urons à justifier plus tard, permet donc de désarticuler le récit en six séquences :

Contenus	Récit mythique					
	Contenu inversé			Contenu posé		
	Contenu corrélé	Contenu topique		Contenu topique		Contenu corrélé
Séquences narratives	Initiale	Nid des âmes	Nid des aras	Retour	Vengeance	Finale

II.3. *La transcription en unités narratives.*

La transcription que nous allons opérer consiste :

1° dans la présentation du texte sous la forme canonique d'*énoncés narratifs* comportant chacun sa fonction, suivie d'un ou de plusieurs actants;

2° dans l'organisation des énoncés en algorithmes constitutifs de *syntagmes narratifs*.

Une telle transcription est de nature sélective : elle n'extrait du texte que les enseignements qui sont *attendus* du fait de la connaissance des propriétés formelles du modèle narratif. (Nous essayons d'appliquer ici à l'analyse du récit mythique les formulations des unités narratives, obtenues essentiellement à la suite du ré-examen de la structure du conte populaire de Propp; cf. notre *Sémantique structurale*, Larousse, 1966). Le récit ainsi transcrit ne présente, par conséquent, que l'armature formelle du mythe, abandonnant provisoirement au texte es contenus du message proprement dits.

Les buts de la procédure proposée sont les suivants :

1° en permettant de dégager les unités narratives, elle constitue les cadres ormels à l'intérieur desquels les contenus pourront ensuite être versés et correctement analysés;

2° en ne retenant que les unités narratives reconnues, elle permet l'élimination des éléments du récit non-pertinents à la description et l'explication d'autres léments qui lui sont indispensables;

3º elle doit permettre, finalement, l'identification et la redistribution de propriétés sémantiques des contenus qui leur proviennent de modèle narratif soit de la position des contenus à l'intérieur du récit, soit des transformation commandées par le modèle.

Les limites de cet article ne nous permettent pas de justifier pleinement cette transcription. Précisons seulement que, préoccupé en premier lieu par l'établisse ment des syntagmes narratifs, nous procéderons, dans une première démarche à la normalisation des fonctions que nous pourrons réunir en algorithmes, quitt à reprendre ensuite l'analyse des actants du récit.

III.4.1. *La séquence initiale.*

« Dans des temps très anciens, il advint que les femmes allèrent en forêt pour cueillir les palmes servant à la confection des bas : étuis péniens remis au: adolescents lors de l'initiation. Un jeune garçon suivit sa mère en cachette, la surprit et la viola.

Quand celle-ci fut de retour, son mari remarqua les plumes arrachées, encor prises à sa ceinture d'écorce et pareilles à celles dont s'ornent les jeunes gens Soupçonnant quelque aventure, il ordonna qu'une danse ait lieu, pour savoi quel adolescent portait une semblable parure. Mais, à sa grande stupeur, i constate que son fils seul est dans ce cas. L'homme réclame une nouvelle danse avec le même résultat. »

I. *Déception*
a) *Disjonction*
   Départ [femmes] + Déplacement deceptif [fils]
b) *Épreuve*
   Combat + Victoire [Fils; mère]   (viol)
   Conséquence : marque inversée [mère]   (la mère est marquée, non le
                                              fils)

II. *Révélation*
a) *Conjonction*
   Retour [mère; fils] + Reconnaissance de la marque [père; mère]
b) *Épreuve*
   Épreuve glorifiante simulée et inversée [père; adolescents] (danse et non
        lutte; traître et non héros)
   Conséquence : révélation du traître [fils] (et non du héros)

Conséquences générales
   Punition du traître [père; fils]

Commentaire.

La comparaison de la séquence transcrite avec le schéma narratif permet de voir que celle-ci correspond, dans l'économie générale du récit, au niveau du contenu inversé, à la *déception du pouvoir* et, au niveau du contenu posé, à la *punition du traître :* le possesseur se trouve privé, par le comportement deceptif de l'antagoniste, d'un objet magique (non naturel) qui lui conférait un certain pouvoir. Le sujet « déçu » ne peut le récupérer que si le traître est d'abord reconnu et, ensuite, puni. — La partie topique du récit qui en découle sera la punition du fils-traître, ordonné par le père rendu impuissant (sur le mode non naturel)

II.4.2. *Expédition au nid des âmes.*

« Persuadé de son infortune et désireux de se venger, il expédie son fils au nid » des âmes, avec mission de lui rapporter le grand hochet de danse (bapo), u'il convoite. Le jeune homme consulte sa grand-mère, et celle-ci lui révèle e péril mortel qui s'attache à l'entreprise; elle lui recommande d'obtenir l'aide e l'oiseau-mouche.

Quand le héros, accompagné de l'oiseau-mouche, parvient au séjour aquatique es âmes, il attend sur la berge, tandis que l'oiseau-mouche vole prestement, oupe la cordelette par laquelle est suspendu le hochet : l'instrument tombe à 'eau et résonne, « jo! ». Alertées par le bruit, les âmes tirent des flèches. Mais 'oiseau-mouche va si vite qu'il regagne la berge indemne, avec son larcin.

Le père commande alors à son fils de lui rapporter le petit hochet des âmes, t le même épisode se reproduit, avec les mêmes détails, l'animal secourable tant cette fois le juriti au vol rapide (Leptoptila sp., une colombe). Au cours 'une troisième expédition, le jeune homme s'empare des buttoré : sonnailles ruissantes faites de sabots de caetetu (Dicotyles torquatus) enfilés sur un cordon u'on porte enroulé autour de la cheville. Il est aidé par la grande sauterelle Ecridium cristatum, E.B., vol. I, p. 780), dont le vol est plus lent que celui des iseaux, de sorte que les flèches l'atteignent à plusieurs reprises, mais sans la uer. »

I. *Contrat*
   Mandement [Père] vs Acceptation [Fils]

II. *Épreuve qualifiante*
   Épreuve hypotaxique [Grand-mère; Fils] (consultation)
   Conséquence : réception de l'adjuvant (3 adjuvants)

III. *Disjonction*
   Départ [Fils] + Déplacement horizontal rapide
   [Fils + adjuvants]

IV. *Épreuve principale*
   Conséquence : liquidation du manque [Fils] (vol des parures)
   Combat + victoire [Fils; Esprits aquatiques] (en syncrétisme)

III *bis. Conjonction*
   Déplacement horizontal rapide + Retour [Fils]

I *bis. Accomplissement du contrat*
   Liquidation du manque [Fils]
   Non rétablissement du contrat [Père]

Conséquence générale
   Qualification du héros

Commentaire.

1. Nous rencontrons dans cette séquence un certain nombre de caractéristiques tructurelles de la narration bien connues : *a*) le caractère souvent implicite de 'épreuve qualifiante qui n'est manifestée que par la conséquence, *b*) l'inversion yntagmatique résultant du caractère déceptif de l'épreuve où le vol, suivi de oursuite, se substitue à la lutte ouverte, *c*) le syncrétisme des fonctions que cons-:itue la poursuite, analysable en lutte + déplacement rapide, *d*) la triplication

de la séquence, dont la signification ne peut être retrouvée que par une analyse
sémique des adjuvants (ou des objets du désir).

2. Par rapport à l'économie générale, la séquence transcrite doit corres
pondre à la qualification du héros.

III.4.3. *Expédition au nid des aras.*

« Furieux de voir ses plans déjoués, le père invite son fils à venir avec lui
pour capturer des aras qui nichent à flanc de rocher. La grand-mère ne sait
trop comment parer à ce nouveau danger, mais elle remet à son petit-fils un
bâton magique auquel il pourra se retenir, en cas de chute.

Les deux hommes arrivent au pied de la paroi ; le père dresse une longue perche
et ordonne à son fils d'y grimper. A peine celui-ci est-il parvenu à hauteur de
nids que le père abat la perche ; le garçon a tout juste le temps d'enfoncer son
bâton dans une crevasse. Il reste suspendu dans le vide, criant au secours, tandi
que le père s'en va.

Notre héros aperçoit une liane à portée de main ; il la saisit et se hisse pénible
ment jusqu'au sommet. Après s'être reposé, il se met en quête de nourriture
confectionne un arc et des flèches avec des branchages, chasse les lézards qui
abondent sur le plateau. Il en tue une quantité, dont il accroche le surplus à
sa ceinture et aux bandelettes de coton qui enserrent ses bras et ses chevilles
Mais les lézards morts se corrompent, exhalant une si abominable puanteur qu
le héros s'évanouit. Les vautours charognards (Cathartes urubu, Coragyp
atratus foetens) s'abattent sur lui, dévorant d'abord les lézards, puis s'attaquan
au corps même du malheureux, en commençant par les fesses. Ranimé par l
douleur, le héros chasse ses agresseurs, mais non sans qu'ils lui aient décharn
complètement l'arrière-train. Ainsi repus les oiseaux se font sauveteurs : ave
leur bec, ils soulèvent le héros par sa ceinture et par ses bandelettes de bras e
de jambes, prennent leur vol et le déposent doucement au pied de la montagne

Le héros revient à lui, « comme s'il s'éveillait d'un songe ». Il a faim, mang
des fruits sauvages, mais s'aperçoit que, privé de fondement, il ne peut garde
la nourriture : celle-ci s'échappe de son corps sans même avoir été digérée. D'abor
perplexe, le garçon se souvient d'un conte de sa grand-mère, où le héros résolvai
le même problème en se modelant un postérieur artificiel, avec une pâte fait
de tubercules écrasés.

Après avoir, par ce moyen, retrouvé son intégrité physique et s'être enfi
rassasié... »

   I. *Suspension du contrat*
     a) *Contrat*
        Mandement [Père] + Acceptation [Fils]
     b) *Épreuve qualifiante*
        Épreuve hypotaxique [Grand-mère ; Fils]   (consultation)
        Conséquence : réception de l'adjuvant [Fils] (le bâton)
     c) *Disjonction*
        Départ [Fils ; Père] + Déplacement ascensionnel [Fils]
     d) *Épreuve principale*
        Combat + Victoire [Père ; Fils] (affrontement déceptif : inversion de
        rôles)
        Conséquence : reprise du déplacement [Fils]
     e) *Conséquence contractuelle :* suspension du contrat

II. *Alimentation animale*
    a) *Épreuve négative*
        Combat + Victoire [Fils; Lézards] (chasse et absorption
                de la nourriture crue animale)
        Conséquence : échec de l'épreuve (mort du héros)
    b) *Épreuve positive*
        Combat + Victoire [Vautours; Fils] (chasse et absorption du cru pourri)
        Conséquence : réussite de l'épreuve

III. *Alimentation végétale*
    a) *Disjonction*
        Déplacement descensionnel [Fils] (en syncrétisme avec l'épreuve précé-
                dente : comportement bienfaisant des opposants > adjuvants)
    b) *Épreuve négative*
        Combat simulé [Fils; fruits sauvages] (cueillette et non chasse)
        Victoire déceptive [Fils] (absorption de la nourriture végétale fraîche)
        Conséquence : échec de l'épreuve (impossibilité de se nourrir)
    c) *Épreuve positive*
        Épreuve qualifiante hypotaxique [Grand-mère; Fils] (consultation en
                souvenir)
        Conséquence : réception de l'adjuvant [Fils] (adjuvant végétal)
        Épreuve principale :
            Combat simulé redondant + Victoire [Fils; Fruits sauvages]
            Conséquence : réussite de l'épreuve) (liquidation du manque : impossi-
                bilité de se nourrir)

      Conséquence générale :
        Liquidation du manque (acquisition de certains modes d'alimentation)

Commentaire.

1. La transcription sémantique de cette séquence fait ressortir une des caractéristiques structurelles du mythe étudié : il apparaît de plus en plus comme une
construction hypotaxique déroulant, sur plusieurs paliers, les mêmes schémas
narratifs. Ainsi, la séquence dont nous nous occupons en ce moment correspond,
dans l'économie générale du récit, à l'épreuve principale; considérée en soi,
elle réalise pourtant, à elle seule, le schéma narratif dans lequel l'algorithme
« suspension du contrat » prend place comme épreuve qualifiante; celui-ci, à
son tour, apparaît à la suite de la transcription, comme un récit autonome comportant une épreuve qualifiante et une épreuve principale. Il en résulte la manifestation du schéma narratif sur trois paliers hiérarchiques différents : un syntagme narratif, suivant le niveau où sa lecture est située, est donc susceptible
de recevoir successivement plusieurs interprétations.

2. Une autre caractéristique du modèle narratif : la *preuve par l'absurde*, que
nous n'avons pas encore rencontrée, apparaît également dans cette séquence.

III.4.4. *Le retour du héros.*

« ... Il retourne à son village, dont il trouve le site abandonné. Longtemps, il
erre à la recherche des siens. Un jour, il repère des traces de pas et celles d'un
bâton qu'il reconnaît pour appartenir à sa grand-mère. Il suit ces traces, mais,
craignant de se montrer, il emprunte l'apparence d'un lézard, dont le manège
intrigue longtemps la vieille femme et son second petit-fils, frère cadet du précédent. Il se décide enfin à se manifester à eux sous son véritable aspect. (Pour

rejoindre sa grand-mère, le héros se transforme successivement en quatre oiseaux et un papillon, non identifiés, Colb. 2, pp. 235-236).

Cette nuit-là, il y eut une violente tempête accompagnée d'un orage, et tou' les feux du village furent noyés, sauf celui de la grand-mère à qui, le matin suivant tout le monde vint demander des braises notamment la seconde femme du pèr meurtrier. »

I. *Retour du héros*
  a) *Retour négatif*
      Départ [Fils] + Déplacement horizontal [Fils] (à partir du lieu d l'épreuve)
      Retour déceptif [Fils] (non conjonction du fait de l'absence du point a quem)
  b) *Retour positif*
      Départ redondant [Fils] + Déplacement [Fils]
      Épreuve hypotaxique [Grand-mère; Fils]   (consultation)
      Conséquence : réception de l'adjuvant [Fils]   (traces du bâton)
      Retour véridique incognito [Lézard]   (lézard = fils)
      Reconnaissance de la marque [Grand-mère; Fils]

II. *Liquidation du manque*
  a) *Liquidation négative*
      Attribution de l'eau malfaisante + Privation du feu bienfaisant
  b) *Liquidation positive*
      Attribution du feu bienfaisant [Grand-mère; communauté]
      Reconnaissance du héros marqué [Belle-mère]
      Non révélation du héros [Père; Fils] (accueil ordinaire et non glorifiant

  Conséquence générale : révélation du traître et sa punition

Commentaire.

1. On remarquera d'abord le parallélisme structurel entre les séquences 3 et 4 : à la duplication des épreuves négative et positive correspond ici, d'abord, le retour négatif et positif et, ensuite, la liquidation du manque sous ses deux formes, négative et positive.

2. On notera, comme procédé caractéristique, la démonstration par l'absurde de l'impossibilité de rétablir le contrat, due à l'absence du destinateur à qui l'objet de quête devrait être remis, ce qui nécessite une nouvelle quête d'un nouveau destinateur (grand-mère).

3. On relèvera, comme caractéristique de ce mythe particulier, le fait qu'il situe le contenu inversé (c'est-à-dire, d'après ce que nous en savons à ce stade d'analyse, l'absence du feu) non dans le temps mythique d'autrefois, mais dans la quotidienneté d'aujourd'hui et la présente comme une extinction accidentelle des feux. La description doit, dans de tels cas, opérer la reconversion du quotidien en mythique : on voit que le procédé lui-même se définit, à première vue, comme une *conversion stylistique.*

III.4.5. *La vengeance.*

« Elle reconnaît son beau-fils, tenu pour mort, et court avertir son mari. Comme si de rien n'était, celui-ci prend son hochet rituel, et il accueille son fils avec les chants pour saluer le retour des voyageurs.

Cependant, le héros songe à se venger. Un jour qu'il se promène en forêt avec)n petit frère, il casse une branche de l'arbre api, ramifiée comme des andouil- rs. Agissant sur les instructions de son aîné, l'enfant sollicite et obtient de leur ère qu'il ordonne une chasse collective; transformé en petit rongeur mea, il epère sans se faire voir l'endroit où leur père s'est mis à l'affût. Le héros arme ors son front des faux andouillers, se change en cerf, et charge son père avec ne telle impétuosité qu'il l'embroche. Toujours galopant, il se dirige vers un c où il précipite sa victime. »

I. *Contrat déceptif*
> Déception [Frère] + Soumission [Père] (déception du « vouloir »)
> Mandement [Père] + Acceptation [Hommes] (Père : faux mandataire)

II. *Disjonction*
> Départ [Père; Hommes] + Déplacement horizontal [Père; Hommes] (dis- jonction des foyers du village)

III. *Épreuve qualifiante*
> Transformation de l'adjuvant en décepteur [Frère → Mea] + Extorsion des renseignements [Mea]
>> (déception du « savoir » : le chasseur devient chassé)
> Conséquence : réception de l'adjuvant (faux andouillers en bois)
> Épreuve qualifiante [Fils] (Transformation du héros en victime simulée : cerf)

IV. *Épreuve principale*
> Combat [Père; Fils] (le faux chasseur contre le faux chassé)
> Victoire [Fils] (la fausse victime est victorieuse)
> Conséquence : déplacement [Père] (disjonction de la communauté)

Conséquence générale : punition du traître

Commentaire.

1. La séquence entière se déroule sur le mode déceptif. Seulement, contraire- 1ent à ce qui se passe ailleurs, la déception ne se présente ici *a*) ni comme la onversion du contenu de la séquence, telle qu'elle se manifeste dans l'Expédition u nid des âmes, où l'élément narratif inversé, entraînant les autres transfor- 1ations, est l'objet du manque *(eau* vs *parures)*, *b*) ni comme l'inversion du yntagme narratif, caractérisée par l'inversion des fonctions où, par exemple, e vol suivi de persécution, situe syntagmatiquement la conséquence avant épreuve même — mais comme une inversion dans la distribution des rôles ux actants prévisibles. Ainsi, le père se comporte comme l'organisateur de la hasse, tandis que c'est le fils qui l'organise en fait; le père se considère comme hasseur, tandis qu'il est en réalité la victime épiée à l'avance; le héros, véritable hasseur, se déguise, au contraire, en victime-cerf. — Nous insistons sur ce chéma, assez fréquent, parce qu'il permet d'envisager, à l'avenir, une *typologie e la déception.*

2. La lecture de la séquence, impossible sans l'utilisation du code, peut être outefois facilitée par *la formulation d'hypothèses*, soit en la comparant aux équences précédentes, soit en cherchant à déterminer, par l'enregistrement des edondances, l'isotopie propre à la seule séquence étudiée.

a) Le retour du héros a été suivi, on s'en souvient, de la liquidation négative u manque sous forme de deux effets complémentaires : affirmation de l'eau 1alfaisante et dénégation du feu bienfaisant. La liquidation positive du manque st apparue comme l'affirmation du feu bienfaisant : il est logique de supposer

que la séquence étudiée en ce moment soit consacrée à la manifestation du term
complémentaire, c'est-à-dire, à la dénégation de l'eau malfaisante. L'hypothès
à retenir sera donc l'identification entre

disjonction du père = dénégation de l'eau malfaisante

ce qui permet de supposer la corrélation entre le père et l'eau malfaisante.

b) La recherche des redondances permettant d'établir l'isotopie propre à 1
seule séquence envisagée permet de supposer un *axe végétal* (le héros et son pet
frère se transforment en végétariens; l'arme punitive du traître est d'origir
végétale). S'il en est ainsi, à cet axe s'oppose logiquement un *axe animal* qui do
être celui où se trouve situé l'antagoniste qui, en effet, se définit positivemen
en tant que chasseur, comme le consommateur de la nourriture animale. Si, c
plus, on observe qu'il s'agit des deux côtés des mangeurs du cru (cela va de sc
pour le cerf et le mea, mais convient également au père qui se trouve disjoir
du feu des foyers), la figure du père semble entrer en corrélation avec le cr
animal (hypothèse qui, nous le verrons, ne se vérifiera que partiellement).

III.4.6. *La séquence finale.*

« Aussitôt, celle-ci est dévorée par les esprits buiogoé qui sont des poisson
cannibales. Du macabre festin il ne reste au fond de l'eau que les ossement
décharnés, et les poumons qui surnagent, sous forme de plantes aquatiques dor
les feuilles, dit-on, ressemblent à des poumons.

De retour au village, le héros se venge aussi des épouses de son père (dont l'un
est sa propre mère). »

    I. *Disjonction*
        Départ [Père; Fils] + Déplacement horizontal rapide [Père; Fils]
        Arrivée sur le lieu de l'épreuve [Père] (immersion = conjonction avec l'eau)

    II. *Épreuve négative*
        Combat + Victoire [Piranhas; Père] (absorption de la partie charnelle = c
          cru animal)
        Conséquence: mort du héros-traître

    III. *Épreuve positive*
        Combat + Victoire [Père; Piranhas] (non absorption de la partie essentielle
          poumons + ossements)
        Conséquence: survivance du héros-traître

    IV. *Disjonction définitive*
        Départ descensionnel + Transformation en esprit aquatique (?) (ossement
        Départ ascensionnel + Transformation en plante aquatique

Commentaire.
Si nous avons analysé en deux épreuves distinctes le combat du traître ave
les esprits cannibales, c'est *a*) pour mieux séparer les deux conséquences diver
gentes de l'épreuve, mais aussi *b*) pour établir un certain parallélisme structur
avec les séquences précédentes.

II.5. *Les actants et les relations contractuelles.*

La transcription à laquelle nous venons de procéder a permis de saisir l'enchaî-
ement des fonctions constitutives des syntagmes narratifs. Mais en même temps
ous avons négligé le second aspect de cette normalisation, la transcription des
ctants que nous avons provisoirement laissés sous forme d'acteurs du récit,
n subdivisant ainsi la procédure proposée en deux étapes successives.

Cette codification des actants, si elle est peu rentable pour les syntagmes-
preuves dont le statut est simple et la structure redondante, retrouve son impor-
ance lorsqu'il s'agit des unités contractuelles auxquelles échoit le rôle de l'orga-
isation de l'ensemble du récit. Les fonctions qui les définissent constituent un
eu d'acceptations et de refus d'obligations entre parties contractantes et provo-
uent, à chaque moment, de nouvelles distributions et redistributions des rôles.
.insi, ce n'est qu'au niveau de ces distributions de rôles qu'on peut espérer
ouvoir résoudre le problème, difficile à première vue, de la transformation du
ls-traître en héros et celle, parallèle, du père-victime en traître.

En adoptant le système d'abréviations simple pour noter les actants du récit :

$$D_1 \text{ (destinateur) vs } D_2 \text{ (destinataire)}$$
$$S \text{ (sujet-héros) vs } O \text{ (objet-valeur)}$$
$$A \text{ (adjuvant) vs } T \text{ (opposant-traître)}$$

n pourra présenter, sous forme condensée, les principales obligations contrac-
uelles et les distributions corrélatives des rôles dans la partie topique de la
arration.

Séquences		Fonctions	Actants
)épart au nid des âmes			
		Punition du traître	Fils = T
Contrat accepté	{	Mandement	Père = D_1
		Acceptations et départ	Fils = D_2 + (S) + T
			Rem. Nous mettons entre parenthèses le héros non qualifié.
)épart au nid des aras			
Contrat accepté	{	Mandement	Père = D_1
		Acceptation et départ	Fils = D_2 + S + T
Contrat suspendu	{	Combat déceptif	Père = D_1 + T
		Conséquence	Fils = D_2 + S
			Rem. Le rôle T passe du Fils au Père.
?etour du héros			
Contrat refusé	{	Retour	Fils = D_2 + S
		Absence du père	Père = (D_1) + T
Nouveau contrat	{	Quête du destinateur	Fils = D_2 + S
		Retour et don	Grand-mère = (D_1)
			Rem. Le destinateur absent et le nouveau destinateur non manifesté sont mis entre parenthèses.
Ancien contrat rompu	{	Distribution du feu	Grand-mère = D1
		Non glorification du héros	Père = T

Vengeance

Nouveau contrat inversé $\begin{cases} \text{Punition du traître} & \text{Père} = \text{T} \\ \text{Mandement} & \text{Fils} = \text{D}_1 \\ \text{Acceptation et départ} & \text{Père} = \text{D}_2 + (\text{S}) + \text{T} \end{cases}$

La redondance qui marque la rupture du contrat (contrat suspendu → contrat refusé → contrat rompu) et la recherche du nouveau destinateur empêchent de voir nettement la symétrie du récit due au parallélisme des redistributions des rôles entre le père et le fils. On peut les résumer de la manière suivante :

Acteurs	Contrat-punition		Double transformation	Contrat-punition	
Fils	T	D2 + (S) + T	D2 + S	D1	
Père	D1		D1 + T	T	D2 + (S) + T

Commentaire.

1. Il suffit de reconnaître qu'il existe deux formes distinctes du contrat, (1) contrat volontaire qui entraîne une mission de salut et (2) contrat involontaire dont découle une mission de rachat, et de voir dans la vengeance cette deuxième forme d'obligation contractuelle, pour se rendre compte qu'il existe une *articulation contractuelle* du modèle narratif dans son ensemble. La partie topique du mythe apparaît alors comme l'exécution du contrat primitif, découlant de la séquence initiale; la séquence finale, de son côté, se trouve reliée de la même manière au corps du récit. Dès lors, on peut formuler une nouvelle correspondance entre la manifestation narrative et la structure du contenu qui est ainsi manifestée : *aux corrélations entre contenus non-isotopes* du mythe, au niveau de sa structure, *correspondent les relations contractuelles*, au niveau de la narration.

2. Le passage d'un contrat à l'autre s'effectue grâce à une double transformation, c'est-à-dire, grâce à la substitution paradigmatique des termes sémiques opérant à l'intérieur de deux catégories à la fois : 1) le père devient traître, et le fils, qualifié, héros à part entière (S ⇄ T); 2) le traître ne pouvant pas être destinateur (*incompatibilité* structurelle que nous avons déjà observée en analysant un corpus psychodramatique), le père se transforme en destinataire, passant le rôle de destinateur à son fils (D1 ⇄ D2). L'hypothèse que nous avons formulée en nous servant des enseignements tirés des analyses antérieures non mythologiques, mais littéraires, et selon laquelle *l'épreuve est la manifestation*, sur le plan narratif, *de la transformation* des contenus, se confirme ici : la double transformation que nous formulons ici au niveau des actants correspond, en effet, à l'épreuve déceptive dans le récit.

Rem. La place limitée ne nous permet pas de développer la théorie des actants qui montrerait que la première transformation est, en réalité, celle de A ⇄ T (et non de S ⇄ T) comme nous l'avons indiqué en simplifiant.

IV. LE MESSAGE STRUCTUREL

V.1. *La bi-isotopie de la narration.*

La transcription formelle ne nous a pas donné la clef d'une lecture isotope nique, bien au contraire : le récit semble être conçu comme exprès de telle anière qu'il manifeste successivement, dans sa partie topique, deux isotopes la fois. On peut même se demander si les variations d'isotopies, correspondant ux séquences du récit, ne constituent pas un des traits distinctifs permettant 'opposer le récit mythique aux autres types de narration, tel le conte populaire, ar exemple.

Ainsi, si la séquence « expédition au nid des âmes » peut être considérée, après reconversion, selon l'équivalence entre *quête des ossements* $\simeq$ *quête de l'eau,* omme manifestant l'isotopie de l'eau (et du feu), la séquence « expédition au id des aras » abandonne la mission apparente de la quête des parures et ne occupe plus que des problèmes de régime alimentaire, animal et végétal. Le :tour du héros, de son côté, est marqué par le don du feu (et de l'eau), mais la iquence « vengeance » qui suit est presque illisible : c'est à peine si l'on peut y etrouver, grâce aux formulations déductives, le souci de la disjonction de l'ali- entation végétarienne et carnivore. La partie topique de la narration se présente onc ainsi :

Isotopies	Nid des âmes	Nid des aras	Retour	Vengeance
Code naturel				
Code alimentaire				

Deux isotopies, révélant l'existence de deux encodages différents du récit, pparaissent ainsi nettement. L'interprétation du mythe aura pour but, à ce .ade, l'établissement de l'équivalence entre les deux codes et la réduction de ensemble du récit à une isotopie unique. Elle pose au descripteur le problème u *choix stratégique,* à savoir : quelle est l'isotopie *fondamentale,* dans laquelle faut traduire la deuxième isotopie, considérée comme *apparente?*

Deux ordres de considérations plaident en faveur du choix du code alimentaire : 1º La transcription formelle permet de constater la différence de niveaux où e situent les contenus à analyser dans les deux isotopies : si l'on considère que es contenus se manifestent dans le message narratif, sous forme canonique des onséquences des épreuves et, par conséquent, des objets de quête, on voit que, ans le premier cas, les objets sont présents sous forme de *lexèmes* (eau, feu) et, ans le second cas, sous forme de *combinaisons de sèmes* (cru, cuit, pourri, frais, :c.). On peut dire que l'analyse du contenu ayant atteint le niveau sémique est lus profonde que celle qui se situe au niveau des signes : c'est donc le niveau analyse sémique qui doit être retenu comme fondamental.

2. L'économie générale du modèle narratif prévoit, dans le déroulement du cit, la succession de trois types d'épreuves :

épreuve qualifiante	épreuve principale	épreuve glorifiante
« nid des âmes »	« nid des aras »	« vengeance »

Il paraît évident que c'est l'épreuve principale qui est chargée de traiter
contenu topique du mythe : son isotopie a donc de fortes chances de manifest
le contenu au niveau fondamental.

Mais, en définitive, c'est la convergence de ces deux ordres de considératior
qui constitue l'élément décisif du choix stratégique. Nous allons, par conséquen
commencer l'explication et l'intégration du code à partir de ce lieu privilég
qu'est la séquence correspondant à l'épreuve principale.

IV.2. *L'objet de quête.*

Sans nous préoccuper davantage de l'unité contractuelle qui introduit l'épreuv
principale du récit, nous n'avons à analyser que la séquence elle-même, découp
en deux segments grâce à la disjonction spatiale et qui s'articulent chacun sou
forme d'épreuves notifiant l'échec ou la réussite d'un certain mode d'aliment
tion :

Alimentation

animale (en haut)		végétale (en bas)	
échec	réussite	échec	réussite

Si l'on admet l'hypothèse selon laquelle les quatre épreuves ainsi distribué
ne sont que des manifestations narratives des tranformations structurelles, o
dira que les deux échecs doivent être considérés comme des *dénégations* et l
deux réussites, comme des *affirmations* de certains modes alimentaires.

1. Le régime alimentaire dénié en premier lieu est la consommation du *cr
animal ;* il est dénié, parce que *cannibale :* le code, mais aussi le contexte discursi
nous renseignent que le héros, devenu « maître de l'eau » grâce à l'épreuve qual
fiante, est en réalité un lézard, miniaturisation terrestre du crocodile, et, e
effet, c'est sous forme de lézard qu'il se présente à son retour à la grand-mèr
On peut dire que *le cannibalisme est la manifestation narrative de la conjonction d
identités* et que la mort et la putréfaction qui en résulte est en fait la mort, l
disparition du sens.

2. Le régime alimentaire, affirmé par la suite, est la consommation du *cu
animal.* Le héros mort se constitue en nourriture qui se définit comme le *cr
animal pourri.* Les vautours charognards, en ne consommant que la partie « cru
et pourrie » du héros (les lézards restants et le postérieur « pourri ») procèder
donc à la disjonction *pourri vs frais* et à la dénégation du cru pourri. Cette opéra
tion, qui pourrait paraître cannibale à première vue, ne l'est pas en réalité, ca
les vautours sont, dans le monde inversé de l'avant, les maîtres du feu. Sar
entrer dans les détails du contexte que le lecteur de Lévi-Strauss connaît déjà e
notamment, sans insister trop sur leur rôle de sorciers, capables d'opérer l
purification par le feu et la résurrection des morts, on peut dire que leur victoi

st la victoire des consommateurs du cuit et, par conséquent, l'affirmation de la
onsommation du *cuit animal pourri*. La tranformation qui correspond à cette
preuve est la substitution du terme *cuit* au terme *cru* à l'intérieur de la catégorie
imique *cru* vs *cuit*.

3. Il n'est pas inutile de noter, en cette occasion, le phénomène stylistique
équent de connotation redondante. Ainsi, la disjonction *haut* vs *bas* qui corres-
ond à la déposition du héros au pied de la montagne, se retrouve dans d'autres
cits des Bororo. Ceux-ci étaient autrefois des aras qui, une fois leur secret
écouvert, se sont jetés dans le bûcher ardent en se tranformant ainsi, avec dis-
onction, en oiseaux (haut) et en plantes (bas) retrouvées parmi les cendres.
'autre part, les prêtres bororo aident à la quête alimentaire : « comme aras,
s cueillent les fruits » : le héros-ara, se réveillant en bas, retrouve donc la partie
égétale complémentaire de sa nature.

4. Le régime alimentaire qui est dénié pour la seconde fois est la consommation
u *cru végétal*. Plus précisément, ce n'est pas l'objet à consommer (les fruits
auvages) qui est mis en cause, mais le consommateur en sa qualité d'objet
e consommation (pour les vautours). Le héros, on le sait, est dépourvu de posté-
eur, dénié en tant que cru et pourri. Le paradigme de substitution est ainsi
uvert au niveau du corps du héros : la partie *pourrie* étant déjà absente, n'est
as encore remplacée par la partie *fraîche*.

5. La transformation du consommateur dont la partie animale, crue et pourrie
st remplacée, à l'aide d'un adjuvant (qui s'identifie avec cette partie neuve de sa
ature) végétal, cru et frais, et la possibilité de se nourrir ainsi retrouvée consti-
uent donc l'affirmation de la consommation du *cru végétal frais*.

En conclusion, on peut dire que (a) la disjonction *haut* vs *bas* opère la distinction
ntre deux axes de consommation : *animale* vs *végétale* (b) la première série
'épreuves consiste dans la transformation du *cru en cuit* (c) la deuxième série
'épreuves recouvre la transformation du *pourri en frais*.

V.3. *La construction du code.*

En marquant un temps d'arrêt, on peut essayer maintenant d'organiser l'acquis
fin de voir s'il ne permet pas la construction d'un code rendant compte de
ensemble de la manifestation topique du mythe.

1. On remarquera d'abord que la séquence étudiée pose le problème de l'ali-
entation sous forme de *relation* entre le consommateur et l'objet consommé
t que les catégories que nous avons postulées pour articuler le contenu de divers
bjets de consommation (cru vs cuit; frais vs pourri) n'ont pu être établies qu'en
firmant ou en déniant la possibilité de telle ou telle relation. — S'il en est
nsi, le feu et l'eau apparaissent, par rapport à l'objet de consommation, dans
a *relation* qui est celle du producteur avec l'objet produit : c'est le feu qui trans-
rme, en effet, le cru en cuit, c'est l'eau qui, à partir du frais, produit du pourri.
'objet de consommation se situe ainsi entre

$$\frac{\text{Destinateur}}{\text{(producteur)}} \rightarrow Objet \rightarrow \frac{\text{Destinataire}}{\text{(consommateur)}}.$$

Dès lors on peut dire que la manifestation narrative dans son ensemble se situe
ntôt au niveau des contenus qui articulent les objets de consommation, tantôt
i niveau des articulations des destinateurs ou des destinataires. Dans ce sens,

la définition de l'isotopie générale du discours que nous avons proposée ailleurs
et selon laquelle celle-ci n'est pas l'itération d'une seule catégorie sémantique
mais d'un faisceau de catégories organisé, paraît applicable au récit mythique :
l'objet de consommation qui est le propos du discours, est *stylistiquement* présent
tantôt avec son contenu propre, tantôt sous forme de contenus *distanciés* à
l'aide de relations que l'on peut définir catégoriquement. L'établissement de la
lecture unique consistera donc dans la réduction de ces écarts stylistiques.

2. A considérer de plus près les deux fonctions de purification par le feu et de
putréfaction par l'eau, on s'aperçoit que l'une peut être dénommée comme *vitale*
et l'autre, comme *mortelle* et que la distance qui sépare le cuit du pourri est celle
de l'opposition de la vie et de la mort. Une nouvelle connotation, plus générale
des catégories alimentaires, due à leur caractère vital et bénéfique ou mortel
et maléfique, paraît possible. En effet,

$$\text{si } cuit \simeq V, \text{ alors } cru \simeq \text{non } V, \text{ et}$$
$$\text{si } pourri \simeq M, \text{ alors } frais \simeq \text{non } M.$$

D'autre part, la nouvelle catégorie connotative permet, grâce à la mise entre
parenthèses de la distance stylistique entre le producteur et l'objet produit, une
distribution parallèle des termes sémiques recouverts par les lexèmes de feu et
d'eau. Le tableau ci-dessous résumera brièvement les résultats de cette réduction
qui aboutit à la construction d'un code bi-valent, mais isomorphe. Celui-ci ne
pourra être considéré comme correctement établi que dans la mesure où il permettra de rendre compte de l'ensemble des contenus topiques manifestés.

	Vie	Mort	
V	cuit feu vital	cru feu mortel	non V
non M	frais eau vitale	pourri eau mortelle	M

IV.4. *La transformation dialectique.*

Dans le cadre ainsi établi, l'ensemble des transformations contenues dans la
séquence étudiée sont susceptibles d'être subsumées sous forme d'un *algorithme
dialectique.* En effet, les épreuves qui se suivent, consistent :

(1) à dénier le terme *cru* (non V)
(2) à affirmer le terme *cuit* (V)
(1) à affirmer le terme *frais* (non M)
(2) en déniant le terme *pourri* (M)

L'assertion dialectique, offrant la synthèse, consistera alors à postuler l'existence d'une relation nécessaire entre *le cuit* et *le frais* (V + non M), termes appartenant à des catégories de contenu originellement distinctes, en affirmant que
leur conjonction constitue la vie, c'est-à-dire, la culture alimentaire, ou, en
transposant dans le code parallèle, que la conjonction du feu du foyer et de la
pluie bienfaisante constitue les conditions « naturelles » de cette culture.

Cette analyse rend du même coup évidentes les manifestations lexématiques es acteurs assumant à la fois les fonctions du producteur et du consommateur : nsi le vautour-charognard qui, en tant que mangeur du cru pourri, est l'oiseau e la mort, une fois situé dans un avant mythique, s'adjoint les fonctions de roducteur du feu et devient l'oiseau de la vie, opérant les résurrections. De ième, le jaguar mange-cru et la tortue mange-pourri constituent, avec inversion, couple culturel parfait. Il n'est pas étonnant dès lors que notre héros porte le ɔm du consommateur transformé en celui de destinateur, celui de Gerigui-ɹiatugo, c'est-à-dire, de jaguar-tortue. (L'interprétation de jaguar = feu et e tortue = bois de chauffage, constitue une connotation parallèle, catégorisable ɪns référence à leur statut de consommateur).

V.5. *La liquidation du manque.*

1. On a vu que le comportement déceptif du destinateur-père a eu pour ɔnséquence de dédoubler aussi bien le retour du héros que la liquidation du ɪanque en les présentant sous des formes négative et positive :

$$\frac{\text{Retour négatif}}{\text{Don négatif}} \simeq \frac{\text{Retour positif}}{\text{Don positif}}.$$

Il en résulte que le premier don du héros est le don de la mort, et non de la ie : ce n'est que par l'intermédiaire du nouveau destinateur-grand-mère qu'il ɪnouvellera son don, cette fois-ci positif.

On remarquera que l'algorithme dialectique du don se trouve doublement ɪversé par rapport à celui de quête : 1º parce que don, il est *inversé syntagmati-ɹement*, et l'affirmation y précède la dénégation et ainsi de suite; 2º parce que ɔn négatif, il est inversé dans ses termes : il affirme les propriétés de mort, et ɔn de vie. Il consiste donc dans

      (1) l'affirmation de M (pourri $\simeq$ eau mortelle)
      (2) entraînant la dénégation de non M (frais $\simeq$ eau vitale)
      (1) la dénégation de V (cuit $\simeq$ feu vital)
      (2) impliquant l'affirmation de non V (cru $\simeq$ feu mortel)

Le don négatif établit, par conséquent, la relation nécessaire entre deux ɔntenus affirmés, c'est-à-dire, entre M + non V, ce qui est la définition même e la mort et, par là même, de l'anti-culture.

2. Dès lors, on peut supposer que le don positif aura la même structure syn-ɪgmatique opérant sur des contenus différents, affirmant la vie, et non la mort. ɪ distribution du feu, accomplie par la grand-mère, peut se transcrire comme ɔnstituant la première partie de l'algorithme :

      (1) l'affirmation de V (cuit $\simeq$ feu vital)
      (2) impliquant la dénégation de non V (cru $\simeq$ feu mortel)

L'épisode de la chasse déceptive ne peut être logiquement que la manifestation e la deuxième partie de l'algorithme, c'est-à-dire :

      (1) l'affirmation de non M (frais $\simeq$ eau vitale)
      (2) comportant la dénégation de M (pourri $\simeq$ eau mortelle)

Une telle interprétation, bien que fort possible, n'entraîne cependant pas adhésion du descripteur comme une évidence. En apparence du moins, tout ɹ passe comme si l'opération chasse avait été montée pour mettre en présence *cru* vs le *frais* et non le *pourri* vs le *frais*. En effet, le père, ayant refusé de glori-

fier le héros, ne participe pas nécessairement aux bienfaits du feu, il reste « cru
De façon redondante, sa crudité se trouve confirmée par la disjonction de
hommes par rapport aux feux du village, où ils se trouvent en situation d
chasseurs du cru.

Si la description soulève, à cet endroit, quelque difficulté, c'est parce que l
code que nous avons construit reste encore incomplet : nous n'avons établ
l'isomorphisme qu'entre les catégories alimentaires articulant l'objet de cor
sommation, et les catégories « naturelles » différenciant les producteurs, en laissar
de côté l'articulation permettant de décrire, de façon isomorphe, les consomma
teurs qui présentent, par rapport à l'objet, l'écart stylistique comparable à celu
des producteurs. Nous sommes donc obligé d'abandonner provisoirement l'analys
commencée pour essayer de compléter d'abord nos connaissances du code su
ce point précis.

IV.6. *La culture sexuelle.*

1. En introduisant la catégorie *vie* vs *mort*, nous avons pu constituer une grill
culturelle qui, tout en articulant le code du mythe selon deux dimensions diffé
rentes, possède cependant un caractère plus général que la culture alimentair
qu'elle organise.

S'il en est ainsi, on peut essayer d'appliquer cette grille au plan de la cultur
sexuelle en cherchant à établir les équivalences entre valeurs culinaires e
sexuelles qui ne seront reconnues comme isomorphes que si elles peuvent com
porter une distribution formellement identique. Il faut préciser tout de suit
qu'il s'agit ici de la culture sexuelle, c'est-à-dire de l'ensemble de représentation
relatives aux rapports sexuels, qui est de nature métalinguistique et axiologique
et non de la structure de la parenté qui lui est logiquement antérieure. Le tablea
ci-dessous mettra en évidence l'isomorphisme proposé.

V	cuit époux	cru enfant mâle	non V
non M	frais mère (grand-mère)	pourri épouse	M

Une telle distribution se présente, sans aucun doute, comme une simplificatio
grossière : elle devrait, en principe, suffire pour justifier l'isomorphisme entr
les deux dimensions culturelles de l'univers mythologique et rendre possible l
transcodage d'un système à l'autre. Tel qu'il est, le tableau rend compte d'u
certain nombre de faits : (*a*) la femme bororo est un fruit pourri; (*b*) en tan
que mère elle est nourricière et, tout en restant de nature végétale, constitue l
terme complexe M + non M (tandis que la grand-mère, n'étant plus épouse
correspond au seul terme non M); (*c*) le comportement sexuel à l'intérieur d
mariage est vital : c'est une cuisson qui, par la conjonction avec le pourri, pro
voque la fermentation et la vie; (*d*) le mâle célibataire et, surtout, l'enfant no
initié est à rejeter du côté du cru et du feu mortel.

2. Le viol, grâce à ce code bi-valent (ou tri-valent), peut être interprét

›mme une épreuve, manifestant une série de transformations que l'on peut
‹unir en un seul algorithme dialectique :

) la dénégation du cuit (V)   (le fils se substitue à l'époux)
) entraînant l'affirmation du cru (non V)   et
) l'affirmation du pourri (M)
) comportant la dénégation du frais (non M)   (la femme est niée en tant que mère)

L'acte sexuel extraconjugal serait donc l'expression de la conjonction du cru
‹ du pourri, et s'identifierait avec l'assertion dialectique instaurant la mort :
‹on seulement le fils affirme ainsi sa nature anti-culturelle, il en est de même du
›ère, dont la qualité de « cuisinier » est déniée et qui, en se conjoignant dorénavant
vec sa femme (et, surtout, sa nouvelle épouse qui apparaît comme exprès)
›e pourra que reproduire l'assertion non V + M. A la suite du viol, les deux
›rotagonistes mâles se trouvent donc définis de la même manière, mais tandis
‹ue le fils, en passant — bien que sur une autre dimension culturelle — par une
‹rie d'épreuves héroïques, se transformera pour devenir le contraire de celui
‹u'il était au début, le père restera toujours avec sa nature crue et pourrie.

3. Cette extrapolation, dans la mesure où elle est correcte, permet un certain
ombre de constatations relatives aussi bien au statut de la narration qu'aux
›rocédures de description : (1) on voit que la construction du code présuppose
établissement d'une grille culturelle d'une généralité suffisante pour qu'elle
uisse intégrer les encodages isomorphes non seulement des contenus topiques,
›ais aussi des contenus corrélés; (2) on voit qu'à l'enchaînement syntagmatique
‹ue nous avons interprété comme une relation de cause à effet (le contrat punitif)
‹orrespond le passage d'une dimension culturelle à une autre (culture sexuelle
‹n culture alimentaire).

4. L'établissement d'équivalence entre différents codes nous permet, d'autre
›art, de mieux comprendre certains procédés stylistiques de la narration. Ainsi,
‹s deux éléments constitutifs de la nature des protagonistes — et qui, au niveau
‹u code sexuel, correspondent à la nature mâle et la nature femelle — se trouvent
‹ntre eux dans une relation que l'on peut généraliser sous forme de la catégorie
gent vs *patient*. Ceci permet d'interpréter les inversions de rôles que l'on peut
‹bserver dans les épisodes de chasse :

a) en tant que *crus*, les acteurs sont des *chasseurs* (chasse aux lézards, chasse
u cerf);
b) en tant que *pourris*, ils sont *chassés* (par les vautours, par le cerf).

On peut revenir maintenant à l'analyse laissée en suspens et relire l'épisode de
‹a chasse finale : si le père, en tant que chasseur, affirme bien sa nature de *cru*,
‹e renseignement rapporté par l'adjuvant-décepteur méa sur l'endroit où il se
‹rouve aux aguets, le transforme en être chassé, c'est-à-dire, en *pourri*. La victoire
‹u cerf, armé de faux andouillers (= bois frais) rend compte, par conséquent,
‹e la transformation qui s'inscrit comme la dénégation du pourri, corrélative
‹e l'affirmation du frais.

IV.7. *Qualification et disqualification.*

Il nous reste à examiner la dernière séquence qui consacre la disjonction du
›ère-traître (non V + M) de la communauté. On a déjà noté que le statut du
›ère est, à cet endroit du récit, symétrique à celui du fils à la suite du viol : (a) du
›oint de vue du contenu, ils se définissent tous les deux comme agents de la

mort, comme à la fois crus et pourris, (b) du point de vue de la structure syntag
matique du récit, ils sont objets de vengeance, c'est-à-dire, obligés d'exécute
un contrat-punition. Il en résulte que les séquences « expédition au nid de
âmes » et « immersion dans le lac », consécutives des deux disjonctions, doiver
être, en principe, comparables. On peut alors tenter de les juxtaposer et de le
interpréter simultanément, en mettant en évidence les identités et les diffé
rences.

Rem. Du point de vue des techniques de description, nous cherchons à valoriser ain
la procédure du *comparatisme interne* au récit : nous l'avons déjà pratiquée, en analy
sant successivement les deux aspects de la liquidation du manque, en tant que quêt
et en tant que don.

Expédition au nid des âmes

Disjonction à la suite d'une victoire — de
la société anti-culturelle
Conjonction avec les esprits aquatiques —
en vue d'une position disjonctive (combat)

Qualification du héros

Procédure analytique :
articulation en éléments constitutifs par
adjonction (sous forme d'adjuvants)

1. Oiseau-mouche
Disjonction maximale par rapport aux
esprits aquatiques (haut)
(anti-eau = feu = vie absolue)

2. Pigeon
Disjonction par rapport au pourri (pigeon
= destructeur de l'eau mortelle)

3. Sauterelle blessée
Disjonction par rapport au cru :
a) affirmation du cru : sauterelle =
destructeur des jardins = sécheresse =
feu mortel
b) possibilité d'affirmation du frais : la
blessure, par les esprits aquatiques, est la
négation du cru absolu.

Conséquences

Acquisition complémentaire, par le héros,
des qualités en opposition avec sa nature :
possibilité de la culture humaine

Séquence finale

Disjonction à la suite d'une défaite — d
la société culturelle
Conjonction avec les esprits aquatiques —
en vue d'une position conjonctive (inté
gration)

Disqualification du héros

Procédure analytique :
articulation en éléments constitutifs pa
disjonction (désarticulation)

1. Ossements
Conjonction maximale par rapport au
esprits aquatiques (bas)
(ossements = esprits aquatiques = mor
absolue)

2. Poumons — Plantes aquatiques
Conjonction avec le pourri (le lac-marai
est la manifestation du pourri)

3. Piranha
Conjonction avec le cru :
a) affirmation du cru : piranha = pourr
= feu mortel.

b) conjonction des identités : la parti
crue du héros est absorbée et non rem
placée (cf cannibalisme des vautours)

Conséquences

Identification des qualités du héros ave
celles de la nature : possibilité de l'anti
culture non humaine

Commentaire.

La procédure qui a consisté à utiliser le cadre comparatif pour l'exploitation
des données contextuelles au niveau des lexèmes, a permis de dégager l'articula
tion générale des deux séquences :

a) On a vu que la disjonction du héros par rapport à la société des hommes a
pour conséquence sa conjonction avec la société des esprits. Il en résulte la
confrontation de la nature du héros avec les qualités correspondantes de la sur
nature.

b) Les deux héros, identiques quant à leur nature, auront pourtant un compor ment différent. Cette différence ne peut provenir que de leur statut syntagmaque en tant qu'actants-sujets qui se trouve polarisé de la manière suivante :

jet-héros	*Sujet-héros*
argé d'une potentialité *de vie*	chargé d'une potentialité *de mort*
ros victorieux	héros défait
la conquête d'une culture	à la conquête d'une anti-culture
rovoque les épreuves	subit les épreuves
quiert des qualités	perd des qualités
l'il arrache aux esprits	qu'il transmet aux esprits

c) Une telle analyse se maintient cependant au niveau lexématique et apparaît e ce fait, insuffisante. La description cherche à atteindre le niveau de l'artilation sémique des contenus et à rendre compte des transformations sous-centes aux séquences narratives. Les questions qui se posent dès lors sont les iivantes : à quoi correspond, au niveau des transformations structurelles, la ialification du héros? Quelles transformations comporte, de son côté, la disquafication du héros?

V.8. *La qualification du héros.*

Selon les prévisions fournies par le modèle narratif, la séquence qui s'intercale itre le départ du héros et l'affrontement de l'épreuve principale est destinée à ialifier le héros, c'est-à-dire à lui ajouter des qualités dont il était dépourvu : qui le rendront capable de surmonter l'épreuve. Cependant, si l'on considère composition sémique du contenu de notre héros avant et après la qualification, l n'y trouve pas de différence notable : le héros est, dans un cas comme l'autre, ru + pourri.

En quoi consiste dans ce cas la qualification? Il semble bien qu'elle ne peut ésirer que dans l'acquisition des qualités virtuelles qui, tout en étant contraictoires et complémentaires par rapport à sa nature, confèrent cependant au éros le pouvoir d'affirmer et de dénier, le transforment en *méta-sujet des trans*ormations dialectiques* (ce qu'indiquent, d'ailleurs imparfaitement, les désigna-ons telles que « maître du feu » ou « maître de l'eau »). Le héros qualifié comporte-ait donc, dans sa nature, et son contenu propre, et les termes contradictoires isceptibles de le nier. Ce n'est qu'à la suite de sa qualification qu'il deviendrait raiment *médiateur* dont le contenu catégorique serait *complexe*, subsumant l même temps les termes *s* et *non s* de chaque catégorie. — Le caractère hypo-iétique de nos formulations provient, on s'en doute, de l'absence quasi totale e connaissances relatives à l'articulation du modèle narratif en cet endroit, et os efforts tendent davantage à détecter les propriétés structurelles du modèle u'à interpréter correctement la séquence.

1. Le héros qui est *pourri* (M) au moment où il entreprend la première épreuve ialifiante, ne peut à ce titre s'opposer aux esprits aquatiques qui, eux aussi, omportent la détermination M. L'affrontement n'est possible que grâce à adjuvant *oiseau-mouche* qui, du fait de sa disjonction maximale par rapport l'eau (mais aussi parce qu'il est non-buveur et très souvent « maître du feu ») présente le terme diamétralement opposé à M, c'est-à-dire, le terme V. Par adjonction à sa nature de la propriété V, définissant l'adjuvant oiseau-mouche, héros se transforme en terme complexe $M + V$, c'est-à-dire, en un être ambigu, médiateur entre la vie et la mort. — C'est cette nature complexe qui lui permet

ensuite de se présenter en tant que *pigeon*, c'est-à-dire à la fois consommate
et négateur du pourri. Ceci nous permet de dire que le héros est, à ce stad

$$\text{Statiquement} \qquad \text{Dynamiquement}$$
$$\text{M} + \text{V} \qquad\qquad \overline{\text{M}}$$

où le signe de la négation indique le pouvoir que possède la vie de dénier la mor
Traduit en termes quotidiens, cela veut dire que le héros est devenu le maît
éventuel de l'eau maléfique.

2. Le héros, qui est en même temps *cru* (non V), s'identifie à son tour avec
sauterelle, destructrice des jardins qui, eux-mêmes, ne sont possibles que grâce
l'eau bénéfique. C'est à ce titre qu'il est *blessé* par les esprits aquatiques, c'est-
dire, rendu inapte à détruire complètement les effets de l'eau bénéfique. En ta
que *sauterelle blessée*, le héros voit le terme cru de sa nature se transformer
terme complexe *non V + non M*, ce qui veut dire qu'il est, dans le second aspe
de sa nature,

$$\text{Statiquement} \qquad \text{Dynamiquement}$$
$$\text{non V} + \text{non M} \qquad \overline{\text{non V}}$$

où la négation indique le pouvoir de l'eau vitale de dénier le caractère abso
du feu mortel.

3. Le protocole de la transcription des contenus comportant des catégori
complexes et de leurs transformations n'étant pas établi, nous dirons naïveme
que le héros qualifié se présente soit comme

$$(\text{M} + \text{V}) + (\text{non V} + \text{non M})$$

soit comme dénégateur des contenus « mortels » :

$$\overline{\text{M}} + \overline{\text{non V}} = \overline{(\text{M} + \text{non V})}$$

Cette dernière transcription visualise mieux la permanence de la nature « mo
telle » du héros, à laquelle est venue se surajouter une seconde nature qui l'institu
comme méta-sujet.

IV.9. *La culture « naturelle »*.

La disqualification du père, héros de l'aventure aquatique, est due essentiell
ment, on l'a vu, à son manque de combativité, à son statut de héros défait q
court à la mort. L'épisode sous l'eau correspond, on le sait, au double enterreme
(de la chair et des os) pratiqué par les Bororo. Au lieu d'acquérir de nouvell
propriétés qui le qualifieraient, le héros se désarticule et conjoint chacun d
termes définissant sa nature avec le terme correspondant dans le monde d
esprits. A la *conjonction des termes contradictoires* qui caractérise la qualificatio
correspond ici la *conjonction des termes identiques*, c'est-à-dire, la neutralisatio
du sens. La symétrie se trouve, une fois de plus, maintenue : le terme *neutre* d
la structure élémentaire de la signification est en effet symétrique au term
complexe.

Les possibilités offertes par le comparatisme étant ainsi exploitées, on peu
s'interroger maintenant sur la signification de la séquence en tant qu'elle s
présente comme *contenu corrélé* à la partie topique positive du mythe. Les deu
contenus, topique et non topique, sont censés exprimer l'instauration d'u
certain ordre, situé sur deux dimensions de l'univers mythologique différente
Il nous reste donc à répondre à deux questions : quel est l'ordre ainsi instaur

orrélatif à l'institution de la culture alimentaire? Quelle est la dimension où
 trouve situé cet ordre?

1. La rencontre du héros avec les piranhas constitue à la fois une analyse et
ne dislocation de sa nature : elle constitue d'abord la disjonction absolue des
eux éléments constitutifs de cette nature : le *cru* est accepté et conjoint avec
 nature crue des piranhas; le *pourri* est rejeté et va se conjoindre avec d'autres
éments. — On voit que cette disjonction n'est autre chose que l'éclatement du
oncept synthétique (non V + M) qui définit toute anti-culture; si la culture vient
'être instituée comme une synthèse, l'anti-culture, elle, se trouve désorganisée :

	Culture		Anti-culture
	(V + non M)	vs	(non V vs M)

On commence ainsi à entrevoir que l'institution d'un ordre anti-culturel ne
eut être que la disjonction maximale des termes dont le rapprochement mena-
erait la culture.

2. C'est dans ce cadre qu'il convient d'interpréter la suite des événements.
e pourri, disjoint du cru, se manifeste sous deux formes (ossements vs poumons) :
'une part, dans un mouvement descensionnel, il va rejoindre le séjour des âmes
t s'y conjoindre dans une survie mortelle; d'autre part, dans un mouvement
scensionnel, le pourri « surnage », c'est-à-dire, se sépare de l'eau pour apparaître,
ans une première métamorphose, sous forme *végétale*, comme une plante aqua-
ique.

Or il semble que les Bororo savent fort heureusement, que l'ascension verticale
u pourri ne s'arrête pas là et que c'est sous forme d'un *Bouquet de Fleurs* —
ar la voie métaphorique qui est justement l'affirmation et la conjonction d'iden-
ités — qu'il se fixe au ciel et constitue la constellation des Pléiades. La disjonc-
ion du cru et du pourri se trouve ainsi consolidée à l'aide d'une inversion dis-
onctive spatiale : le feu maléfique, d'origine céleste, est maintenu dans l'eau
t incarné dans les piranhas; l'eau maléfique, d'origine plutôt souterraine, est
rojetée dans le ciel, sous forme de constellation d'étoiles.

3. La réorganisation de la nature — (le terme exact pour la désigner serait
 culture naturelle : elle constitue en effet la nouvelle dimension mythologique
ue nous essayons de consolider) — ne s'arrête pas là. On pourrait suggérer que
 frais, défini précédemment en termes de culture culinaire, subit la même
ransformation et se trouve projeté au ciel sous forme de *Tortue* terrestre, « maître
u frais », en sa qualité de mange-pourri, et s'y fixe sous forme de la constellation
u Corbeau. L'eau, aussi bien mortelle que vitale, se trouve ainsi réunie au ciel.
)eux précisions peuvent être ajoutées pour expliquer la nouvelle disposition :
a) la relation entre la Tortue (non M) et le Bouquet de Fleurs (M) est, ne l'oublions
as, celle d'obligations contractuelles établies entre le destinateur (fils) et le desti-
ataire (père) chargé d'une mission de rachat, et la nature malfaisante est subor-
onnée à la nature bienfaisante (*b*); le héros n'a pu quitter la terre que parce qu'il
 a laissé son jeune frère, apparu, par le procédé de duplication, au moment
même du retour du héros : le mea remplirait donc, sur terre, les fonctions du
rotecteur du feu des foyers (V), tout en restant conjoint, par les liens du sang,
 l'eau bienfaisante (non M). — Reste finalement la dernière disjonction, complé-
ée d'une inversion spatiale, celle du feu maléfique et bénéfique; le premier,
naîtrisé, parce qu'il est fixé dans l'eau (piranhas), le second, présent sur terre,
ar sa conjonction avec l'eau serait néfaste.

4. Il en résulte que l'instauration de la culture naturelle consiste dans l'inver-

sion topologique de l'ordre de la nature. En utilisant deux catégories dont l'un
est topologique (haut vs bas) et l'autre biologique (vie vs mort), la « civilisation
de la nature consiste dans l'encadrement des valeurs naturelles dans deux cod
à la fois et qui ne sont isomorphes qu'avec inversion des signes :

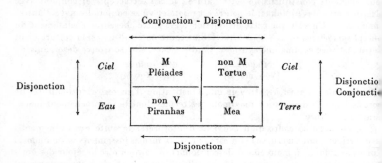

La disjonction topologique fondamentale consiste à séparer les valeurs mo
telles (M et non M) renvoyées au ciel, des valeurs vitales (V et non V), situé
ici-bas, en posant ainsi (a) l'impossibilité de l'assertion $M + non\ V$ qui détruira
la culture et (b) en ménageant toutefois, grâce aux liens de sang, une possibili
de conjonction culturelle *non M + V*. Une deuxième distinction (a) opère
disjonction entre non V, situé dans l'eau et V, situé sur terre, doublement di
joints, car leur conjonction menacerait la culture (b) opère une conjonctio
spatiale (au ciel) entre M et non M, parce qu'il se trouve dans une relation d
subordination culturelle.

En conclusion, on peut dire que la culture naturelle, en introduisant un nou
veau code, consolide le caractère discret des valeurs naturelles en affirma
l'impossibilité des conjonctions « contre nature » et la possibilité de certain
autres relations « selon la nature ». Elle pourrait être notée symboliqueme
comme

$$(non\ M \rightarrow M) \quad vs \quad (non\ V\ vs\ V)$$

Rem. Les limites de cette étude ne permettent pas d'insister (a) ni sur
caractère *discontinu* (et singulier) des valeurs culturelles (Tortue, Mea) l'opposa
au caractère *continu* (et pluriel) des valeurs non culturelles (Bouquet de Fleur
Piranhas) (b) ni sur l'instauration de l'ordre diachronique des saisons qui résu
tent des relations de subordination syntagmatique entre non M et M. C. Lé
Strauss est suffisamment explicite là-dessus.

V. LA STRUCTURE DU MESSAGE

Nous présentons, sous forme d'un tableau, les principaux résultats obtenus
ns l'interprétation de ce mythe bororo :

Contenus	inversés		posés	
	corrélés	topiques		corrélés
Résultats des transformations	non V + M	M + non V	V + non M	$\dfrac{\text{non M} \rightarrow \text{M}}{\text{non V vs V}}$
Dimension culturelle	sexuelle	culinaire		naturelle
Perspective stylistique	consommateur	objet de consommation		producteur

A. J. Greimas

École Pratique des Hautes Études, Paris.

*(Le présent article doit paraître en anglais dans un prochain numéro de
merican Anthropologist : « Structural Analysis of Oral Tradition », edited by
erre Maranda and Elli Köngäs Maranda.)*

Claude Bremond

La logique des possibles narratifs

L'étude sémiologique du récit peut être divisée en deux secteurs : d'une pa[rt,] l'analyse des techniques de narration; d'autre part, la recherche des lois q[ui] régissent l'univers raconté. Ces lois elles-mêmes relèvent de deux niveaux d'org[a]nisation : *a)* elles reflètent les contraintes logiques que toute série d'événemen[ts] ordonnée en forme de récit doit respecter sous peine d'être inintelligible; *b)* el[les] ajoutent à ces contraintes, valables pour tout récit, les conventions de leur univ[ers] particulier, caractéristique d'une culture, d'une époque, d'un genre littérai[re,] du style d'un conteur ou, à la limite, de ce seul récit lui-même.

L'examen de la méthode suivie par V. Propp pour dégager les caractè[res] spécifiques d'un de ces univers particuliers, celui du conte russe, nous a convain[cu] de la nécessité de tracer, préalablement à toute description d'un genre littéra[ire] défini, la carte des possibilités logiques du récit [1]. A cette condition, le pro[jet] d'un classement des univers de récit, fondé sur des caractères structura[ux] aussi précis que ceux qui servent aux botanistes ou aux naturalistes à défi[nir] les objets de leur étude, cesse d'être chimérique. Mais cet élargissement des pe[rs]pectives entraîne un assouplissement de la méthode. Rappelons et précisons [les] remaniements qui paraissent s'imposer :

1° L'unité de base, l'atome narratif, demeure la *fonction*, appliquée, comm[e] chez Propp, aux actions et aux événements qui, groupés en séquences, engendre[nt] un récit;

2° Un premier groupement de trois fonctions engendre la *séquence élémentai[re]*. Cette triade correspond aux trois phases obligées de *tout* processus :

a) une fonction qui ouvre la possibilité du processus sous forme de condu[ite] à tenir ou d'événement à prévoir;

b) une fonction qui réalise cette virtualité sous forme de conduite ou d'évén[e]ment en acte;

c) une fonction qui clôt le processus sous forme de résultat atteint;

3° A la différence de Propp, aucune de ces fonctions ne nécessite celle qui [la] suit dans la séquence. Au contraire, lorsque la fonction qui ouvre la séquen[ce] est posée, le narrateur conserve toujours la liberté de la faire passer à l'ac[te] ou de la maintenir à l'état de virtualité : si une conduite est présentée comm[e] devant être tenue, si un événement est à prévoir, l'actualisation de la condu[ite]

1. « Le message narratif », in *Communications 4*, p. 4-32.

u de l'événement peut aussi bien avoir lieu que ne pas se produire. Si le narrateur
hoisit d'actualiser cette conduite ou cet événement, il conserve la liberté de
aisser le processus aller jusqu'à son terme ou de l'arrêter en cours de route :
a conduite peut atteindre ou manquer son but, l'événement suivre ou non son
ours jusqu'au terme prévu. Le réseau des possibles ainsi ouvert par la séquence
lémentaire suit le modèle :

$$\text{irtualité} \atop \text{x. : but à atteindre} \to \begin{cases} \text{Actualisation} \\ \text{(ex. : conduite pour attein-} \\ \text{dre le but)} \\ \\ \text{Absence d'actualisation} \\ \text{(ex. : inertie, empêche-} \\ \text{ment d'agir)} \end{cases} \to \begin{cases} \text{But atteint} \\ \text{(ex. : succès de la conduite)} \\ \\ \text{But manqué} \\ \text{(ex. : échec de la conduite)} \end{cases}$$

4° <u>Les séquences élémentaires se combinent entre elles pour engendrer des
quences complexes.</u> Ces combinaisons se réalisent selon des configurations
ariables. Citons les plus typiques :

a) L'enchaînement « bout à bout », par exemple :

$$\text{Méfait à commettre} \atop \downarrow$$
$$\text{Malfaisance} \atop \downarrow$$
$$\text{Méfait commis} = \text{Fait à rétribuer} \atop \downarrow$$
$$\text{Processus rétributeur} \atop \downarrow$$
$$\text{Fait rétribué}$$

Le sigle =, que nous employons ici, signifie que le même événement remplit
multanément, dans la perspective d'un même rôle, deux fonctions distinctes.
ans notre exemple, la même action répréhensible se qualifie dans la perspective
un « rétributeur » comme clôture d'un processus (la malfaisance) par rapport
quel il joue un rôle passif de témoin et comme ouverture d'un autre processus
il va jouer un rôle actif (la punition).

b) L'enclave, par exemple :

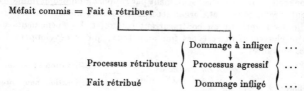

Cette disposition apparaît lorsqu'un processus, pour atteindre son but, doit
inclure un autre, qui lui sert de moyen, celui-ci pouvant à son tour en inclure
troisième, etc. L'enclave est le grand ressort des mécanismes de spécification
s séquences : ici, le processus rétributeur se spécifie en processus agressif
tion punitive) correspondant à la fonction *méfait commis*. Il aurait pu se
cifier en processus serviable (récompense) s'il y avait eu *bienfait commis*.

c) L' « accolement », par exemple :

Dommage à infliger vs Méfait à commettre

↓   ↓

Processus agressif   vs   Malfaisance

↓   ↓

Dommage infligé   vs   Méfait commis   = Fait à rétribuer

Le sigle vs (versus) qui sert ici de lien aux deux séquences, signifie que l
même événement, qui remplit une fonction a dans la perspective d'un agent A
remplit une fonction b si l'on passe dans la perspective B. Cette possibilit
d'opérer une conversion systématique des points de vue, et d'en formuler le
règles, doit nous permettre de délimiter les sphères d'action correspondar
aux divers rôles (ou *dramatis personae*). Dans notre exemple, la frontière pass
entre la sphère d'action d'un agresseur et celle d'un justicier dans la perspectiv
de qui l'agression devient malfaisance.

Telles sont les règles que nous mettons à l'épreuve dans les pages qui suiven
Nous tentons de procéder à une reconstitution logique des lignes de départ d
réseau narratif. Sans prétendre explorer chaque itinéraire jusqu'en ses ramific
tions ultimes, nous essayerons de suivre les principales artères, en reconnaissan
le long de chaque parcours, les bifurcations où les branches maîtresses se scinden
engendrant des sous-types. Nous dresserons ainsi le tableau des séquences-type
bien moins nombreuses qu'on ne pourrait croire, entre lesquelles doit nécessair
ment opter le conteur d'une histoire. Ce tableau deviendra lui-même la bas
d'une classification des rôles assumés par les personnages des récits.

Le cycle narratif.

Tout récit consiste en un discours intégrant une succession d'événemen
d'intérêt humain dans l'unité d'une même action. Où il n'y a pas succession,
n'y a pas récit mais, par exemple, description (si les objets du discours so
associés par une contiguïté spatiale), déduction (s'ils s'impliquent l'un l'autre
effusion lyrique (s'ils s'évoquent par métaphore ou métonymie), etc. Où il n
a pas intégration dans l'unité d'une action, il n'y a pas non plus récit, mais seul
ment *chronologie*, énonciation d'une succession de faits incoordonnés. Où enf
il n'y a pas implication d'intérêt humain (où les événements rapportés ne so
ni produits par des agents ni subis par des patients anthropomorphes) il ne pe
y avoir de récit, parce que c'est seulement par rapport à un projet humain que l
événements prennent sens et s'organisent en une série temporelle structurée.

Selon qu'ils favorisent ou contrecarrent ce projet, les événements du ré
peuvent se classer en deux types fondamentaux, qui se développent selon l
séquences suivantes :

Amélioration à obtenir →
{ Processus d'amélioration → { Amélioration obtenue / Amélioration non obtenue
{ Pas de processus d'amélioration

Dégradation prévisible →
{ Processus de dégradation → { Dégradation produite / Dégradation évitée
{ Pas de processus de dégradation

Toutes les séquences élémentaires que nous isolerons par la suite sont des spécifications de l'une ou l'autre de ces deux catégories, qui nous fournissent ainsi un remier principe de classement dichotomique. Avant de nous engager dans leur xploration, précisons les modalités selon lesquelles l'amélioration et la dégrada-on se combinent l'une avec l'autre dans le récit :

a) *Par succession « bout à bout »*. On voit immédiatement qu'un récit peut faire lterner selon un cycle continu des phases d'amélioration et de dégradation :

Il est moins évident que cette alternance est non seulement possible, mais écessaire. Soit un début de récit qui pose une déficience (affectant un individu u une collectivité sous forme de pauvreté, maladie, sottise, manque d'héritier âle, fléau chronique, désir de savoir, amour, etc.). Pour que cette amorce de cit se développe, il faut que cet état évolu, que quelque chose advienne qui soit ropre à le modifier. Dans quel sens? On peut penser, soit à une amélioration, it à une dégradation. En droit, cependant, seule l'amélioration est possible. on que le mal ne puisse encore empirer. Il existe des récits dans lesquels les alheurs se succèdent en cascade, en sorte qu'une dégradation en appelle une utre. Mais, dans ce cas, l'état déficient qui marque la fin de la première dégra-ation n'est pas le vrai point de départ de la seconde. Ce palier d'arrêt — *ce sursis* - équivaut fonctionnellement à une phase d'amélioration, ou du moins de pré-rvation de ce qui peut encore être sauvé. Le point de départ de la nouvelle hase de dégradation n'est pas l'état dégradé, qui ne peut être qu'amélioré, mais état encore relativement satisfaisant, qui ne peut être que dégradé. De même eux processus d'amélioration ne peuvent se succéder qu'autant que l'améliora-on réalisée par le premier laisse encore à désirer. En impliquant cette carence, narrateur introduit dans son récit l'équivalent d'une phase de dégradation. état encore relativement déficient qui en résulte sert de point de départ à la uvelle phase d'amélioration.

b) *Par enclave*. On peut considérer que l'échec d'un processus d'amélioration de dégradation en cours résulte de l'insertion d'un processus inverse qui mpêche d'aboutir à son terme normal. On a alors les schémas suivants :

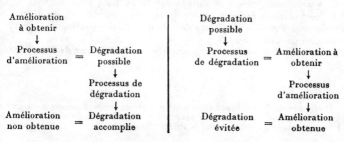

c) *Par accolement*. La même suite d'événements ne peut en même temps, et dan
son rapport à un même agent, se caractériser comme amélioration et comm
dégradation. Cette simultanéité devient en revanche possible si l'événemer
affecte à la fois deux agents animés par des intérêts opposés : la dégradation d
sort de l'un coïncide avec l'amélioration du sort de l'autre. On a le schéma :

Amélioration à obtenir	vs	Dégradation possible
↓		↓
Processus d'amélioration	vs	Processus de dégradation
↓		↓
Amélioration obtenue	vs	Dégradation réalisée

La possibilité et l'obligation de passer ainsi, par conversion des points de vu
de la perspective d'un agent à celle d'un autre sont capitales pour la suite c
notre étude. Elles impliquent la récusation, au niveau d'analyse où nous tr
vaillons, des notions de Héros, de « Villain », etc., conçues comme des dossar
distribués une fois pour toutes aux personnages. Chaque agent est son prop
héros. Ses partenaires se qualifient dans sa perspective comme alliés, adversaire
etc. Ces qualifications s'inversent quand on passe d'une perspective à l'autr
Loin donc de construire la structure du récit en fonction d'un point de vue priv
légié — celui du « héros » ou celui du narrateur — les modèles que nous élaboro
intègrent dans l'unité d'un même schéma la pluralité des perspectives propres au
divers agents.

Processus d'amélioration.

Le narrateur peut se borner à donner l'indication d'un processus d'amélior
tion, sans en expliciter les phases. S'il dit simplement, par exemple, que les affaires
héros s'arrangent, qu'il guérit, s'assagit, embellit, s'enrichit, ces détermination
qui portent sur le contenu de l'évolution sans en spécifier le *comment*, ne peuve
nous servir à caractériser sa structure. En revanche, s'il nous dit que le hér
rétablit ses affaires au terme de longs efforts, s'il réfère la guérison à l'acti
d'un médicament ou d'un médecin, l'embellissement à la compassion d'une fé
l'enrichissement au succès d'une transaction avantageuse, l'assagissement a
bonnes résolutions prises à la suite d'une faute, nous pouvons nous appuy
sur les articulations internes de ces opérations pour différencier divers typ
d'amélioration : plus le récit entre dans le détail des opérations, plus cette d
férenciation peut être poussée.

Plaçons-nous d'abord dans la perspective du bénéficiaire de l'amélioratio

1. Il est entendu que le bénéficiaire n'est pas nécessairement conscient du proces
engagé en sa faveur. Sa perspective peut rester virtuelle, comme celle de la Belle
Bois Dormant tandis qu'elle attend le Prince Charmant.

Son état déficient initial implique la présence d'un *obstacle* qui s'oppose à la réalisation d'un état plus satisfaisant, et qui s'élimine au fur et à mesure que le processus d'amélioration se développe. Cette élimination de l'obstacle implique à son tour l'intervention de facteurs qui agissent commes des *moyens* contre l'obstacle et pour le bénéficiaire. Si donc le narrateur choisit de développer cet épisode, son récit suivra le schéma :

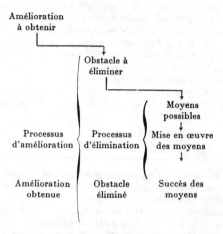

A ce stade, nous pouvons n'avoir affaire qu'à un seul *dramatis persona*, le bénéficiaire de l'amélioration, profitant passivement d'un heureux concours de circonstances. Ni lui ni personne ne porte alors la responsabilité d'avoir réuni et mis en action les moyens qui ont renversé l'obstacle. Les choses ont « bien tourné » sans qu'on s'en occupe.

Cette solitude disparaît lorsque l'amélioration, au lieu d'être imputable au hasard, est attribuée à l'intervention d'un agent, doué d'initiative, qui l'assume à titre de *tâche à accomplir*. Le processus d'amélioration s'organise alors en conduite, ce qui implique qu'il se structure en un réseau de fins-moyens qui peut être détaillé à l'infini. En outre, cette transformation introduit deux rôles nouveaux : d'une part, l'agent qui assume la tâche au profit d'un bénéficiaire passif joue par rapport à ce dernier le rôle d'un moyen, non plus inerte, mais doué d'initiative et d'intérêt propres : c'est un *allié* ; d'autre part, l'obstacle affronté par l'agent peut s'incarner dans un agent, lui aussi doué d'initiative et d'intérêts propres : cet autre est un *adversaire*.

Pour tenir compte des dimensions nouvelles ainsi ouvertes, nous devons examiner :

— la structure de l'accomplissement de la tâche et ses développements possibles ;

— les tenants et aboutissants du rapport d'alliance postulé par l'intervention d'un allié ;

— les modalités et les conséquences de l'action entreprise à l'encontre d'un adversaire.

Accomplissement de la tâche.

Le narrateur peut se borner à mentionner l'exécution de la tâche. S'il choisi de développer cet épisode, il est conduit à expliciter, d'abord la nature de l'obs tacle rencontré, ensuite la structure des moyens mis en œuvre — intentionnelle ment et non plus fortuitement cette fois — pour l'éliminer. Ces moyens eux-mêmes peuvent manquer à l'agent, soit intellectuellement s'il ignore ce qu'il doit faire soit matériellement s'il n'a pas à sa disposition les outils dont il a besoin. L constatation de cette carence équivaut à une phase de dégradation qui, dans c cas, se en spécifie *problème à résoudre,* et qui, comme précédemment, peut êtr réparée de deux façons : soit que les choses s'arrangent d'elles-mêmes (si la solu tion cherchée tombe du ciel), soit qu'un agent assume la tâche de les arrange Dans ce cas, ce nouvel agent se comporte en allié intervenant au profit du premier et celui-ci devient à son tour le bénéficiaire passif de l'aide qui lui es ainsi apportée.

Intervention de l'allié.

L'intervention de l'allié, sous forme d'un agent qui prend en charge le processu d'amélioration, peut n'être pas motivée par le narrateur, ou s'expliquer par de motifs sans lien avec le bénéficiaire (si l'aide est involontaire) : dans ce cas, n'y a pas à proprement parler intervention d'un allié : relevant du croisemen fortuit de deux histoires, l'amélioration est le fait du hasard.

Il en va autrement lorsque l'intervention est motivée, dans la perspective d l'allié, par le mérite du bénéficiaire. L'aide est alors un sacrifice consenti dan le cadre d'un échange de services. Cet échange lui-même peut revêtir trois formes

1 — ou l'aide est reçue par le bénéficiaire en contrepartie d'une aide qu fournit lui même à son allié dans un échange de services simultanés : les deu partenaires sont alors solidaires dans l'accomplissement d'une tâche d'intéré commun;

2 — ou l'aide est fournie en reconnaissance d'un service passé : l'allié se compor alors en *débiteur* du bénéficiaire;

3 — ou l'aide est fournie dans l'attente d'une compensation future : l'allié s comporte alors en *créancier* du bénéficiaire.

La position chronologique des services échangés détermine ainsi trois typ d'alliés et trois structures de récit. S'il s'agit de deux associés solidaireme intéressés à l'accomplissement d'une même tâche, les perspectives du bénéficiai et de l'allié se rejoignent jusqu'à coïncider : chacun est bénéficiaire de ses propr efforts unis à ceux de son allié. A la limite, il n'y a qu'un seul personnage, dédoub en deux rôles : lorsqu'un héros malheureux entreprend de remédier à son sort « s'aidant lui-même », il se scinde en deux *dramatis personae* et devient son prop allié. L'accomplissement de la tâche représente une dégradation volontair un sacrifice (attesté par des expressions : se donner du mal, peiner pour, etc destinés à payer le prix d'une amélioration. Que nous ayons affaire à un se personnage se dédoublant, ou à deux personnages solidaires, la configurati des rôles reste identique : l'amélioration est obtenue grâce au sacrifice d'un all dont les intérêts sont solidaires de ceux du bénéficiaire.

Au lieu de coïncider, les perspectives s'opposent lorsque le bénéficiaire et s *lié* forment un couple créancier/débiteur. Le développement de leurs rôles *peut* alors se formaliser ainsi : soit A et B ayant à obtenir chacun une amélioration *distincte* de celle de l'autre. Si A reçoit l'aide de B pour réaliser l'amélioration a, A *devient* débiteur de B et devra à son tour aider B à réaliser l'amélioration b. Le *récit* suivra le schéma :

Perspective de A bénéficiaire d'aide		Perspective de B allié obligeant		Perspective de A allié obligé		Perspective de B Bénéficiaire d'aide
—		—		—		—
Aide à recevoir	vs	Service possible				
↓		↓				
Réception d'aide	vs	Action serviable				
↓		↓				
Aide reçue	vs	Service accompli	vs	Dette à acquitter	vs	Aide à recevoir
				↓		↓
				Acquittement de dette	vs	Réception d'aide
				↓		↓
				Dette acquittée	vs	Aide reçue

Les trois formes d'alliés que nous venons de distinguer — l'associé solidaire, *le* créancier, le débiteur — interviennent en fonction d'un pacte qui règle l'échange *des* services et garantit la contrepartie des services rendus. Tantôt ce pacte *reste* implicite (il est entendu que toute peine mérite salaire, qu'un fils doit obéir *à* son père qui lui a donné la vie, l'esclave au maître qui la lui a conservée, etc.); *tantôt* il résulte d'une négociation particulière, explicitée dans le récit avec plus *ou* moins de détail. De même que la mise en œuvre des moyens pouvait être *précédée* de leur recherche, dans le cas où leur carence faisait obstacle à l'accomplis-*sement* de la tâche; de même l'aide doit être négociée, dans le cas où l'allié *n'apporte* pas spontanément son concours. Dans le cadre de cette tâche préalable, *l'abstention* du futur allié en fait un adversaire qu'il s'agit de convaincre. La négo-*ciation*, que nous retrouverons dans un instant, constitue la forme pacifique de *l'élimination* de l'adversaire.

Élimination de l'adversaire.

Parmi les obstacles qui s'opposent à l'accomplissement d'une tâche, les uns, *nous* l'avons vu, n'opposent qu'une force d'inertie; les autres s'incarnent dans des *adversaires*, des agents doués d'initiative qui peuvent réagir par des conduites *aux* processus engagés contre eux. Il en résulte que la conduite d'élimination de *l'adversaire* doit, pour tenir compte de cette résistance et de ses diverses formes, *s'organiser* selon des stratégies plus ou moins complexes.

Nous laissons de côté le cas où l'adversaire disparaît sans que l'agent porte la *responsabilité* de son élimination (s'il meurt de mort naturelle, tombe sous les *coups* d'un autre ennemi, devient plus accommodant avec l'âge, etc.) : il n'y a là *qu'une* amélioration fortuite. Pour ne tenir compte que des cas où l'élimination de *l'adversaire* est imputable à l'initiative de l'agent, nous distinguerons deux *formes* :

— pacifique : l'agent s'efforce d'obtenir de l'adversaire qu'il cesse de fai
obstacle à ses projets. C'est la *négociation,* qui transforme l'adversaire en alli
— hostile : l'agent s'efforce d'infliger à l'adversaire un dommage qui le mett
dans l'incapacité de faire plus longtemps obstacle à ses entreprises. C'est l'*agre
sion,* qui vise à supprimer l'adversaire.

La négociation.

La négociation consiste pour l'agent à définir, de concert avec l'ex-adversai
et futur-allié, les modalités de l'échange des services qui constitue le but de le
alliance. Encore faut-il que le principe même d'un tel échange soit accepté p
les deux parties. L'agent qui en prend l'initiative doit faire en sorte que so
partenaire la souhaite également. Pour obtenir ce résultat, il peut user soit
séduction, soit d'*intimidation.* S'il choisit la séduction, il s'efforce d'inspirer
désir d'un service qu'il veut offrir en échange de celui qu'il demande; s'il chois
l'intimidation, il s'efforce d'inspirer la crainte d'un préjudice qu'il peut cause
mais également épargner, et qui peut ainsi servir de monnaie d'échange au se
vice qu'il désire obtenir. Si l'opération réussit, les deux partenaires sont à égalit
A désire un service de B comme B un service de A. Les conditions renda
possible la recherche d'un accord sont réunies. Il reste à négocier les modalit
de l'échange et les garanties d'une exécution loyale des engagements.

Le schéma simplifié de la négociation par séduction peut se figurer comr
suit :

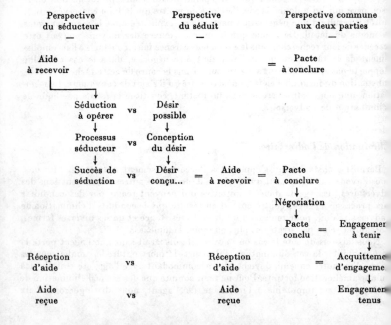

L'agression.

En optant pour la négociation, l'agent choisissait d'éliminer l'adversaire par un échange de services qui le transformait en allié; en optant pour l'agression, il choisit de lui infliger un dommage qui l'anéantit (au moins en tant qu'obstacle). Dans la perspective de l'agressé, l'amorce de ce processus constitue un péril qui, pour être écarté, requiert une conduite de protection. Si celle-ci échoue, on a :

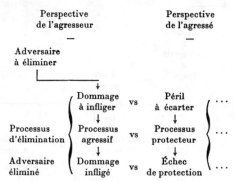

L'avantage reste, dans le schéma ci-dessus, à l'agresseur. Cette issue n'a évidemment rien de fatal. Si l'adversaire semble disposer de moyens de protection efficaces, l'agresseur a intérêt à le prendre au dépourvu. L'agression revêt alors la forme plus complexe du piège. Piéger, c'est agir en sorte que l'agressé, au lieu de se protéger comme il le pourrait, coopère à son insu avec l'agresseur (en ne faisant pas ce qu'il devrait, ou en faisant ce qu'il ne devrait pas). Le piège se développe en trois temps : d'abord, une tromperie: ensuite, si la tromperie réussit, une faute de la dupe; enfin, si le processus fautif est conduit jusqu'à son terme, l'exploitation par le trompeur de l'avantage acquis, qui met à sa merci un adversaire désarmé :

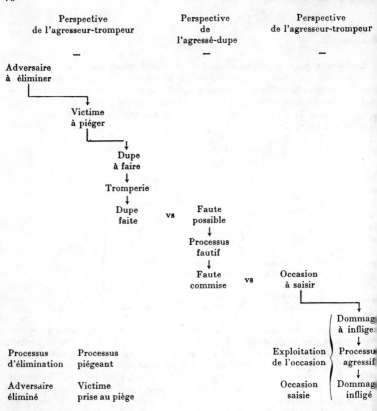

La première des trois phases du piège, la tromperie, est elle-même une opération complexe. Tromper, c'est à la fois dissimuler ce qui est, simuler ce qui n'est
pas, et substituer ce qui n'est pas à ce qui est dans un paraître auquel la dupe
réagit comme à un être véritable. On peut donc distinguer en toute tromperie
deux opérations combinées, une *dissimulation* et une *simulation*. La dissimulation seule ne suffit pas à constituer la tromperie (sauf dans la mesure où elle
simule l'absence de dissimulation); la simulation seule ne suffit pas davantage,
car une simulation qui s'affiche pour telle (celle du comédien par exemple) n'est
pas une tromperie. Pour mordre à l'appât, la dupe a besoin de le croire vrai et de
ne pas apercevoir l'hameçon. Le mécanisme de la tromperie peut se figurer par
le schéma suivant :

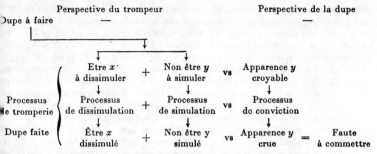

Poussant plus loin la classification, on pourrait distinguer plusieurs types de tromperie différenciés par le mode de simulation employé par le trompeur pour masquer l'agression qu'il prépare.

a) Le trompeur peut simuler une situation impliquant l'absence de tout rapport entre lui et la future victime : il feint de ne pas être là, au propre (s'il se cache) ou au figuré (s'il fait semblant de dormir, de regarder ailleurs, d'être en proie à un accès de folie etc.);

b) le trompeur peut simuler des intentions pacifiques : il propose une alliance, essaye de séduire ou d'intimider sa victime, tandis qu'il prépare en sous-main la rupture des pourparlers ou la trahison du pacte;

c) le trompeur simule des intentions agressives en sorte que la dupe, occupée à repousser un assaut imaginaire, se découvre et reste sans défense contre l'attaque réelle.

Rétributions : récompense et vengeance.

Le dommage causé par l'agresseur à sa victime peut être considéré comme un service à l'envers, non plus consenti par le créancier, mais arraché par le débiteur, et appelant en contrepartie l'infliction d'un dommage proportionné, assimilable au recouvrement de la créance ouverte : le débiteur acquitte malgré lui la dette d'un emprunt forcé. La récompense du service rendu et la vengeance du préjudice subi sont les deux faces de l'activité rétributrice.

De même que la rétribution des services, la rétribution des préjudices résulte d'un pacte, qui tantôt reste implicite (tout méfait mérite châtiment, le sang appelle le sang, etc.) tantôt s'explicite dans les clauses d'une alliance particulière, sous forme de menace contre les ruptures de contrat.

Un nouveau type, le *rétributeur*, et deux sous-types, le *rétributeur-récompensant* et le *rétributeur-punissant;* apparaissent ici. Le rétributeur est en quelque sorte le garant des contrats. Dans sa perspective, tout service devient un bienfait qui appelle une récompense, tout préjudice un méfait qui appelle un châtiment. Son rôle coïncide avec celui du débiteur exact à rembourser ses dettes, et supplée aux défaillances du débiteur insolvable ou récalcitrant.

Processus de dégradation.

Un processus d'amélioration, en arrivant à son terme, réalise un état d'équilibre qui peut marquer la fin du récit. S'il choisit de poursuivre, le narrateur doit recréer un état de tension, et, pour ce faire, introduire des forces d'opposition nouvelles, ou développer des germes nocifs laissés en suspens. Un processus de dégradation s'instaure alors. Tantôt il peut être référé à l'action de facteurs immotivés et inorganisés, comme lorsqu'on dit que le héros tombe malade, commence à s'ennuyer, voit de nouveaux nuages poindre à l'horizon, sans que la maladie, les ennuis, les nuages soient présentés comme des agents responsables, doués d'initiative, et dont les agissements s'articulent en conduites réalisatrices de projet : dans ce cas, le processus de dégradation demeure indéterminé ou ne se spécifie qu'en malchance, concours de circonstances malheureuses. Tantôt au contraire, il est référé à l'initiative d'un agent responsable (un homme, un animal, un objet, une entité anthropomorphe). Cet agent peut être le bénéficiaire lui-même, s'il commet une erreur aux conséquences graves; ce peut être un agresseur; ce peut encore être un créancier envers qui le bénéficiaire a une dette à acquitter (à la suite d'un service rendu ou d'un préjudice infligé); ce peut être enfin un débiteur en faveur de qui le bénéficiaire choisit délibérément de se sacrifier.

Nous avons déjà rencontré ces formes de dégradation. Ce ne sont pas seulement les contraires, mais encore, par passage d'une perspective à l'autre, les complémentaires des formes d'amélioration :

— A l'amélioration par service reçu d'un allié créancier correspond la dégradation par sacrifice consenti au profit d'un allié débiteur;

— A l'amélioration par service reçu d'un allié débiteur correspond la dégradation par acquittement d'obligation envers un allié créancier;

— A l'amélioration par agression infligée correspond la dégradation par agression subie;

— A l'amélioration par succès d'un piège correspond la dégradation par erreur fautive (qui peut également être considérée comme le contraire de la tâche : en faisant, non ce qu'il faut, mais ce qu'il ne faut pas, l'agent atteint un but inverse de celui qu'il vise);

— A l'amélioration par vengeance obtenue correspond la dégradation par châtiment reçu.

Le processus de dégradation amorcé par ces divers facteurs peut se développer sans rencontrer d'obstacles, soit que ceux-ci ne se présentent pas d'eux-mêmes, soit que personne ne veuille ou ne puisse s'interposer. Qu'au contraire les obstacles surgissent, ils fonctionnent comme protections de l'état satisfaisant antérieur. Ces protections peuvent être purement fortuites, résulter d'un heureux concours de circonstances; elles peuvent également réaliser l'intention de résistance d'un agent doué d'initiative. Dans ce cas, elles s'organisent en conduites dont la forme dépend, d'une part de la configuration du danger, d'autre part de la tactique que choisit le protecteur.

Ces protections peuvent réussir ou échouer. Dans ce dernier cas, l'état dégradé qui s'ensuit ouvre la possibilité de processus d'amélioration compensateur parmi lesquels certains, nous allons le voir, prennent la forme d'une réparation spécifiquement adaptée au type de dégradation subi.

La faute.

On peut caractériser le processus de a faute comme une tâche accomplie à l'envers : induit en erreur, l'agent met en œuvre les moyens qu'il faut pou atteindre un résultat opposé à son but, ou pour détruire les avantages qu'il veut conserver. Au fil de cette tâche inversée, des processus nocifs sont considérés comme moyens, tandis que les règles propres à s'assurer ou à conserver un avantage sont traitées comme obstacles.

Le narrateur peut présenter ces règles comme impersonnelles, dérivant de la simple « nature des choses » : leur transgression ne porte préjudice qu'à l'imprudent qui, en déclenchant un enchaînement funeste de causes et d'effets, sanctionne lui-même la faute qu'il commet. Mais le récit peut également en faire des interdictions émanant de la volonté d'un législateur. Il s'agit alors de clauses restrictives introduites par un allié « obligeant » dans le traité qu'il passe avec un obligé. Celui-ci est engagé à les observer pour bénéficier, ou continuer à bénéficier d'un service (demeurer au paradis terrestre, etc.). La transgression de la règle porte préjudice à l'allié « créancier », et c'est ce dommage qui appelle, éventuellement, l'intervention d'un rétributeur sanctionnant la trahison du pacte. La faute consiste ici, non dans l'infraction même, mais dans l'illusion de pouvoir enfreindre impunément la règle.

L'élément moteur de la faute étant l'aveuglement, cette forme de dégradation appelle une forme de protection spécifique : l'avertissement (destiné à prévenir l'erreur) ou le désabusement (destiné à la dissiper). Parfois les faits eux-mêmes s'en chargent opportunément; dans d'autre cas des alliés clairvoyants en assument la tâche. En énonçant ou en rappelant la règle, ils tendent à l'incarner, même s'ils n'en sont pas les auteurs; si la dupe passe outre à leurs avis, cette persévérance dans l'erreur leur porte préjudice, et la catastrophe qui s'ensuit est en même temps la sanction de cette transgression nouvelle.

Tandis que l'allié qui incarne la règle est traité en adversaire, l'adversaire qui aide à l'enfreindre est traité en allié. Selon qu'il ignore ou connaît les conséquences de la pseudo-aide qu'il fournit, il est lui-même dupe ou trompeur. Dans ce dernier cas, la tromperie s'insère, comme phase préparatoire d'un piège, dans une manœuvre d'agression.

La dégradation qui résulte de la faute peut marquer la fin du récit. Le sens de celui-ci est alors donné par l'écart qui sépare le but visé du résultat atteint: il trouve un correspondant psychologique dans l'opposition présomption /humiliation. Si le narrateur choisit de poursuivre, les divers types d'amélioration que nous avons signalés sont à sa disposition. Parmi eux, cependant, il en est un qui convient électivement à la réparation des conséquences de la faute, parce qu'il représente le processus inverse: c'est l'accomplissement de la tâche, par laquelle l'agent, usant cette fois de moyens adéquats, rétablit par son mérite la prospérité ruinée par sa sottise.

L'obligation.

Nous avons rencontré plus haut le cas de l'amélioration obtenue grâce à l'aide d'un allié créancier. Cette prestation, contraignant le bénéficiaire à acquitter ultérieurement sa dette, entraîne une phase de dégradation. Celle-ci survient de la même façon dans tous les cas où un « obligé » est requis d'accomplir un devoir qui lui coûte. L'obligation, nous l'avons vu, peut résulter d'un contrat en bonne et due forme, explicité dans une phase antérieure du récit (comme lorsqu'un héros a vendu son âme au diable). Elle peut également dériver des dispositions « naturelles » du pacte social : obéissance du fils au père, du vassal au suzerain etc.

Mis en demeure de s'acquitter de son devoir, l'obligé peut s'efforcer de se protéger contre la dégradation qui le menace. Son créancier devient un agresseur
auquel il s'efforce d'échapper, soit en rompant le contact (en prenant la fuite)
soit par des moyens pacifiques et loyaux (en négociant une révision du contrat),
soit par des moyens agressifs (en engageant l'épreuve de force ou en tendant un
piège). Dans le cas où il estime avoir été victime d'un marché de dupe, l'éludation
agressive de ses engagements lui apparaît, non seulement comme une défense
légitime, mais comme une opération justicière. Dans la perspective du créancier,
au contraire, l'éludation des engagements redouble la dette : l'obligé va avoir à
payer, non seulement pour un service, mais pour un préjudice.

Si au contraire, le débiteur ne peut ou ne veut se dérober à ses obligations,
s'il leur fait volontairement honneur ou s'il est, bon gré mal gré, contraint de
tenir ses engagements, la dégradation de son état qui en résulte peut marquer
la fin du récit (cf. *la Fille de Jephté*, etc.). Si le narrateur veut poursuivre, il peut
recourir aux diverses formes d'amélioration que nous avons signalées. L'une
d'elles, néanmoins, est privilégiée : elle consiste à transformer l'accomplissement
du devoir en sacrifice méritoire, appelant à son tour une récompense. L'acquittement de la dette se renverse ainsi en ouverture de créance.

Le sacrifice.

Alors que les autres formes de dégradation sont des processus subis, le sacrifice
est une conduite volontaire, assumée en vue d'un mérite à acquérir, ou du moins
rendant digne d'une récompenses. Il y a sacrifice chaque fois qu'un allié rend
service sans y être obligé, et se constitue ainsi en créancier, qu'un pacte stipule
la contrepartie attendue, ou que celle-ci soit laissée à la discrétion d'un rétributeur.

Le sacrifice présente ainsi le double caractère d'exclure la protection et d'appeler une réparation. Normalement, le processus sacrificiel doit aller jusqu'à son
terme avec le concours de la victime (si le sacrifice semble être une folie, des
alliés peuvent donner des avertissements, mais cette protection porte alors
contre la décision, qui constitue une faute, et non contre le sacrifice lui-même).
En revanche, la dégradation résultant du sacrifice appelle une réparation, sous
forme de récompense, et c'est à ce stade qu'une protection peut intervenir. Le
pacte, avec les garanties dont il s'assortit (serment, otage, etc.) y pourvoit.

L'agression subie.

L'agression subie diffère des autres types de dégradation en ce qu'elle résulte
d'une conduite qui se propose intentionnellement le dommage comme fin de
son action. Pour atteindre son but, l'ennemi peut, soit agir directement, par
agression frontale, soit manœuvrer de biais, en s'efforçant de susciter et d'utiliser
les autres formes de dégradation. Deux d'entre celles-ci se prêtent à cette manœuvre : la *faute*, par laquelle l'agressé, induit en erreur par son ennemi, se laisse
attirer dans un piège; l'*obligation*, par laquelle l'agressé, lié à son agresseur par
un engagement irrévocable, doit s'acquitter d'un devoir ruineux (il arrive
d'ailleurs fréquemment que l'agresseur combine les deux procédés : il trompe sa

victime en lui suggérant un marché de dupe, puis l'élimine en exigeant l'exécution du contrat).

L'agressé a le choix entre se laisser faire et se protéger. S'il choisit la seconde solution, les modes de protection qui s'offrent à lui peuvent se regrouper en trois stratégies : d'abord, essayer de supprimer tout rapport avec l'agresseur, se mettre hors de sa portée, *fuir*; ensuite, accepter le rapport avec lui, mais essayer de transformer le rapport hostile en rapport pacifique, *négocier* (cf. *supra*, p. 67); enfin, accepter le rapport hostile, mais rendre coup pour coup, *riposter*.

Si ces protections sont inefficaces, l'agresseur inflige le dommage escompté. L'état dégradé qui en résulte peut marquer, pour la victime, la fin du récit. Si le narrateur choisit de poursuivre, une phase de réparation du dommage est ouverte. Celle-ci peut s'opérer selon toutes les modalités d'amélioration que nous avons reconnues (la victime peut guérir, se donner pour tâche de réparer les dégâts, recevoir des secours charitables, se retourner contre d'autres ennemis etc.). Il existe cependant, s'ajoutant à celles-ci, une forme de réparation spécifique : la *vengeance*, qui consiste, non plus à restituer à la victime l'équivalent du dommage subi, mais à infliger à l'agresseur l'équivalent du préjudice causé.

Le châtiment.

Tout dommage infligé peut devenir, dans la perspective d'un rétributeur, un *méfait à punir*. Dans la perspective du justiciable, le rétributeur est un agresseur, et l'action punitive qu'il engage une menace de dégradation. Au péril ainsi créé, le justiciable réagit par une attitude de soumission ou de défense. Dans ce dernier cas, les trois stratégies signalées plus haut — la fuite, la négociation, l'épreuve de force — sont également possibles. Seule néanmoins la seconde, la *négociation*, retiendra ici notre attention, car elle suppose la collaboration du rétributeur, et nous renvoie à l'examen des conditions dans lesquelles celui-ci se laisse convaincre de renoncer à sa tâche. Pour que la situation de *Méfait à punir* disparaisse, ou du moins cesse d'être perçue, il faut que l'un des trois rôles en présence (le coupable, la victime, ou le rétributeur lui-même) perde sa qualification. La victime est disqualifiée par le *pardon*, grâce auquel le rétributeur rétablit, entre l'ancien coupable et elle, les conditions normales du pacte (car le pardon est toujours conditionnel : il transforme rétro-activement le dommage infligé en service obtenu, et demande en contrepartie un service proportionné). Le rétributeur se disqualifie lui-même par la *corruption* (obtenue par séduction ou intimidation) qui établit, entre le coupable et lui, le lien d'un pacte (il transforme le dommage à infliger au coupable en service à lui rendre, et obtient en contrepartie un service proportionné). Enfin, le coupable est disqualifié par la dissimulation de son méfait. Il induit le rétributeur en erreur en se faisant passer pour innocent et, éventuellement, en faisant passer à sa place un innocent pour coupable.

Si ces protections sont vaines, la dégradation qui résulte du châtiment peut marquer la fin du récit. Celui-ci se construit alors sur l'opposition Méfait/Châtiment. Si le narrateur choisit de poursuivre, il doit introduire une phase d'amélioration qui peut être l'une quelconque de celles que nous avons décrites. L'une d'elles cependant doit être privilégiée car elle représente une réparation spécifique : il s'agit de l'amélioration obtenue par un sacrifice : au méfait — tentative d'amélioration déméritoire entraînant une dégradation par châtiment — répond alors le rachat — tentative de dégradation méritoire entraînant la réhabilitation du coupable, selon le schéma :

Déchéance		Rachat	
Amélioration démérit oire (méfait)	Dégradation méritée (châtiment)	Dégradation méritoire (bienfait)	Amélioration méritée (récompense)

Amélioration, dégradation, réparation : la boucle du récit est maintenant fermée, ouvrant la possibilité de dégradations suivies de réparations nouvelles, selon un cycle qui peut se répéter indéfiniment. Chacune de ces phases peut elle-même se développer à l'infini. Mais dans le cours de son développement, elle sera amenée à se spécifier, par une suite de choix alternatifs, en une hiérarchie de séquences enclavées, toujours les mêmes, qui déterminent exhaustivement le champ du « narrable ». L'enchaînement des fonctions dans la séquence élémentaire, puis des séquences élémentaires dans la séquence complexe est à la fois libre (car le narrateur doit à chaque instant *choisir* la suite de son récit) et contrôlé (car le narrateur n'a le choix, après chaque option, qu'entre les deux termes, discontinus et contradictoires, d'une alternative). Il est donc possible de dessiner a priori le réseau intégral des choix offerts; de donner un nom et d'assigner sa place dans une séquence à chaque forme d'événement réalisé par ces choix; de lier organiquement ces séquences dans l'unité d'un rôle; de coordonner les rôles complémentaires qui définissent le devenir d'une situation; d'enchaîner des devenirs dans un récit à la fois imprévisible (par le jeu des combinaisons disponibles) et codable (grâce aux propriétés stables et au nombre fini des éléments combinés).

Cet engendrement des types narratifs est en même temps une structuration des conduites humaines agies ou subies. Elles fournissent au narrateur le modèle et la matière d'un devenir organisé qui lui est indispensable et qu'il serait incapable de trouver ailleurs. Désirée ou redoutée, leur fin commande un agencement d'actions qui se succèdent, se hiérarchisent, se dichotomisent selon un ordre intangible. Quand l'homme, dans l'expérience réelle, combine un plan, explore en imagination les développements possibles d'une situation, réfléchit sur la marche de l'action engagée, se remémore les phases de l'événement passé, il se raconte les premiers récits que nous puissions concevoir. Inversement, le narrateur qui veut ordonner la succession chronologique des événements qu'il relate, leur donner un sens, n'a d'autre ressource que de les lier dans l'unité d'une conduite orientée vers une fin.

Aux types narratifs élémentaires correspondent ainsi les formes les plus générales du comportement humain. La tâche, le contrat, la faute, le piège, etc. sont des catégories universelles. Le réseau de leurs articulations internes et de leurs rapports mutuels définit a priori le champ de l'expérience possible. En construisant, à partir des formes les plus simples de la narrativité, des séquences, des rôles, des enchaînements de situations de plus en plus complexes et différenciés, nous jetons les bases d'une classification des types de récit; mais de plus, nous définissons un cadre de référence pour l'étude comparée de ces comportements qui, toujours identiques dans leur structure fondamentale, se diversifient à l'infini, selon un jeu de combinaisons et d'options inépuisable, selon les cultures, les époques, les genres, les écoles, les styles personnels. Technique d'analyse littéraire, la sémiologie du récit tire sa possibilité et sa fécondité de son enracinement dans une anthropologie.

CLAUDE BREMOND
École Pratique des Hautes Études, Paris

Umberto Eco

James Bond :
Une combinatoire narrative[1]

C'est en 1953 que Fleming publie le premier roman de la série 007, *Casino royal*. Première œuvre qui ne peut échapper au jeu normal des influences littéraires : aux alentours de 1950, l'écrivain qui abandonnait le filon du roman policier traditionnel pour passer au policier d'action ne pouvait ignorer la présence de Spillane.

Casino royal doit, sans doute, au moins deux éléments caractéristiques à Spillane. D'abord la fille, Vesper Lynd, qui inspire un amour confiant à Bond, se révèle à la fin comme un agent ennemi. Dans un roman de Spillane le protagoniste l'aurait tuée, alors que chez Fleming la femme a la pudeur de se suicider; mais la réaction de Bond devant le fait est semblable à la transformation de l'amour en haine et de la tendresse en férocité que l'on rencontre chez Spillane : « Elle est morte la garce », téléphone Bond à son correspondant de Londres et cela clôt cet incident sentimental.

En second lieu, Bond est obsédé par une image : celle d'un Japonais expert en codes secrets qu'il a froidement abattu au trente-sixième étage du gratte-ciel R.C.A. au Rockefeller Center, en le prenant en joue d'une fenêtre au quarantième étage du gratte-ciel d'en face. Cette analogie n'est pas un hasard. Mike Hammer apparaissait constamment persécuté par le souvenir d'un petit Japonais tué dans la jungle durant la guerre, avec cependant plus de participation émotive (alors que l'homicide de Bond, autorisé administrativement par son double zéro, est plus aseptique et bureaucratique). Le souvenir du Japonais est à l'origine de l'indéniable névrose de Mike Hammer, de son masochisme et de sa probable impuissance; le souvenir de son premier homicide pourrait être à l'origine de la névrose de James Bond, si ce n'est que, dans *Casino royal*, tant le personnage que l'auteur résolvent le problème autrement que par voie thérapeutique, c'est-à-dire en excluant la névrose de l'univers des possibilités narratives. Décision qui influencera la structure des onze romans futurs de Fleming et qui est probablement à l'origine de leur succès.

Après la volatilisation de deux Bulgares qui avaient tenté de le faire sauter avec une bombe, après avoir été torturé par des coups sur les testicules, après

---

1. Ce texte est extrait d'un ouvrage collectif, traduit de l'italien, *Le Cas Bond*, qui paraîtra prochainement aux éditions Plon. Il constitue les trois premiers paragraphes d'un article intitulé : « Les structures narratives chez Fleming » (« Le strutture narrative in Fleming », in *Il Caso Bond*, Milano, Bompiani, 1965).

l'élimination du Chiffre par un agent soviétique qui lui inflige une blessure à la main, et après avoir risqué de perdre la femme aimée, Bond, savourant la convalescence des justes dans un lit d'hôpital, bavarde avec son collègue français Mathis et lui fait part de ses perplexités. Sont-ils des combattants de la juste cause? Le Chiffre, qui finançait les grèves des ouvriers français, ne remplissait-il pas « une mission merveilleuse, véritablement vitale, peut-être la meilleure de toutes et la plus élevée »? La différence entre le bien et le mal est-elle véritablement aussi nette, reconnaissable, que le veut l'hagiographie du contre-espionnage? A ce moment, Bond est mûr pour la crise, pour la reconnaissance salutaire de l'ambiguïté universelle, et pour prendre la route parcourue par le protagoniste de Le Carré. Mais au moment même où il s'interroge sur l'apparence du diable et où il est prêt à reconnaître dans l'adversaire un « frère séparé », James Bond est sauvé par Mathis :

« ... Quand vous serez rentré à Londres, vous découvrirez qu'il y a d'autres Chiffre qui essaient de vous détruire, de détruire vos amis et votre pays. « M » vous en parlera. Et maintenant que vous avez vu un homme véritablement méchant, vous saurez sous quel aspect le mal peut se présenter, vous irez à la recherche des méchants pour les détruire et protéger ainsi ceux que vous aimez, et vous-même. Vous savez maintenant quel air ils ont et ce qu'ils peuvent faire à autrui... Entourez-vous d'êtres humains, mon cher James. Il est plus facile de se battre pour eux que pour des principes. Mais... ne me décevez pas en devenant humain vous-même. Nous perdrions une merveilleuse machine. »

C'est par cette phrase lapidaire que Fleming définit le personnage de Bond pour les romans à venir. De *Casino royal*, il lui restera la cicatrice sur la joue, le sourire un peu cruel, le goût de la bonne chère et une série de caractéristiques accessoires minutieusement cataloguées dans le cours de ce premier volume. Mais, convaincu par le discours de Mathis, Bond abandonnera les voies incertaines de la méditation morale et du tourment psychologique, avec tous les dangers de névroses qui pourraient en découler. Bond cessera d'être un sujet pour des psychiatres (sauf à le redevenir dans le dernier roman, d'ailleurs atypique, de la série *(l'Homme au pistolet d'or)*, et deviendra une magnifique machine, comme le veulent Mathis, l'auteur et le public. A partir de ce moment, Bond ne méditera plus sur la vérité et sur la justice, sur la vie et sur la mort qu'en de rares moments d'ennui, de préférence dans les bars des aéroports, mais sans jamais se laisser entamer par le doute (dans les romans tout au moins, car il se permet quelque luxe intimiste dans les nouvelles). D'un point de vue psychologique, une conversion aussi subite, provoquée par les quelques phrases prononcées par Mathis, est pour le moins curieuse; elle ne reçoit d'ailleurs aucune justification à cet égard. Dans les dernières pages de *Casino royal*, Fleming renonce en fait à la psychologie en tant que moteur de la narration et décide de transposer caractères et situations au niveau d'une stratégie objective et conventionnelle. Fleming accomplit ainsi sans le savoir un choix familier à nombre de disciplines contemporaines; il passe de la méthode psychologique à la méthode formelle.

Il y a déjà, dans *Casino royal*, tous les éléments permettant de construire une machine fonctionnant sur la base d'unités assez simples soutenues par des règles rigoureuses de combinaison. Cette machine, qui fonctionnera sans défaillance dans les romans suivants, est à l'origine du succès de la « saga 007 », un succès qui, de façon singulière, est dû tant au consentement des masses qu'à l'appréciation des lecteurs les plus raffinés. Il reste maintenant à examiner dans le détail cette machine narrative pour déterminer quelles sont les raisons de son succès.

Il s'agit de dresser un tableau décrivant les structures narratives chez Ian Fleming, en cherchant à évaluer en même temps, l'incidence probable de chaque élément sur la sensibilité du lecteur.

Cette recherche est faite dans les romans suivants, énumérés dans leur ordre de publication (les dates de rédaction doivent probablement être avancées d'un an) : *Casino royal*, 1953; *Live and Let Die* (Vivre et laisser mourir), 1954; *Moonraker* (Entourloupes dans l'azimut), 1955; *Diamonds Are Forever* (Chauds les glaçons), 1956; *From Russia with Love* (Bons baisers de Russie), 1957; *D^r No* (James Bond contre D^r No), 1958; *Goldfinger*, 1959; *Thunderball* (Opération Tonnerre), 1961; *On her Majesty's Secret Service* (Au service secret de Sa Majesté), 1963; *You Only Live Twice* (On ne vit que deux fois), 1964. Nous nous reporterons également aux nouvelles de *For Your Eyes Only* (Bons baisers de Paris), de 1960, et à *The Man with the Golden Gun* (L'Homme au pistolet d'or), publié en 1965. En revanche, nous ne tiendrons pas compte de *The Spy Who Loved Me* (Motel 007) qui occupe une place tout à fait à part.

1. *L'opposition des caractères et des valeurs.*

Les romans de Fleming paraissent construits sur une série d'oppositions fixes qui permettent un nombre limité de changements et d'interactions. Ces couples constituent des invariants autour desquels gravitent des couples mineurs qui en constituent, d'un roman à l'autre, des variantes. Nous avons dénombré ici quatorze couples; quatre de ceux-ci opposent quatre caractères suivant diverses combinaisons, tandis que les autres constituent des oppositions de valeurs, diversement incarnées par les quatre caractères de base. Les quatorze couples sont :

a) Bond — « M »	*h)* Cupidité — Idéal
b) Bond — le Méchant	*i)* Amour — Mort
c) le Méchant — la Femme	*j)* Risque — Programmation
d) la Femme — Bond	*m)* Faste — Privation
e) le Monde libre — l'Union soviétique	*n)* Nature exceptionnelle — **Mesure**
f) la Grande-Bretagne — les Pays non anglo-saxons	*o)* Perversion — Candeur
g) Devoir — Sacrifice	*p)* Loyauté — Déloyauté

Ces couples ne représentent pas des éléments « vagues » mais « simples », c'est-à-dire immédiats et universels et, en examinant de plus près la portée de chaque couple, on s'aperçoit que les variantes possibles couvrent une vaste gamme et épuisent toutes les trouvailles narratives de Fleming.

Avec Bond - « M », on a un rapport dominé-dominant qui caractérise dès le début les limites et les possibilités du personnage Bond, et donne le champ libre aux aventures. On a déjà parlé ailleurs de l'interprétation qu'il convient de donner, au point de vue psychologique ou psychanalytique de l'attitude de Bond vis-à-vis de « M »[1]. Il est de fait que, même en s'en tenant purement au récit, « M » se pose en face de Bond comme détenteur d'une information totale concernant les événements. D'où sa supériorité sur le protagoniste, qui dépend

---

1. KINGSLEY AMIS, *The James Bond Dossier*, London, 1965. On trouvera diverses interprétations de James Bond dans l'étude de LAURA LILLI « James Bond et la critique », in *le Cas Bond, op. cit.*

de lui et qui s'en va vers ses diverses tâches en condition d'infériorité par rapport à l'omniscience de son chef. Il n'est pas rare que son chef envoie Bond vers des aventures dont il a déjà prévu l'issue dès le départ; Bond se trouve donc victime d'une manigance, si bien intentionnée soit-elle, et n'escompte pas que le déroulement des faits dépasse les tranquilles prévisions de « M ». La tutelle sous laquelle « M » tient Bond, soumis d'autorité à des visites médicales, à des cures naturistes *(Opération Tonnerre)*, à des changements dans son armement *(James Bond contre D^r No)*, rend d'autant plus indiscutable l'autorité du chef. Donc, en « M », s'additionnent aisément d'autres valeurs telles que la religion du Devoir, la Patrie (ou l'Angeletrre) et la Méthode (qui fonctionne comme élément de Programmation en face de la tendance typique de Bond à se fier à l'improvisation). Si Bond est le héros et possède par conséquent des qualités exceptionnelles, « M » représente la Mesure, comprise comme valeur nationale. En réalité, Bond n'est pas aussi exceptionnel qu'une lecture hâtive des livres (ou l'interprétation spectaculaire que les films donnent des livres) peut le faire penser. Fleming lui-même affirme l'avoir conçu comme un personnage tout à fait ordinaire, et c'est du contraste avec « M » qu'émerge la stature réelle de 007, doué de prestance physique, de courage et d'agilité d'esprit, sans posséder pour autant ces qualités ni d'autres dans une mesure exceptionnelle. C'est plutôt une certaine force morale, une fidélité obstinée à son devoir — sous les ordres de « M », toujours présent comme guide — qui lui permettent de surmonter certaines épreuves inhumaines sans exercer des facultés surhumaines.

Le rapport Bond-« M » suppose sans aucun doute une ambivalence affective, un amour-haine réciproque, et cela sans qu'il soit besoin de recourir à des explications psychologiques. Au début de *l'Homme au pistolet d'or*, Bond, émergeant d'une longue amnésie et conditionné par des Soviétiques, tente une sorte de parricide rituel en tirant sur « M » avec un pistolet au cyanure. Le geste libère d'une série de tensions narratives qui s'étaient établies chaque fois que « M » et Bond s'étaient trouvés face à face.

Mis par « M » sur la route du Devoir à tout prix, Bond entre en contraste avec le Méchant. L'opposition met en jeu diverses valeurs, dont certaines ne sont que des variantes du couple caractérologique. Bond représente indubitablement Beauté et Virilité en face du Méchant qui se présente au contraire comme monstrueux et impuissant. La monstruosité du Méchant est une donnée constante, mais, pour le mettre en lumière il faut introduire ici une notion de méthode qui sera valable également pour l'examen d'autres couples. Parmi les variantes, il nous faut considérer aussi l'existence de « rôles de substitution »; cela signifie qu'il existe des personnages de second plan dont la fonction ne s'explique que si on les considère comme des variations d'un des caractères principaux, dont ils « portent » pour ainsi dire quelques-unes des caractéristiques. Les rôles de substitution fonctionnent d'ordinaire pour la Femme et pour le Méchant, et parfois pour « M », si toutefois il faut interpréter comme « substituts » de « M » certains collaborateurs exceptionnels de Bond, comme Mathis de *Casino royal* qui sont porteurs de valeurs appartenant à « M » comme le rappel au Devoir ou à la Méthode.

Quant aux incarnations du Méchant, énumérons-les dans l'ordre. Dans *Casino royal*, Le Chiffre est pâle, glabre, avec des cheveux roux taillés en brosse, une bouche petite comme celle d'une femme, des fausses dents de qualité coûteuse des oreilles petites avec de larges lobes, des mains velues; il ne rit jamais. Dans *Vivre et laisser mourir*, Mr Big, nègre de Haïti, a une tête qui ressemble à un ballon de football, ayant le double des dimensions normales et absolument sphérique. « La peau était d'un gris-noir terreux, tendue et luisante comme le visage d'un noyé d'une semaine. Le crâne était chauve, excepté quelques duvets gris-brun au-dessus des oreilles. Il n'avait ni cils ni sourcils et les yeux étaient extraordinairement écartés, si bien qu'on ne pouvait pas les fixer tous les deux en même temps... C'étaient les yeux d'un animal plutôt que d'un homme et ils lançaient des flammes. » Les gencives paraissaient anémiques.

Dans *Diamonds Are Forever*, le Méchant se scinde en trois figures de substitution. Il y a d'abord Jack et Seraffimo Spang, dont le premier est bossu et a des cheveux roux (Bond... « ne se rappelait pas avoir jamais vu un bossu aux cheveux roux »), des yeux qu'il semble avoir empruntés à un empailleur, des oreilles aux lobes disproportionnés, des lèvres rouges et sèches, une absence presque totale de cou. Seraffimo a un visage couleur d'ivoire, des sourcils noirs et froncés, des cheveux hirsutes coiffés en brosse, des mâchoires « proéminentes et impitoyables ». Si l'on ajoute que Seraffimo est habituellement vêtu de pantalons de peau noire bordés d'argent, qu'il porte des éperons d'argent, un pistolet à manche d'ivoire, une ceinture noire à munitions et qu'il conduit un train modèle 1870 avec un équipement d'époque victorienne pour technicolor, le tableau est complet. La troisième figure de substitution est celle du sieur Winter qui voyage avec un porte-documents de cuir qui porte sur la languette de fermeture : « Mon groupe sanguin est F », et qui, en réalité, est un tueur à la solde des Spang. C'est un individu gros et suant, avec une verrue sur la main, un visage flasque, des yeux exorbités.

Dans *Moonraker*, Hugo Drax a un mètre quatre-vingt, des épaules « exceptionnellement larges », une tête grosse et carrée, des cheveux roux, la partie droite du visage luisante et toute plissée par suite d'une intervention de chirurgie esthétique mal réussie, l'œil droit différent du gauche, plus grand par suite d'une contraction de la peau de la paupière, « d'une rougeur pénible ». Il a d'épaisses moustaches rousses, des favoris allant jusqu'aux lobes des oreilles, avec quelques touffes supplémentaires sur les pommettes. En outre, ses moustaches s'efforcent de dissimuler, mais sans grand succès, sa mâchoire supérieure proéminente et des dents qui ressortent de façon très nette. Le dos de ses mains est recouvert d'un épais duvet roux et, dans l'ensemble, le personnage évoque un directeur de cirque.

Dans *Bons baisers de Russie*, le Méchant donne naissance à trois personnages de substitution : Red Grant, le tueur professionnel à la solde de Smersh, aux cils ras couleur de sable, aux yeux bleus délavés et opaques, à la bouche petite et cruelle, aux innombrables taches de rousseur sur une peau d'un blanc laiteux, et aux pores profonds et espacés ; le colonel Grubozaboyschikov, chef du Smersh, au visage étroit et pointu, aux yeux ronds comme deux boules translucides, alourdis par deux poches lourdes et molles, à la bouche large et sinistre, au crâne complètement dénudé ; et enfin Rosa Klebb, aux lèvres humides et pâles tachées de nicotine, à la voix rauque, uniforme et privée de toute émotion, haute d'un mètre soixante, plate, les bras trapus, le col court, les chevilles énormes, les cheveux grisâtres, rassemblés en un chignon serré et « obscène », les « yeux luisants couleur marron pâle », les lunettes épaisses, le nez pointu aux larges narines enfariné de poudre de riz, « l'antre humide de la bouche qui s'ouvrait et se fermait continuellement comme manœuvré par un système de fils », l'apparence générale d'un être sexuellement neutre. Dans *Bons baisers de Russie*, on rencontre aussi une variante qui se retrouve dans bien peu d'autres romans. Il y entre en scène un être fortement caractérisé, qui a beaucoup des qualités morales du Méchant, sauf qu'il les utilise en vue du bien ou se bat en tout cas au côté de Bond. Il peut représenter une certaine Perversion et est certainement porteur d'une Nature exceptionnelle, mais il se tient en tout cas du côté de la Loyauté. Il s'agit de Darko Kerim, l'agent turc. Il y a quelques cas analogues : le chef de l'espionnage japonais, Tiger Tanaka, dans *On ne vit que deux fois*; Draco dans *Au service secret de Sa Majesté* ; Enrico Colombo dans « Risico » (une nouvelle de *Bons baisers de Paris*) et, de façon partielle, Quarell dans *James Bond contre D^r No*. Ces personnages sont des substituts à la fois du Méchant et de « M »; nous les appellerons des « substituts ambigus ». Avec eux, Bond lie toujours une sorte d'alliance compétitive; il les aime et les craint à la fois, il les emploie et il les admire, il les domine et il les subit.

Dans *D^r No*, le Méchant, outre sa hauteur démesurée, se distingue par l'absence de mains, remplacées par deux pinces de métal. Sa tête rasée a l'aspect d'une goutte d'eau renversée, sa peau est translucide, sans rides, ses pommettes semblent de vieil ivoire, ses sourcils ont l'air peint, ses yeux sont privés de cils, ils ont l'air de « deux petites bouches noires »; le nez est maigre et finit tout près de la bouche qui respire la cruauté et la décision.

Dans *Goldfinger*, le personnage du même nom est tout bonnement le monstre parfait. Ce qui le distingue, c'est le manque total de proportions. « Il était petit, ne dépassant pas un mètre cinquante, et, au sommet d'un corps trapu et pesant planté sur deux robustes jambes de paysan, sa grosse tête ronde paraissait encastrée entre ses épaules. L'impression générale était que Goldfinger avait été fait d'un assemblage de parties appartenant à plusieurs personnes. » Et les diverses parties de ce corps ne correspondaient pas. En somme, c'était un petit homme mal fait, avec des cheveux roux et un visage bizarre. Son substitut est le Coréen Oddjob, aux doigts en spatules, dont les bouts brillent comme de l'os, et qui peut briser la balustrade de bois d'un escalier d'un coup de poing.

C'est dans *Opération Tonnerre* qu'apparaît pour la première fois Stravo Blofeld, que l'on retrouve dans *Au service secret de Sa Majesté* et dans *On ne vit que deux fois*, roman où il meurt enfin. Comme substituts, il a, dans *Opération Tonnerre*, le comte Lippe et Emilio Largo. Tous deux sont beaux et avenants, bien que vulgaires et cruels, mais leur monstruosité est tout intérieure. Dans *Au service secret de Sa Majesté* apparaît Irma Blunt, l'âme damnée de Blofeld, une lointaine réincarnation de Rosa Klebb, plus tout un entourage de « vilains » qui périssent tragiquement. Dans le troisième roman, le rôle principal est repris et poussé à son paroxysme par le monstre Blofeld, déjà décrit dans *Opération Tonnerre* : deux yeux qui ressemblent à des étangs profonds, entourés « comme les yeux de Mussolini » par deux sclérotiques d'un blanc très pur, d'une symétrie rappelant les yeux des poupées, à cause aussi des cils noirs et soyeux de type féminin, deux yeux purs sur un visage enfantin, marqué par une bouche rouge humide « comme une blessure mal cicatrisée », sous un nez lourd; dans l'ensemble une expression d'hypocrisie, de tyrannie et de cruauté « à un niveau shakespearien ». Il pèse cent vingt kilos, apprend-on dans *Au service secret de Sa Majesté* et n'a pas de lobes aux oreilles. Ses cheveux sont taillés en brosse. Cette singulière unité de physionomie de tous les Méchants de service confère une certaine unité au rapport Bond - le Méchant, surtout si l'on ajoute que, d'ordinaire, le méchant se distingue aussi par toute une série de caractéristiques raciales et biographiques.

Le Méchant voit le jour dans une zone ethnique qui va de l'Europe centrale aux pays slaves et au bassin de la Méditerranée. Il est habituellement de sang mêlé et ses origines sont complexes et obscures. Il est asexué ou homosexuel; en tout cas, il n'est pas sexuellement normal. Doué de qualités exceptionnelles d'invention et d'organisation, il a entrepris pour son compte une activité considérable qui lui permet de réaliser une immense fortune, grâce à laquelle il travaille en faveur de la Russie. Dans ce but, il conçoit un plan dont les caractéristiques et les dimensions relèvent de la science-fiction; étudié dans ses moindres détails, il vise à mettre dans de sérieuses difficultés ou l'Angleterre ou le Monde libre en général. La figure du Méchant réunit en fait les valeurs négatives que nous avons identifiées dans quelques couples d'oppositions, en particulier les pôles Union soviétique et Pays non anglo-saxons (la condamnation raciste frappe particulièrement les Juifs, les Allemands, les Slaves et les Italiens, toujours considérés comme des métèques), la Cupidité élevée au rang de paranoïa, la Programmation comme méthodologie technicisée, le Faste satrapique, la Nature exceptionnelle physique et psychique, la Perversion physique et morale, la Déloyauté radicale.

Le Chiffre, qui alimente les mouvements subversifs en France, descend d'un « mélange de races méditerranéennes avec des ancêtres prussiens et polonais »; il a aussi du sang juif, révélé par « de petites oreilles au lobe charnu ». Joueur qui n'est pas sans loyauté, il trahit toutefois ses maîtres et cherche à récupérer par des moyens criminels l'argent perdu au jeu. Il est masochiste (c'est tout au moins ce qu'assure sa fiche du Service secret) bien qu'hétérosexuel. Il a monté une grosse chaîne de maisons de tolérance, mais il a dilapidé son patrimoine en menant la grande vie.

Mister Big est un nègre. Ses rapports avec Solitaire, qu'il exploite, sont ambigus (il n'en a jamais obtenu les faveurs). Il aide les Soviétiques grâce à sa puissante organisation criminelle fondée sur le culte vaudou, recherche et écoule aux États-Unis des trésors cachés depuis le XVIIe siècle, contrôle de véritables rackets et s'apprête à ruiner l'économie américaine en introduisant sur le marché clandestin des quantités considérables de monnaies rares.

La nationalité d'Hugo Drax est imprécise : il est Anglais d'adoption, mais en fait il est Allemand. Il possède le contrôle de la colombite, matériau indispensable à la construction des réacteurs et fait cadeau à la Couronne britannique d'une fusée extrêmement puissante. En réalité, son projet est de faire tomber sur Londres cette fusée à tête atomique, et de s'enfuir ensuite en Russie (équation communisme = nazisme). Il fréquente des clubs très fermés, est passionné de bridge, mais n'éprouve de plaisir qu'à tricher. Son hystérie ne laisse pas soupçonner d'activités sexuelles notables.

Les chefs des personnages de substitution de *Bons baisers de Russie* sont des Soviétiques; c'est évidemment de leur travail pour la cause communiste que ces personnages tirent abondance et puissance. Rosa Klebb est sexuellement neutre : « Il se pouvait qu'elle prit plaisir à l'acte physique, mais l'instrument était sans importance. » Quant à Red Grant, c'est un loup-garou qui tue par passion; il mène une existence luxueuse aux frais du gouvernement soviétique, dans une villa avec piscine. Le plan consiste à attirer Bond dans un piège compliqué, en utilisant comme appât une femme et un appareil pour mettre en code et décoder les télégrammes chiffrés, le tuer ensuite et faire échec au contre-espionnage anglais.

Le Dr No est un sang-mêlé de Chinois et d'Allemand. Il travaille pour la Russie. Il ne montre pas de tendances sexuelles bien définies; ayant entre les mains Honeychile, il se propose de la faire dévorer par les crabes de Crab Key. Il vit sur une florissante industrie de guano et réussit à faire dévier les missiles téléguidés lancés par les Américains. Dans le passé, il a édifié sa richesse en trompant les organisations criminelles dont il était le caissier. Il vit dans son île en un palais d'un faste fabuleux, une sorte d'aquarium géant.

Goldfinger est probablement d'origine balte mais doit avoir du sang juif. Il vit fastueusement du commerce et de la contrebande de l'or, et peut ainsi financer les mouvements communistes en Europe. Il fait le projet de voler l'or de Fort Knox (et non de le rendre radioactif comme l'affirme mensongèrement le film), et il obtient, pour faire sauter les dernières barrières, une bombe atomique tactique subtilisée aux forces de l'OTAN. Il tente d'empoisonner l'eau de Fort Knox. Il n'a pas de rapports sexuels avec la toute jeune fille qu'il tyrannise et se borne à la recouvrir d'or. Il triche au jeu par vocation, en employant de coûteux expédients comme la longue-vue et la radio; il triche pour gagner de l'argent, bien qu'il soit fabuleusement riche et voyage toujours avec une réserve d'or importante dans ses bagages.

Blofeld, lui, est de père polonais et de mère grecque. Il utilise sa qualité d'employé du télégraphe pour commencer, en Pologne, un profitable commerce d'informations secrètes; il devient chef de la plus vaste organisation indépendante d'espionnage, de chantage, de rapine et d'extorsion de fonds. Ainsi avec Blofeld, la Russie cesse d'être l'ennemi habituel, du fait de la détente internationale, et le rôle d'organisation maléfique est repris par le Spectre. Le Spectre a toutefois toutes les caractéristiques du Smersh, y compris l'emploi d'éléments slavo-latino-allemands, les méthodes de torture et d'intimidation, la haine jurée aux Puissances du Monde libre. Parmi les plans de science-fiction de Blofeld, celui d'*Opération Tonnerre* consiste à subtiliser à l'OTAN deux bombes atomiques, et à faire chanter par ce moyen l'Angleterre et les États-Unis. Dans *Au service secret de Sa Majesté*, il prévoit la préparation dans une clinique de montagne de jeunes campagnardes allergiques pour les mettre en mesure de diffuser des virus mortels destinés à ruiner l'agriculture et l'élevage britanniques. Dans *On ne vit que deux fois*, dernière étape de la carrière de Blofeld, en route désormais vers la folie sanguinaire, il se borne, sur une échelle politique plus réduite, à l'aménagement d'un jardin des suicides, qui attire, le long des côtes japonaises, des légions d'héritiers des kamikaze, désireux de se faire empoisonner par des plantes exotiques raffinées et mortelles, au grand dam du patrimoine humain démocratique japonais. Le goût de Blofeld pour un faste de satrape se manifeste déjà dans le mode de vie qu'il a réalisé en montagne à Piz Gloria et plus encore dans l'île de Kyūshū, où il vit en tyran du Moyen Age et se promène dans son *hortus deliciarum* bardé d'une armure de fer. Précédemment Blofeld s'était montré avide d'honneurs (il aspirait à être reconnu comme comte de Bleuville). Sexuellement impuissant, il vit maritalement avec Irma Blofeld asexuée elle aussi et tout aussi répugnante. Pour reprendre le mot de Tiger Tanaka, Blofeld « est un démon qui a pris une apparence humaine ».

Seuls les méchants de *Diamonds Are Forever* n'ont aucune collusion avec la Russie. En un certain sens, le gangstérisme international des Spang apparaît comme une préfiguration du Spectre, pour le reste, Jack et Seraffimo présentent toutes les tares habituelles.

Aux attributs typiques du Méchant s'opposent les qualités de Bond, en particulier la Loyauté au Service, la Mesure anglo-saxonne opposée à la nature exceptionnelle du sang-mêlé, le choix de la Privation et l'acceptation du Sacrifice contre le Faste dont l'ennemi fait montre, le coup de génie (Risque) opposé à sa froide Programmation et qui en triomphe, le sens de l'Idéal opposé à la Cupidité

(Bond gagne parfois au jeu l'argent du Méchant, mais il verse habituellement l'énorme somme qu'il a gagnée à son Service ou à la fille du moment, comme il le fait pour Jill Masterson; de toute façon, quand il conserve l'argent, il n'en fait pas une fin en soi). Par ailleurs, certaines oppositions axiologiques ne fonctionnent pas seulement dans les rapports Bond-le Méchant, mais aussi à l'intérieur du comportement de Bond lui-même : ainsi, Bond est généralement loyal mais il ne dédaigne pas de battre son ennemi avec ses propres armes, trichant avec le tricheur et le faisant chanter (cf. *Moonraker* ou *Goldfinger*). Nature exceptionnelle et Mesure, Risque et Programmation s'opposent également dans les gestes et dans les décisions de Bond lui-même, dans une dialectique d'observation de la méthode et de coups de tête, et c'est précisément cette dialectique qui rend fascinant le personnage, qui l'emporte précisément parce qu'il n'est pas absolument parfait (comme le sont au contraire « M » et le Méchant). Devoir et Sacrifice apparaissent comme des éléments de débat intérieur chaque fois que Bond sait qu'il devra déjouer les plans du Méchant au risque de sa vie et, dans ces cas-là, c'est l'idéal patriotique (Grande Bretagne et Monde Libre), qui a le dessus. Le souci raciste d'affirmer la supériorité de l'homme britannique joue également. Chez Bond s'opposent aussi Faste (goût pour les bons repas, recherche dans l'habillement, choix des hôtels somptueux, amour des salles de jeu, invention de coktails, etc.) et Privation (Bond est toujours prêt à abandonner le Faste, même s'il prend l'aspect de la Femme qui s'offre, pour affronter une nouvelle situation de Privation, dont le point maximum est la torture).

Nous avons longuement insisté sur le couple Bond-le Méchant parce qu'il résume en fait toutes les oppositions énumérées, y compris le jeu entre Amour et Mort, qui, sous la forme primordiale d'une opposition entre Eros et Thanatos, principes de plaisir et de réalité, se manifeste dans le moment de la torture (théorisée de façon explicite dans *Casino royal* par une sorte de rapport érotique entre bourreau et victime).

Cette opposition se perfectionne dans le rapport entre le Méchant et la Femme. Vesper est tyrannisée par les Soviétiques qui la soumettent à un chantage, et de ce fait par le Chiffre; Solitaire est la victime soumise de Big Man; Tiffany Case est dominée par les Spang; Tatiana est sous la coupe de Rosa Klebb et du gouvernement soviétique en général; Jill et Tilly Masterson sont dominées de façon diverse par Goldfinger, et Pussy Galore travaille à ses ordres; Domino Vitali se plie aux volontés de Blofeld par le moyen de ses rapports physiques avec Emilio Largo, figure de substitution; les jeunes filles anglaises hospitalisées à Piz Gloria sont sous le contrôle hypnotique de Blofeld et sous la surveillance virginale d'Irma Blunt, figure de substitution; Honeychile, au contraire, n'entretient qu'un rapport symbolique avec le pouvoir du D^r No, en se promenant pure et sans expérience aux abords de son île maudite, si ce n'est qu'à la fin, le D^r No offre son corps nu aux crabes (Honeychile a été dominée par le Méchant par l'intermédiaire du brutal Mander, qui l'a violée, et qu'elle a justement puni en le faisant mourir par la piqûre d'un scorpion, anticipant ainsi sa vengeance sur No qui a recours aux crabes). Enfin, Kissy Suzuki, qui vit dans son île à l'ombre du château maudit de Blofeld, en subit une domination purement allégorique, comme toute la population de l'endroit. A mi-chemin, Gala Brand, qui est agent du Service, devient cependant la secrétaire de Hugo Drax et établit avec lui un rapport de soumission. Dans la plupart des cas, ce rapport est rendu plus parfait par la torture, que la femme subit en même temps que Bond. Ici le couple

Amour-Mort fonctionne également dans le sens d'une communication érotique plus intime des deux victimes à travers l'épreuve commune.

Le schéma qui est commun à toutes les femmes de Fleming est le suivant : 1° la jeune fille est belle et bonne; 2° elle a été rendue frigide et malheureuse par de dures épreuves subies pendant l'adolescence; 3° cela l'a préparée à servir le Méchant; 4° par sa rencontre avec Bond elle réalise sa propre plénitude humaine 5° Bond la possède mais finit par la perdre.

Ce curriculum vitae est commun à Vesper, à Solitaire, à Tiffany, Tatiana, Honeychile, Domino, partiellement à Gala, distribué équitablement entre les trois femmes de substitution de Goldfinger (Jill, Tilly et Pussy; les deux premières ont connu un passé douloureux, mais seule, la troisième a été violée par son oncle; Bond possède la première et la troisième, la seconde est tuée par le Méchant, la première torturée avec l'or; la seconde et la troisième sont lesbiennes et Bond ne rachète que la troisième, etc.). Le passé des jeunes filles de Piz Gloria est plus confus et plus incertain : chacune a eu un passé malheureux, mais Bond n'en possède en fait qu'une seule (il épouse parallèlement Tracy, au passé malheureux, dominée en outre par son père, Draco, substitut ambigu, et tuée à la fin par Blofeld qui réalise alors son empire sur elle et conclut avec la Mort le rapport d'Amour qu'elle entretenait avec Bond). Kissy Suzuki a souffert d'une expérience hollywoodienne qui l'a rendue prudente à l'égard de la vie et des hommes.

Dans chaque cas, Bond perd chacune de ces femmes ou par sa propre volonté ou par celle d'autrui (dans le cas de Gala, c'est la femme qui en épouse un autre, bien qu'à contre-cœur). Ainsi, au moment où la Femme résoud l'opposition avec le Méchant pour entrer avec Bond dans un rapport purificateur-purifiée, sauveur-sauvée, elle retourne sous l'empire du négatif. Le couple Perversion-Candeur a longtemps combattu en elle (combat extérieur dans le rapport Rosa Klebb-Tatiana). Ce combat en fait la proche parente de la vierge persécutée richardsonienne, porteuse de pureté à travers, malgré et contre la fange. Elle apparaîtrait également comme celle qui résoud le contraste entre race élue et sang mêlé non anglo-saxon, car elle appartient fréquemment à une race inférieure. Mais, le rapport érotique se terminant toujours par une mort réelle ou symbolique, Bond recouvre, qu'il le veuille ou non, sa pureté de célibataire anglo-saxon. La race demeure à l'abri de la contamination.

2. *Les situations de jeu et l'intrigue comme « partie ».*

Les divers couples d'opposition (dont nous n'avons considéré que quelques possibilités de variantes) apparaissent comme les éléments d'une *ars combinatoria* aux règles assez élémentaires. Il est clair que dans le cours du roman, le lecteur ne sait si, ni à quel moment de l'action, le Méchant battra Bond ou Bond le Méchant, et ainsi de suite. Mais, avant la fin du livre, l'algèbre doit se dérouler selon un *code fixé d'avance*, comme dans la mourre Chinoise que 007 et Tanaka jouent au début de *On ne vit que deux fois:* la main bat le point, le poing bat deux doigts, deux doigts battent la main. « M », bat Bond, Bond bat le Méchant le Méchant bat la Femme, même quand c'est Bond qui bat la Femme le premier le Monde libre bat l'Union Soviétique, l'Angleterre bat les Pays impurs, la Mort bat l'Amour, la Mesure bat la Nature exceptionnelle, et ainsi de suite.

Cette interprétation de l'intrigue en termes de jeu n'est pas le fruit du hasard

Les livres de Fleming sont dominés par quelques situations-clés que nous appelerons « situations de jeu ». On y voit apparaître avant tout quelques situations archétypiques, comme le Voyage ou le Repas. Le Voyage peut se faire en Auto (et ici intervient une riche symbolique de l'automobile, caractéristique de notre siècle) ; il peut se faire par le Train (autre archétype, de genre XIXe siècle celui-là), ou en Avion, ou encore en Bateau. Mais, d'ordinaire, un repas, une poursuite en voiture ou une course folle dans le train sont toujours joués sous forme de défi, de partie. Bond dispose le choix des mets comme on dispose les morceaux d'un puzzle ; il se prépare au repas avec les mêmes scrupules de méthode qu'à une partie de bridge (voir la convergence de ces deux éléments en un rapport moyens-fins dans *Moonraker*) et il comprend le repas comme un facteur de jeu. De même train et voiture sont les éléments d'un pari fait avec l'adversaire : avant que le voyage soit terminé, l'un d'eux a réalisé ses coups et mis son adversaire échec et mat.

Il est inutile de rappeler ici quelle place prééminente occupent dans chaque livre les situations de jeu dans le sens propre et précis de jeu de hasard ayant ses conventions. La façon minutieuse de décrire ces parties fera l'objet d'autres considérations dans le paragraphe que nous consacrerons aux techniques littéraires. Si les parties occupent une telle place ici, c'est parce qu'elles constituent, en quelque sorte, des modèles réduits et formalisés de cette situation de jeu plus générale qu'est le roman. Le roman, étant données les règles de combinaisons des couples d'oppositions, se déroule comme une suite de « coups » répondant à un code, et obéissant à un schéma parfaitement réglé.

Ce schéma invariable est le suivant :

A. — « M » joue et confie une mission à Bond.
B. — Le Méchant joue et apparaît à Bond (éventuellement sous une forme substitutive).
C. — Bond joue et inflige un premier échec au Méchant — ou bien le Méchant inflige un échec à Bond.
D. — La Femme joue et se présente à Bond.
E. — Bond souffle la Femme ; il la possède ou entreprend la possession.
F. — Le Méchant prend Bond (avec ou sans la Femme, ou en des moments divers).
G. — Le Méchant torture Bond (avec ou sans la Femme).
H. — Bond bat le Méchant (il le tue ou en tue le substitut ou assiste à sa mort).
I. — Bond convalescent s'entretient avec la Femme, qu'il perdra par la suite.

Le schéma est invariable en ce sens que tous les éléments sont toujours présents dans chaque roman ; on pourrait affirmer que la règle du jeu fondamentale est « Bond joue et gagne en huit coups », ou, en raison de l'ambivalence Amour-Mort, dans un certain sens que « le Méchant répond et gagne en huit coups ». Il n'est pas dit que les coups doivent toujours être joués dans le même ordre. Une schématisation minutieuse des dix romans étudiés en montrerait certains construits sur le schéma ABCDEFGHI (*D^r No* par exemple), mais, plus souvent, il y a des inversions et des répétitions de diverses natures. Parfois, Bond rencontre le Méchant au début du roman et lui inflige un premier échec ; ce n'est qu'après qu'il se voit confier une mission par « M ». Tel est le cas de *Goldfinger* qui présente un schéma de type BCDEACDFGDHEHI, dans lequel on peut noter la répétition de plusieurs coups, avec deux rencontres et deux parties jouées contre le Méchant, deux séductions et trois rencontres avec des femmes, une première fuite du Méchant après sa défaite, et sa mort à la fin, etc. Dans *Bons Baisers de Russie*, les Méchants se multiplient grâce à la présence du substitut ambigu Kerim, en lutte avec le substitut du Méchant et au double duel mortel de Bond avec Red

Grant et avec Rosa Klebb, arrêtée après avoir très grièvement blessé Bond
de sorte que le schéma, très compliqué est BBBBDA (BBC) EFGHGH (I). On
y assiste à un long prologue en Russie, avec la parade des substituts du Méchant
et un premier rapport entre Tatiana et Rosa Klebb, l'envoi de Bond en Turquie
une longue parenthèse au cours de laquelle apparaissent les vicaires Karim et
Krilenku, avec la défaite de ce dernier; la séduction de Tatiana, la fuite dans le
train avec la torture infligée par substitution à Kerim, la victoire sur Red Grant
le second round avec Rosa Klebb qui, au moment où elle est battue, inflige à
Bond de très graves blessures. Dans le train, et durant les derniers coups, Bond
consomme sa convalescence d'amoureux avec Tatiana, prévoyant leur séparation.

Le concept de torture subit lui aussi des variations et consiste tantôt en une
vexation directe, tantôt en une sorte de parcours de l'horreur auquel Bond est
soumis, soit par la volonté expresse du Méchant *(Dr. No)*, soit par hasard, pour
échapper au Méchant (parcours tragique dans la neige, poursuite, avalanche,
course vertigineuse à travers les petits villages suisses dans *Au Service secret
de Sa Majesté*).

À côté de la séquence des coups directs, il y a place pour de nombreux coups
indirects, qui enrichissent l'aventure de choix imprévus, sans pourtant altérer
le schéma de base. Si l'on voulait donner une représentation graphique de cette
façon de procéder, on pourrait résumer comme suit la trame d'un roman, *Diamonds Are Forever* par exemple, en représentant à gauche la séquence des coups
directs et à droite la multiplicité des coups indirects :

	Long et curieux prologue, qui introduit à la contrebande des diamants en Afrique du Sud.
(A) « M » envoie Bond en Amérique sous les traits d'un faux contrebandier. (B) Les Méchants (les Spang) apparaissent indirectement dans la description qui en est faite à Bond. (D) La Femme (Tiffany Case) se rencontre avec Bond en qualité d'intermédiaire.	
	Minutieux voyage en avion : à l'arrière-plan deux substituts du Méchant. *Situation de jeu*, duel imperceptible gibier-chasseurs.
(B) Première apparition en avion du substitut du Méchant, Winter (groupe sanguin F).	
(B) Rencontre avec Jack Spang.	
	Rencontre avec Felix Leiter qui renseigne Bond sur les Spang.
(E) Bond commence à séduire Tiffany.	
	Long intermède à Saratoga, aux courses. En aidant Leiter, Bond nuit en fait aux Spang.
C) Bond inflige un premier échec au Méchant.	
	Apparition des substituts du Méchant dans la salle de bains de boue et punition du jockey traître, anticipation symbolique de la torture de Bond. Tout l'épisode de

Saratoga constitue une minutieuse *situation de jeu*.
Bond décide d'aller à Las Vegas. Description des lieux.

B) Apparition de Seraffimo Spang.

Autre longue minutieuse *situation de jeu*. Partie avec Tiffany comme croupier. Jeu à la table, escrime amoureuse indirecte avec la femme, jeu indirect avec Seraffimo. Bond gagne de l'argent.

C) Bond inflige un nouvel échec au Méchant.

Le soir suivant, longue fusillade entre automobiles. Association Born-Ernie Cureo.

F) Spang capture Bond.

Longue description de Spectreville et du train-joujou de Spang.

G) Spang fait torturer Bond.

Bond aidé de Tiffany commence une fuite fantastique sur le petit wagon à travers le désert, poursuivi par la locomotive joujou conduite par Seraffimo. *Situation de jeu*.

H) Bond bat Seraffimo qui s'écrase avec sa locomotive contre la montagne.

Repos avec l'ami Leiter, départ par bateau, longue convalescence amoureuse avec Tiffany, au milieu d'échanges de télégrammes chiffrés.

E) Bond possède enfin Tiffany.
B) Le substitut du Méchant, Winter, réapparaît.

Situation de jeu sur le bateau. Partie mortelle jouée par déplacements infinitésimaux entre les deux tueurs et Bond. La situation de jeu est symbolisée par les enchères sur le temps de parcours du bateau.
Les tueurs capturent Tiffany. Action acrobatique de Bond pour atteindre la cabine de la jeune fille et tuer les tueurs.

H) Bond bat définitivement les substituts du Méchant.

Méditation sur la mort en face des deux cadavres. Retour à la maison.

I) Bond sait qu'il pourra jouir du repos mérité avec Tiffany. Toutefois...

...déviation de l'affaire en Afrique du Sud où Bond détruit le dernier maillon de la chaîne.

H) Bond bat pour la troisième fois le Méchant en la personne de Jack Spang.

Il serait possible de tracer un schéma de ce genre pour chacun des dix romans. Les inventions collatérales sont très riches et constituent la chair du squelette narratif propre à chacun; elles constituent sans aucun doute un des principaux charmes de l'œuvre de Fleming, mais ne prouvent pas, sinon en apparence, sa faculté d'invention. En effet il est facile de ramener ces inventions collatérales à des sources littéraire précises; elles agissent donc comme un rappel familier de situations acceptables pour le lecteur. La trame véritable demeure immuable et le « suspense » s'établit de façon curieuse sur une suite d'événements entièrement escomptés. Résumons-nous : la trame de *chaque* livre de Fleming est grosso-modo la suivante : Bond est envoyé dans un endroit donné pour éventer un plan de type science-fiction, ourdi par un individu monstrueux d'origine incertaine, en tout cas pas Anglais, qui, utilisant une activité propre soit comme producteur soit comme chef d'une organisation, non seulement gagne énormément d'argent, mais fait le jeu des ennemis de l'Occident. En allant affronter cet être monstrueux, Bond rencontre une femme dominée par lui et la libère de son passé en établissant avec elle un rapport érotique, interrompu par la capture de Bond par le Méchant et par la torture qui lui est infligée. Mais Bond défait le Méchant qui meurt de façon horrible, puis il se repose de ses dures fatigues entre les bras de la femme, qu'il est toutefois destiné à perdre.

C'est à se demander comment cette mécanique rigide est compatible avec une recherche de sensations et de surprises imprévisibles. En réalité, ce qui caractérise le roman policier, fût-il enquête ou action, ce n'est pas tant la variation des faits que le retour d'un schéma habituel dans lequel le lecteur pourra reconnaître quelque chose de déjà vu et qui lui a plu. Sous l'apparence d'une machine produisant de l'information le roman policier est, au contraire, une machine produisant de la redondance; feignant d'émouvoir le lecteur, elle l'enfonce dans une sorte de paresse d'imagination et elle fournit l'évasion en contant non ce qui est ignoré, mais du déjà connu. Tandis que, toutefois, dans le roman policier d'avant Fleming, le schéma immuable est constitué par la personnalité du policier et de son entourage, par sa méthode de travail et par ses tics, tandis que c'est à l'intérieur de ce schéma que se déroulent des événements toujours imprévisibles (et le plus imprévisible sera la personne même du coupable), dans le roman de Fleming le schéma rassemble la même chaîne d'événements et les mêmes caractères de personnages secondaires. Ce qu'avant tout l'on connaît dès le début chez Fleming, c'est précisément le coupable avec ses caractéristiques et ses plans. Le plaisir du lecteur consiste à se trouver plongé dans un jeu dont il connaît les pièces et les règles, et même l'issue à part des variations minimes [1].

On pourrait comparer un roman de Fleming à une partie de football, dont on connaît au début l'ambiance, le nombre et la personnalité des joueurs, les règles du jeu, le fait qu'en tout cas il se jouera sur un terrain gazonné. La seule différence est que, dans une partie de football on ignore jusqu'à la fin l'information dernière : qui sera le gagnant? Il serait plus exact de le comparer à une partie de basket-ball jouée par les Harlem Globe Trotters contre une petite équipe de province. On sait de façon certaine et en vertu de quelles règles les Harlem Globe Trotters l'emporteront; le plaisir consistera alors à voir avec quelles trouvailles et quelle virtuosité ils atteindront le moment final, avec quelles jongleries ils tromperont l'adversaire. Dans les romans de Fleming, on célèbre donc de façon exemplaire cet élément de jeu escompté et de redondance absolue qui caractérise les instru-

---

1. Sur cette caractéristique « itérative » de la narration populaire, cf. les études de mes *Apocalittici e Integrati*, Milan, Bompiani, 1964.

nents d'évasion fonctionnant dans le domaine des communications de masse. Parfaits dans leur mécanisme, ces engins sont représentatifs des structures narratives qui travaillent sur des contenus évidents et qui n'aspirent pas à des déclarations idéologiques particulières. Il est vrai, toutefois, que ces structures signalent au passage, inévitablement, des positions idéologiques et que ces positions idéologiques ne dérivent pas tant des contenus structurés que de la façon de structurer les contenus dans la narration.

5. Une idéologie manichéenne.

Les romans de Fleming ont été diversement accusés de maccarthysme, de fascisme, de culte de l'exceptionnel et de la violence, de racisme et ainsi de suite. Il est difficile, après l'analyse que nous avons menée, de nier que Fleming incline à penser que l'homme anglo-saxon est supérieur aux races orientales ou méditerranéennes, ou qu'il professe un anticommunisme viscéral . Il est toutefois remarquable qu'il cesse d'identifier le mal avec la Russie dès que la situation internationale permet de moins la craindre *selon la conscience du commun ;* il est remarquable que, présentant le gang noir de Mister Big, Fleming s'attarde à reconnaître les nouvelles races africaines et leur contribution à la civilisation contemporaine (le gangstérisme noir représenterait une preuve de la perfection atteinte dans tous les domaines par les peuples de couleur); remarquable que le soupçon d'avoir du sang juif, avancé à l'égard de certains personnages, soit tempéré par une nuance de doute. Qu'il réprouve ou qu'il absolve les races inférieures, Fleming ne dépasse jamais le racisme larvé de l'homme du commun, ce qui nous fait soupçonner que notre auteur ne caractérise pas ses personnages de telle ou telle façon par suite d'une décision idéologique mais par pure exigence rhétorique.

Rhétorique s'entend ici dans le sens originaire que lui a donné Aristote : un art de persuader qui doit s'appuyer, pour fonder des raisonnements croyables, sur les *endoxa,* c'est-à-dire sur les choses que pense la majorité des gens.

Fleming entend, avec le cynisme du gentleman désenchanté, construire une machine narrative qui fonctionne. Pour ce faire il décide d'avoir recours aux attraits les plus universels et les plus sûrs et met en jeu des *éléments archétypiques* qui sont ceux qui ont fait leur preuve dans les fables traditionnelles. Revoyons un moment les couples de caractères qui entrent en opposition : « M .» est le Roi et Bond le Chevalier investi d'une mission ; Bond est le Chevalier et le Méchant est le Dragon ; la Femme et le Méchant sont entre eux comme la Belle et la Bête; Bond, qui ramène la Femme à la plénitude de son esprit et de ses sens, est le prince qui réveille la Belle endormie. Entre le Monde libre et l'Union Soviétique, entre l'Angleterre et les pays non anglo-saxons se pose à nouveau le rapport mythique primitif entre Race élue et Race inférieure, entre Blanc et Noir, entre Bien et Mal.

Fleming est raciste comme l'est tout illustrateur qui, voulant représenter le diable, lui fait les yeux bridés, comme l'est la nourrice qui, voulant évoquer le croquemitaine, suggère que c'est un nègre.

Il est singulier que Fleming soit anticommuniste avec la même indifférence qu'il est antinazi et anti-allemand. Ce n'est pas qu'il soit réactionnaire dans un cas et démocrate dans l'autre. Il est simplement manichéen pour des raisons de commodité.

Fleming cherche des oppositions élémentaires; pour donner un visage aux forces primitives et universelles, il a recours à des clichés. Pour identifier les clichés, il s'en rapporte à l'opinion commune. En période de tension internationale le méchant communiste devient un cliché, comme en est un, désormais historiquement acquis, le criminel nazi impuni. Fleming les emploie l'un et l'autre avec la plus grande indifférence.

Tout au plus tempère-t-il son choix par l'ironie, mais cette ironie est complètement masquée et ne se révèle que par une exagération poussée jusqu'à l'absurde. Dans *Bons baisers de Russie*, ses Soviétiques sont si montrueusement, si incroyablement méchants qu'il ne paraît pas possible de les prendre au sérieux. Et cependant Fleming fait précéder le livre d'une brève préface dans laquelle il explique que toutes les atrocités qu'il rapporte sont absolument vraies. Il a choisi le moyen de la fable et la fable veut être consommée comme vraisemblable, sous peine de devenir apologue satirique. On dirait presque que l'auteur écrit ses livres pour une double lecture et qu'il les destine aussi bien à ceux qui les prendront pour de l'or en barre qu'à ceux qui sauront en sourire. Mais il faut, pour qu'ils puissent jouer ce double rôle, que le ton soit authentique, ingénu, digne de foi, d'une clarté truculente. Un homme qui fait un tel choix n'est ni fasciste ni raciste; c'est seulement un cynique, un ingénieur en romans pour consommation de masse.

Fleming n'est pas réactionnaire par le fait qu'il remplit la case « mal » de son schéma avec un Russe ou un Juif; il est réactionnaire parce qu'il procède par schémas. La construction par schémas, la bipartition manichéenne est toujours dogmatique, intolérante. Le démocrate est celui qui refuse les schémas et qui reconnaît les nuances, les distinctions et justifie les contradictions. Fleming est réactionnaire comme l'est à sa source la fable, toute fable. C'est l'esprit conservateur ancestral, dogmatique et statique, des fables et des mythes, qui transmettent une sagesse élémentaire, construite et transmise par un simple jeu de lumières et d'ombres, et la transmettent par des images indiscutables ne permettant pas la critique. Si Fleming est fasciste, il l'est parce que c'est le propre du fascisme que d'être incapable de passer de la mythologie à la raison, que de tendre à gouverner en se servant de mythes et de fétiches.

Les noms même des protagonistes participent de cette nature mythologique: par une image ou un calembour, ils révèlent de façon immuable le caractère du personnage, dès le début, sans possibilités de changements ou de conversion (impossible de s'appeler *Blanche Neige* si l'on n'est pas blanche comme la neige de visage comme de cœur). Le méchant vit-il du jeu? Il s'appellera *Le Chiffre*. Est-il au service des Rouges? Il s'appellera *Red*, et *Grant* s'il travaille pour de l'argent et est dûment subventionné. Un Coréen, tueur de sa profession, mais utilisant des moyens inaccoutumés s'appellera *Oddjob* (« travail extravagant »), un obsédé de l'or *Auric Goldfinger*. Sans insister sur le symbolisme du nom d'un Méchant qui s'appelle *No*, le visage taillé par la moitié d'*Hugo Drax* sera évoqué par le caractère incisif de l'onomatopée de son nom de famille. Belle et transparente, télépathe, *Solitaire* évoquera le froid du diamant; chic et s'intéressant aux diamants, *Tiffany* rappellera le grand joaillier new-yorkais et la « beauty case » des mannequins de coutures. L'ingénuité se fait évidente dans le nom même d'*Honeychile*, l'impudeur sensuelle dans celui de *Pussy* (référence anatomique en slang) *Galore* (autre terme slang qui veut dire « bien centré »). Pion d'un jeu ténébreux, voici *Domino*; tendre amante japonaise, quintessence d'Orient, voici *Kissy Suzuki* (la référence au nom de famille du vulgarisateur le plus populaire la spiritualité Zen est-elle l'effet du hasard?) Inutile de parler de femmes d'un moindre intérêt comme *Mary Goodnight* ou *Miss Trueblood*. Et si le nom de Bond a été choisi, comme l'affirme Fleming, presque par hasard, pour donner au personnage une apparence très commune, ce sera alors par hasard, mais à bon droit, que ce modèle de style et de succès évoque tant la raffinée Bond Street que les Bons du Trésor.

On saisit clairement à ce point comment les romans de Fleming ont pu obtenir un succès aussi répandu : ils mettent en mouvement un réseau d'associations élémentaires, ils appellent à une dynamique originelle et profonde. Ils plaisent au lecteur sophistiqué qui y retrouve, avec une pointe de complaisance esthétique, la pureté de l'épopée primitive traduite sans pudeur et avec malice en termes d'actualité et il applaudit en Fleming l'homme cultivé. Il le reconnaît comme un des siens : le plus habile et le plus dépourvu de préjugés.

UMBERTO ECO
Université de Turin.

Jules Gritti

Un récit de presse :
les derniers jours d'un « grand homme »

Le « corpus » auquel vont puiser les réflexions qui suivent est constitué par les articles relatant l'agonie et la mort de S. S. Jean XXIII en sept quotidiens de Paris : *France-Soir, le Parisien libéré, le Figaro, l'Aurore, le Monde, l'Humanité, la Croix,* — en quatre hebdomadaires : *Paris-Match, France-Dimanche, Ici-Paris le Pèlerin* [1]. Il va de soi qu'une analyse de contenu portant sur le récit des derniers jours de Jean XXIII et sur l'évocation rétroactive de sa vie et de son rôle, déborde le champ délimité par le présent article. Nous renvoyons à des études ultérieures tout ce qui concerne la « Figure » du pape disparu, c'est-à-dire le système d'attributions; ou encore le registre religieux, voire hagiographique, registre second établissant une sorte d'« itinéraire » spirituel : pareil registre met à jour le difficile problème du « sacré » et du profane dans l'écriture de presse. De réduction en réduction, nous atteignons au niveau de la seule transitivité : le récit d'une maladie présumée mortelle. La contrepartie de la réduction, est la possible généralisation de quelques hypothèses et de quelques résultats acquis. Aussi bien c'est moins le récit particulier concernant Jean XXIII qui nous occupe ici, qu'un substrat narratif valable pour un personnage reconnu et proclamé « grand homme » — d'où notre titre — à l'intérieur d'un univers de vrai-semblance ou d'opinion publique probable (et présumée telle par la presse). Après avoir prévenu quelques déceptions, allons au devant d'une surprise : le « reporter » expédiant au jour le jour ses articles à son bureau de rédaction, se reconnaîtra-t-il dans une analyse de ressorts dramatiques, de séquences, de fonctions actives et expressives, etc. ? Autant demander à l'homme de la rue parlant le « néo-français » de se retrouver dans la grammaire que l'on pourrait dresser de cet idiome !

Sitôt que l'éventualité de la mort de... (Jean XXIII) est sérieusement envisagée le récit journalistique s'instaure. Il cessera avec la mort elle-même pour faire place aux récits suivants : funérailles, élections au Conclave, affaire Profumo ! De prime abord, la diégèse d'un conte, d'une œuvre dramatique, d'un film... semble différer de celle d'un récit de journal : la première émane d'une création fabulatrice, la seconde est commandée au jour le jour par l'événement; dans la première, « le suspense » est manipulé, dans la seconde il paraît entièrement donné. L'événement s'opposerait à la structure comme la nature à l'« artefact », l'accidentel au

1. Quatre autres hebdomadaires évoquent la figure du pape disparu, sans raconter son agonie : *la Vie catholique illustrée, le Canard enchaîné, l'Express, Carrefour.*

catégoriel. Et pourtant « que l'action soit vécue ou représentée, elle est susceptible des mêmes appréciations, elle tombe sous les mêmes catégories [1] ». Dès lors que l'événement est rapporté, le vécu se transmue en représenté, le donné événementiel est appréhendé selon les « catégories » du récit. Imaginons un instant que la dernière maladie se soit réduite à un long coma [2]; un minimum de modulation temporelle avec signes d'aggravation ou d'amélioration, une distribution des fonctions actives ou expressives autour du mourant, *auraient* néanmoins paru nécessaires. Dans le cas de Jean XXIII un seul journal, *le Monde*, s'est efforcé d'évacuer toute reconstruction narrative et de procurer un reportage dénoté, soulignant au besoin son projet d'objectivité; il n'en a pas moins été contraint d'enregistrer la narrativité commune [3] et de procéder à l'ablation d'éléments qui auraient perturbé son projet [4]. Atténuations et réductions qui rendent tribut à la règle générale, à la diégèse communément instaurée.

Un axe récitatif est amorcé, quelle est son orientation? Étienne Souriau, à partir d'une sorte d'axiologie esthétique [5] et Greimas systématisant sur la base d'un postulat freudien, le principe de Plaisir [6] structurent tout « récit-quête », sinon tout récit, selon l'axe du désir : « la force vectorielle » (sujet) est orientée vers « le Bien » ou « la valeur » (objet) dit Souriau; Greimas reprend : le Sujet
$$\text{Sujet} \xrightarrow{\text{Désir}} \text{Objet}$$
désire l'Objet, Sujet ⟶ Objet. Selon cet axe, un récit de maladie mortelle pourrait être celui d'une lutte contre la mort, celui du désir de guérison : Sujet
$$\text{Sujet} \xrightarrow{\text{Désir}} \text{Guérison}$$
⟶ Guérison. Mais diverses modifications peuvent intervenir. Postulat pour postulat, nous pouvons récupérer des « racontants » selon une structure fondée sur
le principe de Réalité, l'acceptation de la Nécessité : Sujet
$$\text{Sujet} \xrightarrow{\text{Acceptation}} \text{Nécessité} = \text{Mort.}$$

Ou encore, dans la mesure où le schème judéo-chrétien introduit des racontants spécifiques, la Nécessité peut se transmuer en « Providence », la mort devenir objet intermédiaire en vue de l'Objet final (« Vie éternelle ») et le désir se transfigurer.

$$\text{Sujet} \xrightarrow{\text{Acceptation}} \text{Nécessité} = \text{Mort} \quad\longrightarrow\quad \text{Vie éternelle}$$
$$\text{Désir}$$

1. HENRI GOUHIER, *Théâtre et Existence*, Aubier, 1952, p. 13.
2. Exercice à peine gratuit dans le cas des récits de presse rapportant l'agonie de Churchill.
3. Le 28 mai 1963, le journal s'interdit à l'avance toute alternative, tout « suspense », en déclarant la maladie, « incurable ». Mais le 31 mai il débat avec les nouvelles d'amélioration et instaure un minimum de modulation temporelle : « L'état de santé de Jean XXIII reste grave malgré l'amélioration enregistrée depuis deux jours » (une, titre)... » Il ne semble donc plus invraisemblable que l'échéance fatale ne se produise avant plusieurs semaines » (p. 20).
4. Le malade passe rapidement des « illusions », à la « lucidité » sur son état. De ce fait il ne proférera qu'une partie des paroles rapportées par l'ensemble de la presse, celles de résignation à la mort (et non celles de l'attente de la guérison).
5. *Les 200 000 situations dramatiques*, Flammarion, 1950.
6. *Cours de sémantique*, Institut Poincaré, Centre de linguistique quantitative, avril 1964, chapitre VI : « l'analyse actantielle » (ronéoté).

Les personnages exerçant leurs fonctions actives ou expressions autour du Sujet peuvent différer de lui quant à l'objet du désir ou de l'acceptation : la Foule peut désirer la guérison, tandis que le sujet mourant accepte la mort (et désire « la Vie éternelle »). Le narrateur lui-même (journaliste), tout en traçant les orientations des uns et des autres peut signifier la sienne propre. En fait les récits de mort, dans la presse, attestent que la position du narrateur est ambivalente. Le récit s'amorce parce que la mort est probable, entrevue et préparée comme conclusion normale; mais aussitôt le narrateur tend à professer le désir (et l'espoir) d'une improbable guérison, à conduire son récit selon cet axe du désir. La mort est escomptée, la guérison « désirée ». Dès lors le récit est comme menacé par une double déception : d'une part la mort lui échappe, elle devient information pure, hors-récit; — d'autre part la guérison serait un arrêt pur et simple, non une conclusion [1]. Le récit amorcé tend vers une conclusion, la mort, que le narrateur dit redouter et s'avère passible d'un arrêt, la guérison, que le narrateur dit espérer

Pour discerner des structures à l'intérieur de cet enchevêtrement d'axes, nous devrons établir divers niveaux d'analyse : celui de la transitivité « naturelle » et des fonctions actives et expressives qui s'y exercent — (celui d'un itinéraire spirituel » à connotation hagiographique qui vaut dans le cas de Jean XXIII mais dont nous réservons une étude plus approfondie) — celui du narrateur aux prises avec les sources d'Information, dont nous parlerons brièvement. L'ambivalence entrevue chez le narrateur nous contraint à nous appuyer fortement sur la transiti vité de base. La perspective de la mort-conclusion et le désir de guérison (avec menace d'arrêt du récit), l'incertitude quant à l'heure du dénouement, vont déterminer une paradigmatique de part et d'autre de l'axe de transitivité l'alternative entre les signes d'Affaiblissement et de Rétablissement.

Dans la plupart des journaux étudiés, cette alternative prend une double figure structurale : la *disjonction* qui oppose deux termes, suspend la conclusion et la fait dépendre du terme victorieux, — le *dilemme* (au sens aristotélicien qui oppose deux termes tandis que la conclusion reste la même quel que soit le terme retenu.

1. Exemple de disjonction :   signes de maladie incurable ↔ signes de guérison possible.

2 et 3. Exemples de dilemme : maladie X ou maladie Y → toutes deux incurables.

dans quelques heures ou dans quelques semaine → mort certaine.

Le « suspense » comporte tantôt une structure paradigmatique, la disjonction (exemple 1 : guérira? guérira pas?), — tantôt la projection du paradigme sur l'axe temporel ou syntagmatique (exemple 3 : bientôt? ou plus tard?)

Le choix des ressorts narratifs commande la délimitation des séquences de récit. Chaque journal joue de ces ressorts et détermine les séquences conformément à sa propre écriture narrative, mais tous les journaux (quotidiens et hebdo

---

1. Cette hypothèse n'a rien de gratuit ou de paradoxal. Lors des séquences « d'amélioration » le récit s'amenuise au lieu de s'intensifier, les fonctions actives et expressives connaissent une notable réduction.

madaires) obéissent à un schème narratif commun, à une sorte de ternaire fondamental :

1. Dilemme	Maladie incurable
2. Disjonction	Amélioration possible
3. Dilemme	Aggravation irrémédiable.

Le Monde confirme à sa manière la règle commune puisqu'il enregistre l'Amélioration et le « renversement » qui conduit à l'Agonie. Les plus précieux témoins
de cette rythmique ternaire sont *France-Soir* et *le Parisien libéré*. *France-Soir*,
qui débute par le dilemme à conclusion fatale, paraît devoir figer le récit; mais
il introduit une seconde séquence d'Amélioration fortement marquée. *Le Parisien
libéré* qui éprouve quelque hésitation à introduire la séquence d'Amélioration
(« Accalmie », « Amélioration provisoire ») se rachète in extremis en racontant un
Rétablissement soudain, en le connotant même de miraculeux.

Nous entrevoyons déjà que la segmentation des séquences révèle l'écriture
narrative de chaque journal. *Le Parisien libéré*, plus hésitant, *le Figaro*, plus
ondoyant, manifestent un rythme détendu, étalent leur récit sur quelques six
séquences : maladie mystérieuse → maladie incurable → accalmie → amélioration provisoire → aggravation → agonie. *L'Aurore* et *France-Soir* précipitent
le rythme et comportent quatre séquences, du reste fort différentes d'un journal à
l'autre. *France-Soir* : Maladie incurable → Amélioration → Aggravation →
Agonie. *Aurore* : Maladie mystérieuse → Maladie incurable → Amélioration →
Agonie. Ce dernier journal « lance » très tôt l'Agonie et atteste sa gêne à la voir
se prolonger : « l'atroce agonie du pape se prolonge » (3 juin, une). Entre les deux
groupes se place *la Croix*. Position de juste milieu avec les cinq séquences : Maladie
mystérieuse → Maladie incurable → Amélioration → Aggravation → Agonie. Ce
pourrait être le récit épure [1].

La distribution des fonctions, de part et d'autre de l'axe de transitivité suscite
de multiples difficultés dont voici quelques unes. Le paradigme, Adjuvant/Oppo-
sant, proposé par Greimas en vertu du postulat de désir (guérison) est-il valable
pour tout récit de mort? Dans le cas de la mort d'un « grand homme », les personnages opposants disparaissent ou rentrent dans l'ombre. S'ils réapparaissent ce
peut être en un procès marginal : opposition au personnel familier du malade et
non au sujet *(France-Soir, Paris-Match* : opposition à Mgr Capovilla) — opposition à l'œuvre passée plutôt qu'à la personne *(l'Aurore)*. Ce peut être du latent
qui affleure par voie indirecte : le malade manifeste de la cordialité envers son
entourage familier et s'évanouit à l'arrivée des dignitaires officiels *(France-Soir)*.
A défaut de personnages-opposants, l'opposition peut être signifiée par des
entités telles que la Maladie, d'ou le shème de la « lutte » *(France-Soir,
Aurore, Paris-Match)*, mais l'indice peut se renverser à partir du moment où
l'axe d'acceptation (de la mort) se substitue à celui de désir (de guérison) [2].
Aussi, sans renoncer à recueillir tout procès marginal d'opposition, tout effleure-
ment du latent et toute connotation de « lutte », mieux vaut s'en tenir solidement

---

1. A signaler toutefois une certaine timidité — où précaution pédagogique, dans le
passage de la première à la seconde séquence.
2. Sans compter que « Maladie » s'opposerait à « Guérison » c'est-à-dire au terme,
l'objet, plus encore qu'au sujet.

à l'axe de transitivité. **Tout d'abord celui-ci détermine une partition entre**
fonctions qui signifient Affaiblissement et celles qui signifient Rétablissement
C'est le cas de la fonction de *Surveillance* (les garde-nobles, « anges de la mort »
connote *France-Soir)* qui annonce la mort à venir, — et de la fonction de *Colla*
boration vestige de la santé antérieure (ou recouvrable). Mais le plus souvent l'axe
de transitivité traverse les mêmes fonctions qui peuvent être affectées de l'indice
Affaiblissement ou Rétablissement selon la situation. Ici le registre se dédouble :
nous proposons d'appeler *fonctions actives* celles qui interviennent directement
sur le processus de la maladie et contribuent à en déterminer les phases (traite
ments médicaux, venue des membres de la famille etc.), — *fonctions expressives*
celles qui « résonnent » (à temps ou à contretemps, selon les cas) aux diverse
phases de la maladie (réactions du sujet, de l'entourage, de la Foule[1]. Surgi
une nouvelle difficulté : nous pouvons répartir les fonctions expressives selon le
contenu exprimé, Inquiétude ou Espoir, mais nous sommes réduits pour l'instan
à regrouper les fonctions actives dans le genre global *d'Assistance* et à les partage
en « espèces » ou catégories sociologiques : assistance médicale, ecclésiale, domes
tique, familiale. L'hétérogénéité des bases de partition saute aux yeux; un travail
plus poussé de systématisation devrait parvenir à la réduire.

Dans l'immédiat, cette partition des fonctions actives et expressives des deux
côtés de l'axe de transitivité et cette distribution des diverses « espèces » sociolo
giques du genre Assistance, nous permettent d'analyser convergences et particu
larités dans les écritures narratives. Convergences autour de l'Assistance médical
et familiale : visite différée ou traitements inefficaces (dirait La Palisse), présence
silencieuse, signifient Affaiblissement; dans une perspective « diachronique »
tandis que l'assistance médicale s'inscrit dans le courant même de la maladie
l'assistance familiale peut intervenir à contre-courant, signifier Rétablissement pa
les entretiens, au moment où la situation paraît désespérée. (Divergences dans
la position signifiante de l'Assistance ecclésiale tant privée qu'officielle... mais
ici nous entrons dans la substance d'un récit particulier celui de la mort d'un
souverain pontife). Divergences dans les rapports entre fonctions actives et
fonctions expressives : tandis que dans la plupart des journaux fonctions active
et fonctions expressives font redondance à l'intérieur de la même « espèce » (le
médecins disent leur espoir en même temps qu'ils procurent traitements efficaces,
dans *l'Aurore* une distorsion se produit : les médecins affichent l'espoir malgr
l'inefficacité des traitements etc. *France-soir, France-Dimanche, Paris-Matc*
donnent le primat à l'Inquiétude, à un lamento continu de la Foule, *le Parisie*
libéré fait alterner Espoir et Inquiétude, faisant donner de l'Espoir collectif a
moment même de la mort. Les fonctions expressives de la Foule donnent lie
aux connotations les plus variées, révélatrices d'une sorte de « sociologie affec
tive »[2] de chaque journal : Foule anarchique et infantile de *l'Aurore* Foul
disciplinée de *la Croix* et du *Figaro*, Foule pathétique de *France-Soir*, Foul
bariolée exotique et dramaturgique du *Monde* etc. (L'expressivité personnelle d
sujet mourant, Jean XXIII qui met en jeu tout le registre des recours à la Grât

---

1. La Foule et le sujet malade exercent uniquement les fonctions expressives tand
que toutes les catégories d'Assistance exercent tour à tour fonctions actives et expressive
2. En outre une analyse plus directement sociologique présenterait un intér
certain : qui compose la Foule dans tel ou tel journal?

fication divine et s'inscrit dans un Itinéraire « spirituel » distinct de la transitivité « naturelle », fera l'objet d'études particulières plus approfondies.)

Pour illustrer les précédentes analyses, voici le schéma que l'on peut dresser à partir du récit de *France-soir*. Rappelons, entre autres particularités, que la Foule, dans sa fonction expressive (ou chorale) n'y exprime jamais l'Espoir, à la différence de la plupart des autres journaux.

Le récit de presse — notamment pour les quotidiens — se caractérise enfin par une sorte de jeu méta-narratif, celui des rapports entre narrateur et sources d'information. Ce jeu relève à la fois de deux fonctions assignées au langage par Roman Jakobson : la fonction méta-linguistique ou déchiffrement des informations, la fonction référentielle ou recours au contexte, à la « réalité ». Dans le cas d'un récit de mort, le contexte est caché, protégé. La source d'information, à la fois détient le code à déchiffrer et médiatise le contexte. Le rôle du narrateur va donc plus spécialement se manifester par la position qu'il s'octroie vis-à-vis de la source d'information.

Dans la plupart des quotidiens — sauf *l'Humanité* qui s'aligne sur les informations officielles (vaticanes) — une opposition s'avère constante dans les premières séquences du récit : celle entre Informateurs officiels (« sources autorisées », Radio-Vatican, etc.) et Informateurs officieux (rumeurs, déclarations privées, etc.). Tandis que les Informateurs officiels donnent des informations sybillines, tendant à accentuer les signes de Rétablissement et atténuer ceux d'Affaiblissement, les Informateurs officieux tendent, par une formulation explicite mais excessive à l'accentuation des signes d'Affaiblissement. *La Croix* explicite cette opposition en termes de complémentarité et répartit les tâches, sinon les lieux, entre officiels et officieux.

Deux journaux tentent d'introduire une espèce mixte, des Informateurs mi-officiels — mi-officieux. Pour *l'Aurore*, ce sont les membres de la famille, pour *le Monde* ce sont les « diplomates ». Tandis que la famille, semblable aux Informateurs officiels tend à accentuer les signes de Rétablissement et atténuer ceux d'Affaiblissement, « les diplomates » du *Monde* proposent une formulation adéquate.

Au fur et à mesure que le récit progresse, le narrateur tend à dissocier davantage officiels et officieux, mais recherche une sorte de statut d'analogie avec les informateurs officiels. *Le Figaro* dénonce les indiscrétions et formulations excessives des officieux, met en avant la Police exercée par les officiels et valorise la police interne de son propre récit. *Le Monde* dénonce la rhétorique indiscrète d'informateurs officieux (qui osent manipuler le « suspense ») et décrit la juste position du narrateur, situé dans le Bureau de Presse, à mi-chemin entre sources officielles et rumeurs incontrôlées. *La Croix* qui réprouve les formulations excessives, erronées, des Informateurs officieux opère une réconciliation finale en exhaussant les rôles des officiels et des officieux, les premiers introduits dans l'intimité du chevet, les seconds (journalistes) remerciés par la Secrétairerie d'État. *France-Soir* et surtout *France-Dimanche* finissent par créer une totale homologie entre le narrateur et les intimes du chevet; les relais officiels disparaissent; leur récit assume directement la référence au contexte.

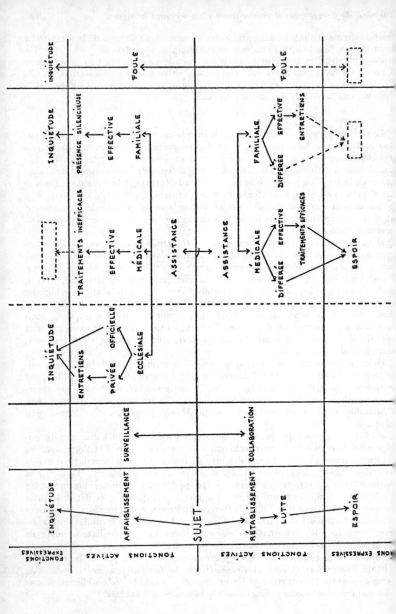

Un récit-quête comporte fréquemment et peut-être normalement, le registre de la *Gratification,* lequel surplombe celui de la transitivité. Greimas *(op. cit.)* propose le schéma suivant :

L'analyse narrative, science naissante, s'est à peine aventurée en pareil champ d'investigations. Le récit de presse devra s'y prêter. Dans le cas particulier concernant les derniers jours de Jean XXIII, le système de Gratification récupère, au moins sur le mode citationnel bon nombre d'éléments de ce qui pourrait être le schéma narratif propre à la Tradition judéo-chrétienne, et endosse des connotations hagiographiques. Autant de domaines ouverts à l'analyse narrative. Dans l'immédiat, nous pouvons émettre une double constatation : le récit de presse se déploie avant tout au niveau de la transivité « naturelle », l'histoire d'une maladie mortelle; mais il témoigne d'une étonnante capacité à « ingurgiter » rapidement les racontants culturels les plus variés.

JULES GRITTI

Violette Morin

L'histoire drôle

Dans une rubrique intitulée « la Dernière », *France-Soir* donne chaque jou
une histoire brève et drôle. Elle est parfois si brève ou si « drôle » que sa valeu
de récit pourrait être mise en question. Mais ces « histoires » sont finalement elle
aussi des récits. Comme eux, et mieux encore, elles font évoluer une situatio
vivante en fonction de rebondissements imprévus. Comme eux, et plus encore
elles donnent l'envie d'en démonter les ressorts. Nous avons relevé ces histoire
pendant 180 jours consécutifs, sans sélectionner ni évaluer le genre, l'esprit ou l
« valeur » de chacune d'entre elles. Pour confronter leur inépuisable variété d
style et de paroles nous avons dû souvent redresser leur discours; rétablir i
des ellipses destinées à les rendre plus percutantes, supprimer là des redon
dances destinées à les gonfler de « suspense »; nous avons dû remettre en place de
fonctions que leur désordre calculé rendait plus surprenantes. La linéarité d
trait d'esprit rétabli, ces récits nous ont enfin présenté certaines constances de cons
truction que nous avons essayé de classer. Ils sont comparables par le nombr
des mots puisque la plupart d'entre eux n'en contiennent que de 25 à 40. Ils son
tous réductibles à une séquence unique qui pose, argumente, et dénoue une cer
taine problématique. Cette séquence nous semble être uniformément articulé
par trois fonctions [1] que nous avons ordonnées comme suit : *une fonction (
normalisation* qui met en situation les personnages; *une fonction locutri*
d'enclanchement, avec ou sans locuteur, qui pose le problème à résoudre, ou que
tionne; enfin *une fonction interlocutrice de disjonction*, avec ou sans interlocuteu
qui dénoue « drôlement » le problème, qui répond « drôlement » à la questio
Cette dernière fonction fait bifurquer le récit du « sérieux » au « comique
et donne à la séquence narrative son existence de *récit disjoint*, d'histoi
« dernière ».

La bifurcation est possible grâce à un élément polysémique, le disjoncteu
sur lequel l'histoire enclanchée (normalisation et locution) bute et pivote po
prendre une direction nouvelle et inattendue. C'est l'existence nécessaire de
disjoncteur qui tend à faire classer indifféremment toutes ces histoires da

---

1. A. J. GREIMAS nous a ouvert la voie en soulignant les « traits formels constant
de ces « histoires » et en désignant « deux parties » : le « récit-présentation » et le « d
logue dramatisant » (in *Sémantique structurale*, Larousse, 1966, p. 70). Nous avo
seulement dédoublé la seconde partie.

les espèces de jeux de mots. En fait une dizaine de récits seulement, sur les 80 proposés, répondent à cette définition : ce sont les récits où le disjoncteur n'est qu'un mot-signifiant, un mot pris seulement dans son existence visuelle ou phonique, indépendamment des significations qu'il peut véhiculer. On obtient alors un calembour qui libère les signifiés et les significations de toute contrainte de sens. Au bout de la séquence, le récit s'aplatit à dessein dans un chaos parfait; il peut même, par cet art de la voltige à vide, n'être qu'à peine, et souvent pas du tout, un récit. *France-Soir* risque fort peu ce suicide, soit par trop de raffinement puisqu'il n'y a que les apprentis qui rient du calembour comme délire verbal pur, soit par insuffisance de raffinement puisqu'il n'y a que les blasés qui rient du calembour comme trait d'esprit au second degré, comme parodie de la parodie.

Ces histoires ne sont que rarement des jeux de mots. Elles sont plus largement des jeux de signes. Sans doute le mot « prendre » est un disjoncteur de choix, au moins dans les histoires relevées, dont le signifié (« s'approprier », « faire sien »...) est toujours présent; la polysémie de ce signe est riche, au gré de multiples contextes : « *prendre* » peut signifier « *acheter* » *dans un magasin*, « *se marier* » *à la mairie*, « *voler* » *si on est voleur*, « *boire* » *si on est dans un café*...; mais ce caractère verbal n'est pas le plus courant : le plus souvent les signes s'effacent devant des éléments référentiels du récit : geste, action, sentiment, dont les diverses significations ou la polysémie, alimentent la disjonction.

Au lieu de « *disjoncter* »[1] la signification du signe « *prendre* » *(prendre un verre / une femme)* on peut disjoncter la signification du geste désigné par les signes « prendre un verre » avec : prendre-un-verre de réconciliation / de rupture.

C'est sur la nature du disjoncteur que nous avons appuyé le premier classement. Nous avons distingué les récits à *disjonction sémantique*, lorsque le disjoncteur est un signe, des récits à *disjonction référentielle*, lorsque le disjoncteur est un élément auquel se réfèrent les signes, un Référentiel. Dans chaque série, nous avons discerné trois figures narratives comparables par leurs modes disjonctifs d'articulation :

1º une figure à articulation bloquée,

2º une figure à articulation régressive,

3º une figure à articulation progressive.

Nous exposerons ces figures dans chacune des deux classes désignées. Ce travail aura donc trois parties imposées par les trois figures d'articulation et chaque partie, deux classes : les disjonctions sémantiques et les disjonctions référentielles.

---

1. Il nous faut risquer ce néologisme, car « disjoncter » n'est pas « disjoindre » : il s'agit d'un concept analytique, issu de la notion de *disjoncteur*; de même pour *disjoncté*, *disjoncter*, employés par la suite.

I. LES FIGURES A ARTICULATION BLOQUÉE

1. *Les récits à disjonction sémantique :*
Articulation bloquée par inversion des signes.

Six récits seulement font partie de cette figure :

FONCTION DE NORMALISATION	FONCTION LOCUTRICE D'ENCLENCHEMENT	DISJONCTEUR	FONCTION INTERLOCUTRICE DE DISJONCTION
1. *Sous-entendu :* un fakir est insensible à ce qui pique.	*L'homme normal. Sous-entendu :* Mollement étendu sur un divan, il fait minou-minou à son chat.	Divan /planche à clous. Chat /hérisson	*Le Fakir :* Mollement étendu sur sa planche à clous, le fakir fait minou-minou à son hérisson
2. Le voyageur ayant manqué son train dit au chef de gare.	*Le voyageur :* Si les trains ne sont jamais à l'heure, à quoi servent les indicateurs.	Indicateur /salle d'attente.	*Le chef de gare :* Si les trains étaient toujours à l'heure, à quoi serviraient les salles d'attente.
3. Un garçonnet rencontre un ami de sa famille.	*L'ami :* Tu seras beau comme ta maman et intelligent comme ton papa	Beau /idiot Intelligent /laid. Papa /maman.	*Le garçonnet :* X m'a dit : « Tu seras idiot comme ta maman et laid comme ton papa. »
4. Un mari conseille à sa femme de faire du tricot.	*La femme :* « Je n'ai pas le temps de tricoter, je fais trop de cuisine.	Cuisine /tricot.	*Le mari :* « Oui, mais le tricot, lui, ne brûle pas. Sous-entendu : Je préfère que tu fasses trop de tricot et que tu n'aies pas le temps de cuisiner.
5. Une femme voudrait que son mari la laisse partir à la mer.	*La femme :* Devant la mer, je penserai à toi.	Mer /moi	*Le mari ;* Je préfère que, devant moi, tu penses à la mer.
6. Un mouton rencontre un autre mouton et lui trouve l'air fatigué.	Sous-entendu : Un berger compte ses moutons avant de s'endormir.	Mouton /berger.	*Le mouton :* C'est que j'ai compté 14 bergers avant de m'endormir.

Ce système de disjonction donne des récits où l'interlocution s'oppose à la locution sur certains signes en prétendant respecter la signification de tous les signes. La prétention est formellement justifiée dans la mesure où le double système d'opposition, qui articule le passage d'une fonction à l'autre, équivaut formellement à une répétition. L'interlocution prend des termes de la locution dans un sens opposé, puis elle neutralise le contresens de la signification obtenue, par une nouvelle opposition de sens contraire ou par une permutation de secours. Ce renversement symétrique donne l'illusion d'une sorte d'équivalence mathématique, ou de rassurante tautologie : si $3 = 3$ lorsque $3 — 3 = 0$, pourquoi « être beau » n'égalerait-il pas « ne pas être laid » si « beau » est le contraire de « laid ». C'est au cœur de cette ambivalence naturelle que se joue la disjonction du récit. L'ambivalence peut être renforcée : on multiplie à volonté les erreurs d'équivalences en n'utilisant pas des couples d'antonymes vrais mais des couples d'oppositions relatives. La « relativité » est l'objet d'un choix qui fait toute la qualité du contenu narratif. L'opposition relative n'est pas l'opposition de n'importe quoi. Elle est raccrochée à une catégorie sémique qui scelle l'homogénéité du récit. Si la relativité des oppositions est nécessaire pour que l'interlocution ne soit pas (comme en mathématique) platement « vraie » ou « fausse » face à la locution, la catégorie sémique ne l'est pas moins pour garantir l'homogénéité des termes opposés, et sauver la disjonction de l'incohérence.

On remarque que la fonction de normalisation articule également et indépendamment l'un de l'autre l'enclanchement et la disjonction puisque les deux sont en opposition symétrique devant elle. Le récit devient donc bivalent. Il est disjoncté par deux récits également conséquents : le Récit normal par hypothèse, celui qui est amorcé par la fonction de normalisation et la fonction d'enclanchement; et le récit de disjonction, récit parasite par hypothèse, qui devient dans ce système aussi normal que l'autre puisqu'il est comme lui, articulé directement sur la fonction de normalisation. On a donc un récit à deux narrations parallèles, deux narrations liées dos à dos, qui ne peuvent plus ni se rapprocher, ni s'écarter. On peut concevoir le schéma de la figure ainsi [1] :

$$\text{Récit normal} \quad FN \rightarrow FE \rightarrow D \rightarrow$$
$$\downarrow$$
$$\text{Récit parasite} \quad FN \longrightarrow FD' \rightarrow$$

C'est sans doute dans ce groupe que les variantes d'articulation sont proportionnellement les plus nombreuses. Le premier et le sixième cas sont comparables par leur forme particulièrement classique de disjonction : dans le premier cas, « *divan/planche à clous* » et « *chat/hérisson* » se réfèrent à une catégorie sémique de confort et reposent sur l'antonymie « *moelleux/piquant* »; dans le deuxième cas « *mouton/berger* », la catégorie sémique de garderie recouvre la dichotomie « *homme/animal* » ou plus précisément (au choix) « *maître/esclave* ». L'un par inversion, l'autre par permutation se disjonctent dans une équivalence contrariée qui risquerait de n'être que vraie si une faille ne venait en garantir l'anormalité parasite. Dans ces cas, c'est la fonction de normalisation qui assume cette faille; c'est elle qui est anormale. Le fakir est en opposition catégorique, *moelleux/piquant*, avec le reste de la société et il suffit de développer sa normalité anormale, pour que l'équivalence contrariée devienne naturellement paradoxale. Le mouton face à son berger est en contradiction avec les normes dès l'instant où il s'explique; il suffit que cette normalité-anormale se développe pour que la disjonction prévisible (s'il parle, comme le berger, il est « normal » que les rôles puissent un jour s'inverser) fasse éclater le paradoxe (car il n'est pas finalement normal que le mouton parle).

1. F N, F E, F D = Fonctions de Normalisation, d'Enclanchement, de Disjonction; D = Disjoncteur.

Le troisième récit relève d'une combinaison plus subtile. L'opposition des antonymes *beau/laid* et *intelligent/idiot* provoquerait une inversion radicale (le garçon pourrait tout simplement « se tromper » et dire *laid comme maman* et *idiot comme papa*), si elle n'était redressée dans l'équivalence par la permutation des termes *papa/maman*. Mais à son tour cette permutation enrichit le récit d'une catégorie sémique, les parents, dans laquelle l'opposition idéalement « relative » de *papa/maman* homogénise et compromet à la fois l'équivalence obtenue : le contraire de *maman-belle* n'est pas nécessairement un *papa-laid* mais ne l'exclut pas.

Quant aux trois derniers exemples, les cas 2, 4 et 5, les termes disjoncteurs sont en opposition si relative que la disjonction éclate à tous coups, pour peu qu'on étire (par les cheveux...) leurs signifiés jusqu'à y découvrir une sémie commune. La catégorie *horaire-des-trains* peut recouvrir l'opposition *indicateur/salle d'attente*; la catégorie *activité-de-la-femme-au-foyer* peut recouvrir l'opposition *cuisine/tricot*; l'activité *éléments-du-confort-féminin* peut recouvrir l'opposition *mer/mari*. La découverte de ces oppositions catégoriques est un des multiples « plaisirs » de ce système disjonctif. Les risques courus sont dans ces trois cas l'incohérence. D'où parfois, pour renforcer la disjonction, la nécessité d'un adjuvant destiné à rendre l'opposition proposée plus antonymique : « *le tricot, lui, ne brûle pas* ». Si l'adjuvant n'était pas là, l'option du mari pour le tricot sur la cuisine, ne serait, au propre et au figuré, que singulière.

Les récits de ce système sont donc des doubles récits : un récit conventionnellement dit normal vient buter sur un récit conventionnellement dit parasite, chacun se retrouvant également affermi et détruit par l'autre. Le contenu [1] de ces récits semble avoir des traits conformes au système de disjonction qui les articule. L'absence d'affrontement, puisqu'il y a à la fois opposition et équivalence, entre la locution et l'interlocution, rend la problématique nulle (cas du fakir face à l'homme normal) ou annulée (on ne saura jamais ce que pense le mari de sa femme, le chef de gare du voyageur, le mouton du berger, et inversement). Il n'y a ni question ni réponse entre le locuteur et l'interlocuteur. Une sorte de surdité mentale les rend aussi conciliants qu'irréconciliables. Chacun, piégé par le discours de l'autre, se retrouve bloqué indéfiniment devant lui.

Cette opposition dans l'équivalence impose aux personnages du récit une intimité de rapports et de ruses comparables à ceux d'un couple. De même que la contre-pèterie ne se justifie que par la découverte d'une situation pornographique, de même cette figure ne se disjoncte efficacement que par la mise en place d'une tragédie couplée en parallèle : « *Ni sans toi, ni avec toi.* » Une certaine ruse immobilise l'agression et la rend à la fois incisive et impuissante; il n'y a pas de pire humiliation que d'être contredit dans l'approbation (système approprié aux enfants et aux fous) et il n'y a pas de pire impuissance que d'être partagé entre un vrai-faux et un faux-vrai.

2. *Les récits à disjonction référentielle :*
Articulation bloquée par polysémies antinomiques.

Nous rapportons quelques exemples, pris parmi les 26 récits conformes à cette disjonction.

---

1. Que nous ne nous proposons pas d'étudier ici, mais d'encadrer lui aussi dans une certaine « forme ».

FONCTION DE NORMALISATION	FONCTION LOCUTRICE D'ENCLENCHEMENT	FONCTION INTERLOCUTRICE DE DISJONCTION
1. L'enfant cherche le perroquet.	*Le père :* Tu l'as vu?	*L'enfant :* Non, mais j'ai parlé un quart d'heure avec le chat.
2. Le fou qui se prenait pour un chien affirme être guéri.	*Le médecin :* Vous êtes bien sûr?	*Le fou :* Oui, la preuve, touchez mon nez, il est froid.
3. L'Africain affirme qu'il n'y a plus de cannibales.	*Le quidam :* Vous êtes sûr?	*L'Africain :* Oui, on a mangé les trois derniers il y a quelques jours.
4. Deux fous discutent.	*L'un :* Je me suis fait construire un lit vertical.	*L'autre :* Bah! C'est une histoire à dormir debout.
5. Si un enfant veut se jeter par la fenêtre?	Sous-entendu : que faire?	*Le quidam :* Laissez-le faire; il ne recommencera pas deux fois.
6. Une jeune fille et un monsieur discutent.	*La jeune fille :* J'ai 17 ans.	*Le Monsieur :* Moi, aussi, mais dans le désordre.
7. Le garçon rentré à une heure du matin affirme qu'il en était dix.	*Le père :* Mais la pendule a sonné une heure...	*Le garçon :* c'est ce que je disais; depuis quand une pendule sonne les zéros?
8. Chez le dentiste.	*Le client :* Vous m'avez dit qu'elle était aussi bien qu'une vraie, mais elle me fait mal.	*Le dentiste :* Justement, vous voyez!
9. L'élève doit disserter sur le rêve d'être riche.	*L'instituteur :* Pourquoi une copie blanche?	*L'élève :* C'est mon rêve, monsieur.
10. L'élève doit recopier 100 fois : je ne sais pas compter.	*L'instituteur :* Pourquoi l'avez-vous recopié seulement 30 fois?	*L'élève :* Je ne sais pas compter, Monsieur.
11. Un mari cherche sa femme le long de la rivière et rencontre un quidam qui l'a vue.	*Le mari :* Si vous l'avez vue, elle ne doit pas être loin.	*Le quidam :* D'autant que le courant n'est pas très fort.
12. Le touriste à Londres rencontre un garçon.	*Le touriste :* Dis, petit, voit-on souvent le soleil par ici?	*Le garçon :* Je ne sais pas Monsieur, je n'ai que treize ans.
13. Un quidam reproche à son ami de laisser sa femme porter la culotte à la maison.	*L'ami :* Tu crois pas que c'est vrai?	*Le mari :* D'accord, elle commande à ceci, cela..., mais faut rien exagérer, j'ai mon franc-le poisson rouge-

FONCTION DE NORMALISATION	FONCTION LOCUTRICE D'ENCLENCHEMENT	FONCTION INTERLOCUTRICE DE DISJONCTION
14. La femme au volant, le mari à ses côtés.	*La femme :* Ah, ces piétons!	*Le mari :* D'accord, chérie, mais descends du trottoir.
15. Le jeune homme attend sa fiancée dans un café.	*Le jeune homme au garçon :* Je suis inquiet, ma fiancée est en retard.	*Le garçon :* Si elle est en retard, c'est qu'elle viendra!
16. L'ami devant la mère de deux jumeaux.	*L'ami :* Ce doit être dur de les distinguer.	*La mère :* Mais non, je les fais compter; l'un ne dépasse pas 76, l'autre va jusqu'à 110.

Ce système de disjonction propose des récits où l'interlocution confirme la locution par une preuve qui l'infirme ou inversement l'infirme par une preuve qui la confirme. Autrement dit, l'interlocution se donne raison en donnant raison à l'opinion locutrice qui lui est contraire. Nous retrouvons le même parallélisme que dans la disjonction précédente où une fausse justification *formelle* la rendait possible. Dans le cas qui nous occupe, elle est possible par une fausse justification empirique. Le résultat est comparable dans les deux systèmes : le récit normal du locuteur et le récit parasite de l'interlocuteur se renforcent dans leur opposition. Nous avons donc un récit normal : le mari cherche sa femme et voit son angoisse se confirmer en apprenant qu'elle dérivait dans le courant, il y a un instant; et un récit parasite : le quidam, venant de la voir dans le courant, affirme au mari que sa femme n'est pas loin. La disjonction repose sur l'activité mentale du locuteur : *retrouver-sa-femme*, activité que l'interlocution parasite par une inversion de significations : *morte/vivante*. Les récits se consolident dos à dos, parallèlement, comme dans la figure précédente :

$$\text{Récit normal} \quad \text{FN} \to \text{FE} \to \text{D} \to$$
$$\downarrow$$
$$\text{Récit parasite} \quad \text{FN} \longrightarrow \text{FD}' \to$$

Plusieurs variantes sont possibles à l'intérieur du système. Jusqu'à l'exemple 8, la superposition des deux significations contradictoires est faite par un seul personnage, l'interlocuteur. Ce dernier, comme le serpent qui se mord la queue, se disjoncte lui-même. Dans les autres exemples, la disjonction reprend sa place entre le locuteur et l'interlocuteur. Les deux fonctions, placées sur leurs parallèles ne se détruisent logiquement qu'à l'infini.

Les contenus de ces récits sont comparables aux précédents sur quelques points, notamment sur l'impulsion psychologique qui les anime. Un caractère fondamental de ruse régit leur articulation même si, comme c'est le cas, cette ruse est involontaire; la paradoxale efficacité de la justification qui n'en est pas une, subsiste toujours. Une même modération dans l'agressivité oppose les deux locuteurs : ils sont imperméables l'un à l'autre.

Toutefois la disjonction référentielle mobilise un ensemble de contenus plus variés et plus riches que la sémantique. Dans le groupe précédent, l'articulation était bloquée par des signes, donc indirectement par l'humeur qui les actualisait ce qui réduisait la problématique à des conflits passagers et les relations de personnages à des rapports privilégiés où l'humeur, précisément, commande les drames. Dans celle-ci, l'articulation libérée formellement de toute contrainte signalisatrice, n'impose aucun accident précis d'humeur, aucun rapport privilégié entre les personnages. Elle bloque les significations à des niveaux plus larges. Chaque cas représente en définitive un couple généralisable d'individus, locuteur ou interlocuteur : l'imbécile ou le rusé-heureux font front commun devant le sensé-malheureux. Si l'on voulait généraliser l'articulation de ces histoires, on pourrait dire qu'elle oppose le *bienheureux au réaliste*, étant bien entendu qu'*une ruse naïve* sert de support aux deux.

II. LES FIGURES A ARTICULATION RÉGRESSIVE

1. *Les récits à disjonction sémantique :*
Articulation régressive par homonymie de signifiants.

Une vingtaine de récits semblent articulés par ce système de disjonction. Nous rapportons une douzaine d'entre eux, aux tendances les plus variées :

FONCTION DE NORMALISATION	FONCTION LOCUTRICE D'ENCLENCHEMENT	DISJONCTEUR		FONCTION INTERLOCUTRICE DE DISJONCTION
1. Des hommes jouent au bridge dans un café.	*Le Garçon* : Pour qui la bière?	bière mort	{ *bridge* { *funérailles*	*Un joueur :* Pour le mort.
2. *Sous-entendu :* Un tricot s'appelle aussi un pull-over.	*Question* : Qu'est-ce qu'un pull sans over?	Over ou Ovaire	{ *Pull* { glandes { génitales	*Réponse :* Un tricot stérile. *Justificatif :* Tricostéril.
3. *Sous-entendu :* à la chasse.	*Question* : Quel gibier préfère l'avocat?	Défense	{ *de l'avocat* { de { l'éléphant	*Réponse :* L'éléphant pour prendre ses défenses.
4. Deux mites s'activent dans une penderie.		Manche et	{ *mer* { partie { d'un { vêtement	*Une mite :* Je me prépare à traverser la Manche.
		Doublure	{ *rôle théâtre* { partie { d'un { vêtement	*L'autre mite :* Moi je ne fais que des doublures.
5. Un chat enrhumé entre dans une pharmacie.		Matou ou Ma toux	{ *Chat* { rhume	*Le Chat :* Je voudrais un sirop pour ma toux

FONCTION DE NORMALISATION	FONCTION LOCUTRICE D'ENCLENCHEMENT	DIJONCTEUR		FONCTION INTERLOCUTRICE DE DISJONCTION
6. Un pin voit approcher un résinier.		Tronc	*d'arbre* / *d'église*	*Le pin :* Attention au pilleur de tronc.
7. Le cannibale arrive au dessert.		Suisse Esquimaux	*aliment* / citoyens	*Le cannibale :* J'en ai assez de vos petits suisses. Demain, je veux un esquimau.
8. Le père de deux jumeaux va voir son médecin.	*Le père :* Mais pourquoi des jumeaux?	Facteur	*raisons* / employé PTT	*Le docteur :* A la base, il y a deux facteurs.
9. Le malade plié de douleur, va voir son médecin.	*Le malade :* Vous m'avez dit de prendre tout sans sel.	Sel ou Selle	*de cuisine* / de vélo	*Le même :* Mais à vélo, ça fait trop mal.
10. Un déprimé plié de douleur va voir son médecin	*Le malade :* Vous m'avez dit de répéter « Je suis gonflé à bloc ».	Gonflé à bloc	*propre* / figuré	*Le même :* Maintenant, j'ai une dilatation d'estomac.
11. Un mari a assommé sa femme.	*Le Juge :* Mais pourquoi avec un fer à repasser	Plis	*du linge (propre)* / du caractère (figuré)	*Le mari :* Parce qu'elle commençait à prendre de mauvais plis.
12. Deux fous se baignent par — 15°	*L'un :* C'est froid.	Maillot	*de bain* / de corps	*L'autre :* Eh oui, on supporte bien son maillot.

Dans ces récits, les deux premières fonctions, extrêmement peu distinctes lorsqu'il n'y a pas ou peu de personnages, enclenchent un récit dont la cohérence formelle reste respectée jusqu'au bout en dépit d'un « déraillement » en cours de route : l'histoire bute sur un signe-disjoncteur et se trompe de signifié. Au contraire du parallélisme précédent, nous avons ici une séquence uni-linéaire; sa forme est con-séquente mais son sens est absurde. Cette conséquence enchaîne jusqu'à la fusion les deux premières fonctions à la troisième et, inversement, la troisième régresse en permanence vers les deux premières, jusqu'à son point de départ. La troisième fonction, le récit parasite, par exemple *un vélo-sans-selle-fait-du-mal* deviendrait normale si elle n'était liée au fait qu'un régime-sans-sel ait provoqué l'incident. C'est la cohésion des trois fonctions qui disjoncte la troisième. Autant dire que la linéarité de ce récit se referme sur elle-même comme la quadrature du cercle : on n'en sort pas. On peut dessiner le schéma de la figure ainsi :

$$\text{Récit normal ... FN} \rightarrow \text{FE} \rightarrow \text{FD}$$
$$\downarrow$$
$$D$$
$$\downarrow$$
$$\text{FN' } \leftarrow \text{ FE' } \leftarrow \text{ FD' ... Récit parasite.}$$

La cohésion formelle de cette figure est consolidée par un système d'articulation précis. Pour éviter le cas limite du calembour (le fameux « comment vas-tu-yau de poêle » qui aurait sa place dans ce système), le disjoncteur est transféré d'un récit à l'autre avec l'élément qui le fonctionnalise : « *sans* », dans « *sans-ovaire* » ; « *un sirop pour* », dans un « *sirop pour ma-toux* » ; « *un pilleur de* », dans « *un pilleur de tronc* »…; cet adjuvant fonctionnel consolide la rigueur du formalisme et rend par là plus éclatante, parce que plus signifiante, la coïncidence disjonctante.

On peut étudier, dans ces récits, quelques variantes narratives, en fonction de la nature de l'adjuvant; elles vont du presque-calembour lorsque l'adjuvant n'a qu'un faible potentiel d'activation, à l'histoire proprement dite, dans le cas inverse. Les prépositions « *sans* » ou « *pour* » ne sont évidemment que pré-positionnelles. Elles ne donnent pas au disjoncteur une position suffisamment signifiante pour que la disjonction s'opère à tous coups : « sans over » se disjoncte dans un « tricot-stérile ». cette disjonction calembouresque serait aussi facile (ou banale.. ou gratuite) que le serait la disjonction d'« haricot vert » (nous ne disons pas plus ou moins comique), si une seconde disjonction ne venait corser la coïncidence première et introduire comme justificatif d'appui, la sémie pharmaceutique du tricostéril. On sauve de la faiblesse d'une première disjonction par une seconde (*tricot stérile /tricostéril*) et la faiblesse des deux premiers récits, par un troisième (allusion à un pansement pharmaceutique). Dans la première histoire si « *pour* » n'introduit que « *le mort* » sans la « *bière* », ou inversement, aucune sémie nécrologique ne perturbe le jeu de bridge. Avec l'adjuvant « manger », adjuvant pourtant très actif, l'Esquimau destiné au cannibale risquait de devenir un disjoncteur facile, puisque, du Groenland ou d'ailleurs, il faut bien que le cannibale mange quelqu'un. L'heureuse existence du Petit-Suisse est venue renforcer la disjonction et rendre le repas plus remarquable. La cohésion formelle de la séquence s'accroit dans les mêmes proportions que le pouvoir fonctionnel de l'adjuvant. Avec des adjuvants comme *traverser, prendre, manger* précisément, et tant d'autres, le récit parasite acquiert une signification par lui-même donc s'articule plus significativement sur le récit normal.

A ces variantes d'adjuvants, s'ajoute des variantes d'articulations relevant des disjoncteurs eux-mêmes. Les récits linéaires peuvent s'enrichir selon le nombre des sémies disjonctées. Dans les exemples 1 et 7, les deux disjoncteurs renforcent la même sémie parasite, (*nécrologie* pour le premier, et *repas cannibale* pour le septième); ils doublent la disjonction. Dans l'exemple 4, les deux disjoncteurs apportent deux sémies distinctes, l'une maritime et l'autre théâtrale avec « manche » et « doublure », qui enrichissent la figure en dédoublant la disjonction. On pourrait désigner ainsi les variantes du schéma précédent :

Récit normal … FN → FE → FD

Cas 1 et 7 $\qquad$ D' + D''

FN' ← FE' ← FD' … Récit parasite double

Récit normal … FN → FE → FD

cas 4 $\qquad$ D' = D''

FN' ← FE' ← FD' $\downarrow$ … 1er récit parasite
FN'' ← FE'' ←——— FD'' … 2e récit parasite.
$\qquad\qquad\qquad\qquad$ Récit parasite dédoublé.

Dans tous les cas, le récit normal fusionne avec un ou plusieurs récits parasites dans une séquence narrative formellement homogène. La disjonction tient à cette discursivité formelle qui concilie en circuit fermé deux univers inconciliables. *Le contenu* de ces histoires se ressent de ces quadratures-circulaires simples, doubles, ou dédoublées. Un seul personnage, ou deux identiques comme deux fous ou deux mites, fait et supporte la disjonction. Lorsqu'il y a un locuteur, juge ou docteur, il n'est que l'alibi destiné à réveiller le monologue de l'interlocuteur. La disjonction met en cause l'interlocution en dénouant une problématique sur sa définition, sa nature, ou ses habitudes. La faille mentale relève de la vie « intérieure »; c'est en disjonctant que le sujet devient objet de disjonction ou, si l'on veut, psychologiquement, d'agression. Au contraire du dialogue précédent où l'agressivité, même sourde, allait d'un personnage à l'autre, dans le monologue présent elle ne vise personne. Imbécile ou fou, la vie intérieure de l'interlocuteur *régresse* dans l'anormalité catastrophique. Cette figure disjoncte, dans les limites où les jeux de signes le lui permettent, les malheurs de la conscience individuelle [1].

2. *Les récits à disjonction référentielle :*
Articulation régressive par polysémie simple.

Le nombre des histoires étant plus important dans ce groupe et dans ceux qui suivent, nous allongerons la liste des exemples. Considérons les exemples suivants :

FONCTION DE NORMALISATION	FONCTION LOCUTRICE D'ENCLENCHEMENT	FONCTION INTERLOCUTRICE DE DISJONCTION
1. Un Écossais apprend un matin que le train où était sa femme a eu un accident.	*L'Écossais :* Il hésite devant le kiosque et n'achète pas le journal.	*Le même :* J'achèterai l'édition du soir, il y aura la liste des victimes.
2. Deux Écossais se disputent.	*L'un :* casse sa bouteille sur la tête de l'autre.	*Le même :* Zut! elle était consignée.
3. Des parents écossais cherchent un médecin : leur bébé a avalé une pièce.	*Les parents :* Le médecin est-il bon?	*Un autre Écossais :* Oui, en tout cas il est honnête, je ne crois pas qu'il garde la pièce.
4. Un Corse va à un enterrement avec son âne.	*L'ami :* Pourquoi ton âne?	*Le Corse :* qui portera le deuil au retour?
5. Le père et le fils corses font la sieste.	*Le père :* Il pleut?	*Le fils :* Attends, je vais siffler le chien, on verra s'il est mouillé.
6. Un corse veut un livre sur l'agriculture.	*Le libraire :* Prenez celui-ci. Quand vous l'aurez lu, le travail sera à moitié fait.	*Le Corse :* Alors, donnez m'en deux!

1. On peut penser évidemment que le mari *se moque* du juge (cas 11). Mais les raisons de rire du rieur sont aussi nombreuses que les rieurs eux-mêmes et ne peuvent être prises ici en considération. De toute manière, il est possible d'avancer que le mari aggrave « catastrophiquement » son cas.

FONCTION DE NORMALISATION	FONCTION LOCUTRICE D'ENCLENCHEMENT	FONCTION INTERLOCUTRICE DE DISJONCTION
7. Marie-Chantal veut acheter un livre.	*Gladys* : Pourquoi?	*Marie-Chantal* : Parce que mon mari m'a acheté une liseuse.
8. Marie-Chantal revient de Majorque.	*Gladys* : Où est-ce?	*Marie-Chantal* : Je ne sais pas, j'y suis allée en avion.
9. Gladys va chez le médecin.	*Gladys* : Je n'ose pas me déshabiller devant lui.	*Marie-Chantal* : Tu as tort; c'est un homme comme les autres.
10. Une gastrectomie est une opération que le chirurgien est en train de faire.	*L'ami au fils du chirurgien* : Qu'est-ce que c'est une gastrectomie?	*Le petit garçon* : C'est 150 billets.
1. Le président en face de la lauréate du prix de beauté.	*Le président* : Quel genre de lecture emporteriez-vous dans une île déserte?	*La lauréate* : Un marin tatoué.
12. Jusqu'à onze ans, le petit garçon n'a pas prononcé un mot, soudain, à table, il demande le sel.	*Les parents* : Mon Dieu, quel miracle. Mais que s'est-il passé?	*Le petit garçon* : Jusque-là, le service était bien fait.
13. Un boxeur, avant le match, s'inquiète de l'emplacement de sa loge.	*Le boxeur* : Où est-elle?	*Le manager* : Aucune importance, on te portera.
14. Le portier indique la chambre au client : « Prenez la première porte après la poutre. »	*Le client* : Bing!!!	*Le portier* : Ça c'est la poutre, maintenant vous avez la porte.
15. Deux garçons bavardent.	*L'un* : On fait sa prière chez toi avant le repas?	*L'autre* : Oh non! maman fait bien la cuisine.
16. Le gardien du Zoo pleure sur l'éléphant mort.	*Le patron* : Consolez-vous, on vous le remplacera.	*Le gardien* : On voit bien que vous ne devez pas l'enterrer.

Dans ce système, comme dans le précédent, l'interlocution répond formellement à la locution, mais en se trompant de signification sur un élément référentiel du récit. C'est en changeant les motivations de cet élément disjoncteur qu'elle parasite le sens du récit normal. Ce parasitage est ambigu dans la mesure où la polysémie disjonctante n'est pas privilégiée. Les sémies interverties ne sont pas contradictoires comme dans la première figure : elles sont indifférentes et variables à l'infini. Le récit normal se trouve être à la fois persistant et perturbé, reconnu

et détruit par le récit parasite, comme précédemment. Le fait que l'écossais
n'achète pas, par économie, le journal du matin, n'exclut pas qu'il puisse
apprendre *avec plus d'impatience* encore si sa femme est morte le soir. Le fait que
Marie-Chantal achète des livres parce que son mari lui a donné une liseuse n'exclut
pas qu'*elle ait plus qu'avant* l'occasion de les lire. C'est la cohésion formelle des
trois fonctions qui parasite la troisième. Et cette troisième régresse constamment
dans les deux premières pour justifier son propre mouvement. Les récits normaux
et parasites se complètent en s'écartelant et l'histoire, comme précédemment,
tourne dans une circularité sans fin : l'interlocuteur a substitué une motivation
accessoire, inavouable, improvisée... à une motivation normale. Nous retrouvons
la quadrature-circulaire de la figure précédente :

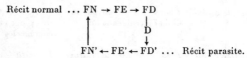

Les variantes du système sont peu nombreuses en fonction de la simplicité
et de la souplesse de son articulation. Le disjoncteur référentiel est le support
d'une multitude de compléments qu'il suffit d'intervertir à n'importe quel
niveau (causes, buts, conséquences, lieu...) pour avoir une disjonction. D'où
le grand nombre des récits dans ce groupe. D'où également, et en fonction de ce
grand nombre, un besoin de les sélectionner en les articulant sur certains types de
contenu.

Ces contenus en effet ont tendance à dégager certains traits communs appuyés
sur des défauts de caractère. Nous avons trouvé un bon nombre de récits articulés psychologiquement par l'avarice avec les Écossais, la paresse avec les
Corses, la frivolité mondaine avec Marie-Chantal. Nous retrouvons là le caractère intimiste des histoires précédentes. Nous retrouvons l'absence d'agressivité
d'un personnage à l'autre, sinon cette régression mentale engendrée par l'aspect
conventionnellement décevant (pour le locuteur) de recevoir une réponse qui
déflore invariablement la question. Lorsque les deux locuteurs ont le même
caractère, c'est-à-dire le même défaut : deux Corses, deux Écossais... la régression
s'opère, au-delà du récit lui-même, dans la conscience duplice du lecteur-auditeur.

Mais là encore les contenus des récits à articulation régressive se sont enrichis
en passant de la disjonction sémantique à la disjonction référentielle. Au lieu
de disjoncter des humeurs caractérielles dans des situations exceptionnelles,
ils disjonctent des traits de caractère stabilisés, des types sociaux. On pourrait
généraliser l'articulation de leurs contenus en disant qu'ils opposent l'*idéalisme
du caractère à la prosaïcité des caractères* étant entendu que la *carence des caractères
rend* l'opposition non catégorique.

III. LES FIGURES A ARTICULATION PROGRESSIVE

1. *Les récits à disjonction sémantique :*
Articulation progressive par homonymie de significations.

Prenons les exemples suivants :

FONCTION DE NORMALISATION	FONCTION LOCUTRICE D'ENCLENCHEMENT	FONCTION INTERLOCUTRICE DE DISJONCTION
1. Deux voleurs sortent de prison.	*Ier voleur :* On prend quelque chose?	*2e voleur :* A qui?
2. Deux voleurs discutent.	*Ier voleur :* Tu mets tout ton argent de côté pour tes vieux jours?	*2e voleur :* Non, pour mon avocat!
3. Un père veut offrir une bicyclette à son fils, petit voyou assagi.	*Le père :* Je te la prends comment?	*Le fils :* Sans qu'on te voie.
4. Deux clochards se rencontrent à la Bourse.	*Ier clochard :* Tu spécules sur quelles mines?	*2e clochard :* De ceux qui sortent.
5. Le conducteur d'une voiture accidentée va au garage.	*Le conducteur :* Qu'est-ce qu'on peut en tirer?	*Le garagiste :* Une photo.
6. Le garçon de café travaille, le chapeau sur l'oreille.	*Le patron :* Pourquoi ce chapeau pendant le travail et de côté en plus?	*Le garçon :* Que voulez-vous, c'est tout ce que j'ai pu mettre de côté depuis que je travaille chez vous.
7. Le garçon de café va payer ses impôts.	*Le garçon :* Acceptez-vous les pourboires? — Ne vous fâchez pas, je remporte tout.	*Le percepteur :* Vous vous fichez de moi.
8. Le convalescent écossais devant son médecin.	*Le médecin :* C'est à votre constitution que vous devez d'être guéri.	*Le malade :* Alors, à vous je ne dois rien?
9. La vieille dame à l'Auto-École.	*Le professeur :* Et maintenant, on va faire la marche arrière.	*La vieille dame :* Inutile, je ne recule jamais devant personne.
10. Deux grands-mères jouent au tiercé.	*L'une :* On a perdu avec ce cheval.	*L'autre :* Tant mieux! Qu'est-ce qu'on en aurait fait si on l'avait gagné?
11. Deux amis écossais se rencontrent.	*L'un :* Prête-moi un peu d'attention.	*L'autre :* Oui, mais avec beaucoup d'intérêt.
12. Un enfant riche avec sa nurse au jardin.	*Un passant :* Quel bel enfant! Il marche déjà?	*La nurse :* Marcher? Mais il n'aura jamais à marcher.

Dans ce groupe, le récit normal ne bute pas sur un signe en se trompant de signifié, mais sur un ou plusieurs signes, en se trompant de significations. Ce système rend les deux premières fonctions essentielles. La fonction de normalisation propose une situation dans laquelle les personnages ont un rôle. La locution d'enclanchement concrétise leur problématique en fonction de ce rôle. L'interlocuteur ne répond plus seulement et automatiquement à un signe, mais interprète ce signe selon sa logique prore. Autrement dit, il y a dans ces récits deux logiques consécutives et hétérogènes, la normale contre la parasite, que la cohérence formelle du récit rive l'une à l'autre. Elles ne se bloquent l'une dans l'autre ni parallèlement, ni circulairement; elles se succèdent en changeant de voie et se justifient séparément. Nous avons donc une figure coudée et ouverte dont le schéma pourrait s'établir ainsi :

$$\text{Récit normal} \ldots \text{FN} \rightarrow \text{FE} \rightarrow \text{D} \ldots \text{FD}$$
$$\downarrow$$
$$\text{FD'} \rightarrow \text{FE'} \rightarrow \text{FN'} \ldots \text{Récit parasite}$$

Les variations d'articulation sont infimes dans ces systèmes. Elles peuvent être enrichies d'une seconde disjonction décrochée, comme dans l'exemple du garçon de café (cas 7) : une première disjonction (polysémie sémantique) provoque la réaction du percepteur; une deuxième (polysémie référentielle) provoque celle du garçon de café. Elles peuvent être inversement affaiblies par une modification des signes comme dans les exemples 9 et 10 : *faire la marche-arrière à l'auto-école* ne signifie pas faire *marche arrière*; *perdre-au tiercé « avec » ou « sur » un cheval* ne signifie pas *perdre un cheval*. Sans doute n'est-ce pas un hasard si les personnages choisis sont une vieille dame et une grand-mère : leurs facultés mentales ou auditives sont connues comme déficientes.

C'est au niveau des contenus que ces récits sont le plus riches. Leur rythme doublement conséquent (double logique des locuteurs, cohérence formelle de la séquence), semble les rendre aptes à utiliser des éléments disjoncteurs plus structurés socialement. Comme les exemples le montrent, les contenus reposent sur des mécanismes psycho-sociologiques de conditionnements conformes aux mécanismes à la fois automatisés et interprétatifs du système. Une étude de contenus pourrait faire dans ce groupe le recensement des conditions sociales « disjonctées »; de tous ces voyous, vieillards, clochards, garagistes, garçons de café... Ces conditionnements n'excluent pas des traits de caractère rencontrés ailleurs, mais également conditionnés, comme l'avarice écossaise ou la paresse corse; les mêmes thèmes peuvent chevaucher plusieurs groupes.

Il va sans dire, puisque nous avons pris l'agressivité comme test d'articulation psychologique, que celle-ci est imperceptible. Les personnages ne s'opposent pas directement. Le garçon de café *au-chapeau-de-coté* ne fait qu'effleurer l'insulte à l'égard du patron, puisque la notion de pourboire engage moins la responsabilité de ce dernier que celle du client. L'agressivité, si agressivité il y a [1], est tout entière latente, diffuse, blessante par surprise; le locuteur découvre plus qu'un contradicteur, un « monde » de contradictions. Cette articulation est si « progressive » que le dialogue pourrait aller... très loin. Si nous voulions caractériser ce système, nous dirions qu'il oppose l'*innocence à la perversion*, compte tenu *du conditionnement social* qui les commande et réduit leur distance.

_____

1. Mais n'y a-t-il pas toujours agressivité?

2. Les récits à disjonction référentielle : Articulation progressive à polysémie antonymique.

FONCTION DE NORMALISATION	FONCTION LOCUTRICE D'ENCLENCHEMENT	FONCTION INTERLOCUTRICE DE DISJONCTION
1. Une femme reproche à son mari son indifférence.	*La femme :* Autrefois tu me prenais les mains.	*Le mari :* Parce qu'autrefois tu jouais du piano.
2. Le mari après une dispute semble avoir le dernier mot.	*Le mari :* Je savais bien que tu finirais par te taire.	*La femme :* Je ne me tais pas, je me repose.
3. Le mari reçoit dans ses bras sa femme évanouie.	*Le mari :* Marie, apportez-moi du cognac.	*Marie :* Et pour Madame?
4. L'employé embrasse la secrétaire.	*Le patron :* C'est pour ça que je vous paye?	*L'employé :* Oh, non Monsieur, ça je le fais pour rien..
5. Le condamné face à son bourreau.	*Le condamné :* Vous n'avez pas honte?	*Le bourreau :* Bah! il faut bien que tout le monde vive...
6. Un client trouve du marc de café dans sa tasse.	*Le client :* Qu'est-ce que c'est que ça?	*La serveuse :* Je suis serveuse, pas voyante.
7. A Londres, un client trouve une mouche dans son potage.	*Le client :* Garçon, qu'est-ce qu'elle fait là?	*Le garçon :* Apparemment, Sir, elle crawle.
8. Deux amies bavardent.	*L'une :* J'adore la nature.	*L'autre :* Après ce qu'elle vous a fait?
9. Un jeune homme se confesse avant de se marier.	*Le prêtre :* Avez-vous courtisé beaucoup de femmes?	*Le jeune homme :* Je suis venu pour m'humilier, mon Père, non pour me vanter.
10. La jeune fille vient se confesser.	*La jeune fille :* Mon Père, je m'accuse d'orgueil : quand je me regarde dans la glace, je me trouve belle.	*Le prêtre :* Rassurez-vous ma fille, ce n'est pas de l'orgueil, c'est une erreur.
11. Deux amis discutent au sortir de l'église.	*L'un :* Quand le prêtre a dit : « Tu ne voleras pas », tu es devenu vert. *L'un :* Mais quand il a dit : « Tu ne commettras pas d'adultère », tu as éclaté de rire?	*L'autre :* Parce que je n'avais plus mon parapluie. *L'autre :* Parce que je me suis souvenu où je l'avais oublié.
12. Gladys apprend à Marie-Chantal que la mère de Gérard a eu un accident.	*Gladys :* Elle est défigurée, *Gladys :* Un chirurgien lui refera le visage comme avant.	*Marie-Chantal :* Oh! C'est affreux! *Marie-Chantal :* Oh! C'est affreux.

FONCTION DE NORMALISATION	FONCTION LOCUTRICE D'ENCLENCHEMENT	FONCTION INTERLOCUTRIC DE DISJONCTION
13. A la veille d'un duel, l'un des deux adversaires, peureux, téléphone aux gendarmes.	*Le peureux :* Deux hommes vont se battre : allez-y pour éviter un crime.	*Le gendarme :* Je sais votre adversaire m'a déjà téléphoné.
14. Un condamné pour injures à un agent est au tribunal.	*Le président :* Avez-vous quelque chose à ajouter?	*Le condamné :* Oui, mai à ce tarif je n'ose pas.
15. Un patron entend la nuit du bruit dans sa boutique; il descend et trouve un voleur. — Que cherchez-vous?	*Le voleur :* De l'argent!	*Le patron :* Alors, cher chons ensemble et nou partagerons.
16. Deux automobilistes, face à face, refusent de se céder le passage.	*Un chauffeur* ouvre son journal et le lit.	*L'autre* crie par la portière Quand vous l'aurez fini vous me le passerez.

Ce système de disjonction référentielle à articulation progressive se distingu de la régressive comme cas limite ou privilégié. L'interlocution est diamétrale ment opposée à la locution. D'où une spécificité propre à ce système, spécificit qui exprime plus qu'un degré supérieur de divergence entre les signification normales et parasites. Dans cette figure, le locuteur apporte son coefficien personnel de présence, son opinion, dont l'interlocuteur tient compte dans s réponse. Autrement dit, alors que le système régressif proposait une sorte d reconnaissance destructrice du normal par le parasite, celui-ci propose, en quelqu sorte, sa réfutation réhabilitante. La fonction normale est logiquement articulé sur la fonction parasite à l'intention dramatique près : la logique des signification enclenchées est conservée mais les opinions qui les enclenchent sont inversées Ce changement de voie s'opère sur des significations au deuxième degré, de significations de significations. Dans la consécution logique des deux fonction disjonctantes, les deux dernières, la problématique enclenchée suit son chemin mais en se dénaturant au cours de la disjonction. Nous avons comme dans l'arti culation sémantique précédente une séquence conséquente et ouverte, mai coudée.

$$\text{Récit normal} \ldots \text{FN} \to \text{FE} \to \text{D} \ldots \text{FD}$$
$$\downarrow$$
$$\text{FD}' \to \text{FE}' \to \text{FN}' \ldots \text{Récit parasite.}$$

Les variations de figures sont techniquement inexistantes, comme toujour lorsqu'il s'agit de significations. Elles peuvent apparaître au niveau des rapport entre le locuteur et l'interlocuteur : elles peuvent aller de l'agression allusiv (cas 3), à l'agression précisée (cas 8). Elles peuvent aller de l'agression direct (cas 2 et 6) à l'agression par personne interposée (cas 11 et 12). Dans ces deu derniers cas, ce n'est pas le locuteur qui est agressé mais indirectement la mèr de Gérard ou le prêtre (si l'on veut bien). Un système de compensation joue alor et vient doubler l'articulation disjonctrice. L'agressivité indirecte faisait cour un risque de faiblesse de transmission puisqu'on pouvait ne pas comprendre d premier coup (cas du prêtre), ou un risque de non-disjonction puisqu'on pouvait trouver le premier coup « sérieux » (cas de la mère de Gérard).

Sur le plan du contenu, ces récits, comme leurs sosies progressifs précédents, présentent un certain degré de tempérance dans la problématique qui oppose les locuteurs. Une certaine innocence de réplique disjonctrice leur est commune. Les interlocuteurs annoncent d'entrée un point de vue empirique que seule l'interprétation révèle agressif. Mais, là encore, passant du sémantique au référentiel, le champ des contenus de la figure s'intensifie et s'élargit : la guerre n'est pas ouverte mais les charges explosives sont en place. Les exemples d'agression féroce, voilée sous la reconnaissance innocente d'un fait, sont nombreux : l'interlocutrice prend gentiment le parti de son amie contre la nature qui lui a fait tant de mal; le prêtre vient gentiment au secours de sa pécheresse pour lui dire qu'elle ne s'est que trompée etc.. Cet écart médiateur entre la réconciliation factice et l'agressivité réelle est la marque propre de ce système. Les exemples 15 et 16 sont privilégiés; l'interlocuteur-chauffeur mime son locuteur pour mieux l'exaspérer; l'interlocuteur-volé mime le voleur pour mieux le mystifier.

Disons que même camouflé, le système de cette figure peut atteindre la férocité. Il opère la disjonction à un niveau de significations extrêmement sensibles pour le locuteur; il lui conteste le conformisme de son existence, son honorabilité. Le client qui a trouvé la mouche dans son café et qui a le malheur de ne pas apprécier la natation de cet insecte se sent nié en tant qu'homme-client. On pourrait généraliser l'articulation psycho-sociologique de ces histoires en disant qu'elles opposent le *conformisme au cynisme* étant entendu que ces histoires se chargent de relativiser les extrêmes [1].

Dans tous ces récits à trois fonctions, l'articulation majeure, celle qui disjoncte la séquence entre la locution et l'interlocution, est à sens unique. Le récit prend par hypothèse la bifurcation parasite. La stabilité séquentielle a la résistance d'un nœud gordien : on ne peut la dénouer qu'en oubliant l'histoire (articulation bloquée ou régressive) ou en la développant jusqu'à la mort (articulation progressive); ceci expliquant peut-être que la même histoire puisse faire rire indéfiniment : si on entre dans l'articulation, on est pris au filet. Bien que cette disjonction soit rhétoriquement comparable aux « anomalies sémantiques » de l'écriture sérieuse, telles que les a étudiées T. Todorov [2], elle en diffère par la fonction qui lui est donnée dans la séquence narrative. En narrativité normale disons « sérieuse » par opposition à « drôle », l'anomalie est un élément constituant de l'expression narrative et porte poétiquement (comme les exemples donnés par l'auteur le prouvent), une finalité en soi, la présence d'une « combinaison anomale » de sémes « d'un morphème à l'autre » pour reprendre les termes de Todorov, est une coupe d'ombre dans la logique de la langue, le support d'un rêve ré-organisateur. La cohérence narrative du syntagme s'en trouve renforcée. Dans la narrativité disjonctée au contraire, l'anomalie substitue une incohérence à deux cohérences et impose une fin de récit qui est la fin de tout, y compris et surtout de la poésie [3]. L'anomalie disjonctrice n'est pas éclairante mais foudroyante.

Violette Morin
École Pratique des Hautes Études, Paris.

1. Nous ne donnons pas, pour alléger ce travail, les 7 récits résiduels, sur les 180 relevés, dont l'hermétisme vient d'un mélange des systèmes décrits.
2. In *Langage*, n° 1, 1966, p. 102 sq.
3. Ce qui n'exclut naturellement pas qu'elle puisse, en l'absence de toute rêverie poétique, et à cause de cette absence, retrouver une poésie qui lui soit propre.

Christian Metz

La grande syntagmatique
du film narratif

Ce texte constitue la seconde partie d'un exposé oral prononcé le 2 juin 1966 à Pesaro (Italie), dans le cadre d'une Table Ronde dont le thème était : « Pour une nouvelle conscience critique du langage cinématographique. » (Cette Table Ronde faisait elle-même partie du Deuxième Festival du Cinéma nouveau, Pesaro, 28 mai-5 juin 1966. L'exposé avait pour titre global : « Considérations sur les éléments sémiologiques du film. »

L'origine orale de ce texte explique le style des lignes qui vont suivre.

Il y a une *grande syntagmatique* du film narratif. Un film de fiction se divise en un certain nombre de *segments autonomes*. Leur autonomie n'est évidemment que relative, puisque chacun ne prend son sens que par rapport au film (ce dernier étant le *syntagme maximum* du cinéma). Néanmoins, nous appellerons ici « segment autonome » tout segment filmique qui est une subdivision de premier rang, c'est-à-dire une subdivision directe du film (et non pas une subdivision d'une partie du film).

Dans l'état actuel de *normalisation relative* du langage cinématographique il semble que les segments autonomes se distribuent autour de *six grands types* qui seraient ainsi des « types syntaxiques » ou, mieux encore, des types syntagmatiques [1]. Sur ces six types, cinq sont des *syntagmes*, c'est-à-dire des unités formées de plusieurs plans. Le sixième est fourni par les segments autonomes consistant en un seul plan, c'est-à-dire les *plans autonomes*.

1. La scène reconstitue, par des moyens *déjà* filmiques une unité *encore* ressentie comme « concrète » et comme analogue à celles que nous offre le théâtre ou la vie (un lieu, un moment, une petite action particulière et ramassée). Dans

---

1. Il existe plusieurs manières de présenter le « tableau » des grands syntagmes filmiques, plusieurs *degrés de formalisation*. Le niveau qui est ici présenté correspond à une étape intermédiaire de la formalisation, relativement proche encore de l'empirie cinématographique ainsi que des analyses des théoriciens classiques du cinéma (analyses d'ailleurs très incomplètes, même à leur niveau; voir les diverses « tables de montage »). Cette étape, rendue indispensable par l'état actuel de la sémiologie du cinéma (discipline naissante), devra être dépassée au profit d'une formalisation plus complète qui fera mieux apparaître les choix réels (c'est-à-dire plus ou moins inconscients) devant lesquels se trouve placé le cinéaste à chaque point de la chaîne filmique. Cette formalisation plus complète ne signifiera pas un changement des opinions professées quant au langage cinématographique, mais un perfectionnement du méta-langage sémiologique (travail en cours).

la scène, le signifiant est fragmentaire (plusieurs plans, qui ne sont tous que les « profils » — *Abschattungen* — partiels), mais le signifié est ressenti comme unitaire. Tous les profils sont interprétés comme prélevés sur une masse commune, car la « vision » d'un film est en fait un phénomène plus complexe, mettant en jeu constamment trois activités distinctes (perceptions, restructurations du champ, mémoire immédiate) qui se relancent sans cesse l'une l'autre et travaillent sur les données qu'elles se fournissent à elles-mêmes. Les hiatus spatiaux ou temporels à l'intérieur de la scène sont des *hiatus de caméra*, non des *hiatus diégétiques*.

2. La SÉQUENCE construit une unité plus inédite, plus spécifiquement filmique encore, celle d'une action complexe (bien qu'unique) se déroulant à travers plusieurs lieux et « sautant » les moments inutiles. Exemple-type : les séquences de poursuite (unité de lieu, mais essentielle et non plus littérale; c'est « le lieu de la poursuite », c'est-à-dire la paradoxale unité d'un lieu mobile). A l'intérieur de la séquence, il y a des hiatus diégétiques, bien que réputés insignifiants, du moins au plan de la dénotation (les moments sautés sont « sans importance pour l'histoire »). C'est ce qui différencie ces hiatus de ceux que signale le fondu au noir (ou quelque autre procédé optique) *entre deux segments autonomes :* ces derniers sont réputés sur-signifiants (on ne nous en dit rien, mais on nous laisse entendre qu'il y aurait beaucoup à dire : le fondu au noir est un segment filmique qui ne donne rien à voir, mais qui est très visible). Contrairement à la scène la séquence n'est pas le lieu où coïncident — ne serait-ce qu'en principe — le temps filmique et le temps diégétique.

3. Le SYNTAGME ALTERNANT (exemple-type : ce qu'on appelle « montage parallèle » ou « montage alterné » selon les auteurs) ne repose plus sur l'unité de la chose narrée mais sur celle de la narration, qui maintient rapprochés des rameaux différents de l'action. Ce type de montage est riche en connotations diverses, mais il se définit d'abord comme étant une certaine manière de construire la dénotation.

Le montage alternant se divise en trois sous-types si l'on choisit comme pertinence la nature de la *dénotation temporelle*. Dans le *montage alternatif*, le signifié de l'alternance est, au plan de la *dénotation temporelle*, l'alternance diégétique celle des « actions » présentées). Exemple : deux joueurs de tennis, chacun étant cadré » au moment où la balle est à lui. Dans le *montage alterné*, le signifié de l'alternance est la simultanéité diégétique (exemple : les poursuivants et les poursuivis). Dans le *montage parallèle* (exemple : le riche et le pauvre, la joie et la tristesse), les actions rapprochées n'ont entre elles aucun rapport pertinent quant à la dénotation temporelle, et cette défection du sens dénoté ouvre la porte à tous les « symbolismes », pour lesquels le montage parallèle est un lieu privilégié.

4. Le SYNTAGME FRÉQUENTATIF (exemple : très longue marche à pied dans le désert traduite par une série de vues partielles reliées par des fondus-enchaînés en cascade) met sous nos yeux ce que nous ne pourrons jamais voir au théâtre ou dans la vie : un processus complet, regroupant virtuellement un nombre indéfini d'actions particulières qu'il serait impossible d'embrasser du regard, mais que le cinéma comprime jusqu'à nous l'offrir sous une forme quasiment unitaire. Par-delà des signifiants *redondants* (procédés optiques, musique, etc.), le signifiant *distinctif* du montage fréquentatif est à chercher dans la *succession rapprochée d'images répétitives*. Au niveau du signifiant, le caractère *vectoriel* du temps, qui est propre au « narratif » (séquences ordinaires), a tendance à

s'affaiblir, parfois à disparaître (retours cycliques). D'après les signifiés, on peut distinguer trois types de syntagmes fréquentatifs : le *fréquentatif plein* brasse toutes les images dans une grande synchronie, à l'intérieur de laquelle la vectorialité du temps cesse d'être pertinente. Le *semi-fréquentatif* est une suite de petites synchronies, il traduit une évolution continue à progressivité lente (un procès psychologique dans la diégèse, par exemple) : chaque « flash » est ressenti comme prélevé sur un groupe d'autres images possibles, correspondant à un *stade* du procès; mais par rapport à l'ensemble du syntagme, chaque image vient se ranger à sa place sur l'axe du temps : la structure fréquentative ne se déploie donc pas à l'échelle du syntagme entier, mais seulement de chacun de ses stades. Le *syntagme en accolade* consiste en une série de brèves évocations portant sur des événements relevant d'un même ordre de réalités (exemple des scènes de guerre); aucun de ces faits n'est *traité* avec l'ampleur syntagmatique à laquelle il aurait pu prétendre; on se contente d'*allusions*, car c'est l'ensemble seul qui est destiné à être pris en compte par le film. Il y a là un équivalent filmique (balbutiant) de la *conceptualisation*.

5. Le syntagme descriptif s'oppose aux quatre types précités en ceci que dans ces derniers la succession des images sur l'écran (= lieu du signifiant correspondait toujours à quelque forme de rapport *temporel* dans la diégèse (= lieu du signifié). Ce n'étaient pas toujours des *consécutions* temporelles (exemple : montage alternant dans sa variante parallèle, montage fréquentatif dans sa variante « pleine »), mais c'étaient toujours des rapports temporels Dans le syntagme descriptif, au contraire, la succession des images sur l'écran correspond uniquement à des séries de *co-existences spatiales* entre les faits présentés (on remarquera que le signifiant est toujours linéaire et consécutif, alors que le signifié peut l'être ou ne pas l'être).

Ceci n'implique nullement que le syntagme descriptif puisse s'appliquer seulement à des objets ou à des personnes *immobiles*. Un syntagme descriptif peut fort bien porter sur des *actions*, pourvu que ce soient des actions dont le seul type de rapports intelligible soit le parallélisme spatial (à quelque moment du temps qu'on les prenne), c'est-à-dire des actions que le spectateur ne peut pas mettre mentalement bout à bout dans le temps (Exemple : un troupeau de moutons en marche : vues des moutons, du berger, du chien, etc.).

Bref, le syntagme descriptif est le seul syntagme dans lequel les agencements temporels du signifiant ne correspondent à aucun agencement temporel du signifié, mais seulement à des agencements spatiaux de ce signifié.

6. Le plan autonome ne se réduit pas seulement au fameux « *plan-séquence* » il comporte aussi certaines de ces images qu'on appelle *inserts*, ainsi que divers cas intermédiaires. Le plan-séquence (et ses divers dérivés) est une *scène* (voir plus haut) traitée sinon en un seul « plan », du moins en une seule *prise de vue* Les inserts se définissent par leur statut *interpolé*. Si l'on choisit comme principe de classement la cause de ce caractère interpolé, on distinguera quatre grands sous-types d'inserts : les images *non-diégétiques* (métaphores pures), les images dites *subjectives* (c'est-à-dire celles qui ne sont point visées-comme-présentes mais visées-comme-absentes par le héros diégétique; exemple : souvenir, rêve hallucination, prémonition, etc.), les images pleinement diégétiques et « réelles mais *déplacées* (c'est-à-dire soustraites à leur emplacement filmique normal et portées à dessein en enclave dans un syntagme d'accueil étranger; exemple au milieu d'une séquence relative aux poursuivants, une image unique de poursuivis), et enfin les inserts explicatifs (détail grossi, effet de loupe; le motif

st soustrait à son espace empirique et porté dans l'e pace abstrait d'une intel-
ction). Toutes ces sortes d'images ne sont des inserts *que* quand elles sont pré-
entées une seule fois, et au milieu d'un syntagme étranger. Mais si elles sont
rganisées en série et présentées en alternance avec une autre série, elles donnent
eu à un syntagme alternant (c'est un exemple filmique de *transformation*).

Diégèse et film.

Ces six grands types syntagmatiques ne peuvent être repérés que *par rapport*
la diégèse, mais *dans* le film. Ils correspondent à des *éléments* de diégèse, non
« la diégèse » tout court. Cette dernière est le *signifié lointain* du film pris en
loc, alors que les éléments de diégèse sont les *signifiés proches* de chaque segment
ilmique. Parler *directement* de la diégèse (comme on fait dans les ciné-clubs)
e nous donnera jamais le découpage syntagmatique du film, puisque cela
vient à examiner des signifiés sans tenir compte de leurs signifiants. Inverse-
ent, vouloir découper des unités sans tenir compte *du tout* de la diégèse (comme
ans les « tables de montage » de certains théoriciens de l'époque du cinéma muet),
est opérer sur des signifiants sans signifiés, puisque le propre du film narratif
t de narrer. Le signifié *proche* de chaque segment filmique est uni à ce segment
i-même par d'indissolubles liens de réciprocité sémiologique (*principe de la
mmutation*) et seul un va-et-vient méthodique de l'instance *filmique* (signi-
ante) à l'instance *diégétique* (signifiée) nous donne quelque chance de découper
n jour le film de façon point trop contestable.

Syntagmatique et montage.

Chacun des six grands types syntagmatiques — ou plutôt chacun des cinq
emiers, puisque pour le plan autonome le problème ne se pose pas — peut se
aliser de deux façons : soit par le recours au *montage proprement dit* (comme
était le cas le plus souvent dans l'ancien cinéma), soit par le recours à des
rmes *d'agencement syntagmatique plus subtiles* (comme c'est souvent le cas
ans le cinéma moderne). Des agencements qui évitent le *collage* (= tournage
a continuité, plans longs, plans-séquences, etc.) n'en restent pas moins des
nstructions *syntagmatiques*, des activités de montages au sens large, comme
. bien montré Jean Mitry. S'il est vrai que le montage conçu comme manipu-
tion irresponsable, magique et toute-puissante est dépassé, le montage comme
nstruction d'une intelligibilité au moyen de « rapprochements » divers n'est en
cune façon « dépassé », puisque le film est de toute façon *discours* (c'est-à-
re lieu de co-occurrence de divers éléments actualisés).
Exemple : une description peut se réaliser en un seul « plan », hors de tout
ontage, par de simples mouvements d'appareil : la structure intelligible reliant
différents *motifs* présentés sera la même que celle qui réunit les différents
ans d'un syntagme descriptif classique. Le montage proprement dit représente
e forme *élémentaire* de la grande syntagmatique du film, car chaque « plan »
le en *motif* unique : de ce fait *les rapports entre motifs coïncident
ec des rapports entre plans*, ce qui rend l'analyse plus facile que dans les formes
mplexes (et culturellement « modernes ») de la syntagmatique cinématogra-
ique.

Conséquence : une analyse plus poussée de la syntagmatique des films *moderne* exigerait que l'on revoie le statut du *plan autonome* (= le sixième de nos grand types), puisqu'il est *susceptible de contenir les cinq premiers.*

Conclusion.

Il existe une organisation du langage cinématographique, une sorte de « gran maire » du film. Elle n'est pas arbitraire (contrairement aux vraies grammaires et elle n'est pas immuable (elle évolue même plus vite que les vraies grammaires

La notion de « grammaire cinématographique » est aujourd'hui très décriée on a l'impression qu'il n'en existe pas. Mais c'est parce qu'*on ne l'a pas cherch* *là où il le fallait.* On s'est toujours référé implicitement à la *grammaire normati* *de langues particulières* (= les langues maternelles des théoriciens du cinéma alors que le phénomène linguistique et grammatical est infiniment plus vas* et concerne *les grandes figures fondamentales de la transmission de toute informatio* Seule la linguistique *générale* et la *sémiologie générale* (disciplines non-normative simplement analytiques) peuvent fournir à l'étude du langage cinématographiq* des « modèles » méthodologiques appropriés. Il ne suffit donc pas de constat* qu'il n'existe rien au cinéma qui corresponde à la proposition consécutive fra* çaise ou à l'adverbe latin, qui sont des phénomènes linguistiques infinime* particuliers, non nécessaires, non universels. Le dialogue entre le théorici* du cinéma et le sémiologue ne peut s'établir qu'en un point situé très en amo* de ces spécifications idiomatiques ou de ces prescriptions consciemment oblig* toires. Ce qui demande à être compris, c'est le fait que les films soient compr* L'analogie iconique ne saurait rendre compte à elle seule de cette intelligibili* des co-occurrences dans le discours filmique. C'est là la tâche d'une gran* syntagmatique.

CHRISTIAN METZ
Centre National de la Recherche Scientifiqu*

Tzvetan Todorov

Les catégories du récit littéraire

Étudier la « littérarité » et non la littérature : c'est la formule qui, il y a bientôt inquante ans, signala l'apparition de la première tendance moderne dans les tudes littéraires, le Formalisme russe. Cette phrase de Jakobson veut redéfinir 'objet de la recherche; pourtant on s'est mépris assez longtemps sur sa véritable ignification. Car elle ne vise pas à substituer une étude immanente à l'approche ranscendante (psychologique, sociologique ou philosophique) qui régnait jus-u'alors : en aucun cas on ne se limite à la description d'une œuvre, ce qui ne ourrait d'ailleurs pas être l'objectif d'une science (et c'est bien d'une science u'il s'agit). Il serait plus juste de dire que, au lieu de projeter l'œuvre sur un utre type de discours, on la projette ici sur le discours littéraire. On étudie non as l'œuvre mais les virtualités du discours littéraire, qui l'ont rendue possible : 'est ainsi que les études littéraires pourront devenir une science de la littéra-ure.

SENS ET INTERPRÉTATION. Mais de même que pour connaître le langage on oit d'abord étudier les langues, pour accéder au discours littéraire, nous devons e saisir dans des œuvres concrètes. Un problème se pose ici : comment choisir armi les multiples significations, qui surgissent au cours de la lecture celles ui ont trait à la littérarité? Comment isoler le domaine de ce qui est propre-ient littéraire, en laissant à la psychologie et à l'histoire celui qui leur revient? our faciliter ce travail de description, nous nous proposons de définir deux otions préliminaires : le *sens* et l'*interprétation*.

Le sens (ou la fonction) d'un élément de l'œuvre, c'est sa possibilité d'entrer a corrélation avec d'autres éléments de cette œuvre et avec l'œuvre entière [1]. e sens d'une métaphore est de s'opposer à telle autre image ou d'être plus itense qu'elle à un ou plusieurs degrés. Le sens d'un monologue peut être de iractériser un personnage. C'est au sens des éléments de l'œuvre que pensait aubert lorsqu'il écrivait : « Il n'y a point dans mon livre une description isolée, atuite; toutes *servent* à mes personnages et ont une influence lointaine ou nmédiate sur l'action. » Chaque élément de l'œuvre a un ou plusieurs sens (sauf celle-ci est déficiente), qui sont en nombre fini et qu'il est possible d'établir ie fois pour toutes.

1. Cf. TYNIANOV, « De l'évolution littéraire », p. 123; ici comme partout dans ce xte, les citations des formalistes russes renvoient au recueil *Théorie de la Littéra-e*, Éd. du Seuil, 1965; nous l'indiquerons dorénavant par TL.

Il n'en est pas de même quant à l'interprétation. L'interprétation d'un élément de l'œuvre est différente suivant la personnalité du critique, ses positions idéologiques, suivant l'époque. Pour être interprété, l'élément est inclus dans un système qui n'est pas celui de l'œuvre mais celui du critique. L'interprétation d'une métaphore peut être par exemple une conclusion sur les pulsions de mort du poète ou sur son attirance pour tel « élément » de la nature plutôt que pour tel autre. Le même monologue peut alors être interprété comme une négation de l'ordre existant ou, disons, comme une mise en question de la condition humaine. Ces interprétations peuvent être justifiées et elles sont, de toutes les façons, nécessaires; mais n'oublions pas que ce sont là des interprétations.

L'opposition entre sens et interprétation d'un élément de l'œuvre correspond à la distinction classique de Frege entre *Sinn* et *Vorstellung*. Une description de l'œuvre vise le sens des éléments littéraires; la critique cherche à leur donner une interprétation.

Le sens de l'œuvre. Mais alors, nous dira-t-on, que devient l'œuvre elle-même? Si le sens de chaque élément réside dans sa possibilité de s'intégrer dans un système qui est l'œuvre, cette dernière aurait-elle un sens?

Si l'on décide que l'œuvre est la plus grande unité littéraire, il est évident que la question du sens de l'œuvre n'a pas de sens. Pour avoir un sens l'œuvre doit être incluse dans un système supérieur. Si on ne le fait pas, il faut avouer que l'œuvre n'a pas de sens. Elle n'entre en rapport qu'avec elle-même, c'est donc un *index sui*, elle s'indique elle-même sans renvoyer à aucun ailleurs.

Mais c'est une illusion, de croire que l'œuvre a une existence indépendante. Elle apparaît dans un univers littéraire peuplé par les œuvres déjà existantes et c'est là qu'elle s'intègre. Chaque œuvre d'art entre dans des rapports complexes avec les œuvres du passé qui forment, suivant les époques, différentes hiérarchies. Le sens de *Madame Bovary* est de s'opposer à la littérature romantique. Quant à son interprétation, elle varie suivant les époques et les critiques.

Notre tâche ici est de proposer un système de notions qui pourront servir à l'étude du discours littéraire. Nous nous sommes limités, d'une part, aux œuvres en prose, et de l'autre, à un certain niveau de généralité dans l'œuvre : celui du *récit*. Pour être la plupart du temps l'élément dominant dans la structure des œuvres en prose, le récit n'en est pour autant le seul. Parmi les œuvres particulières que nous analyserons, nous reviendrons le plus souvent sur *les Liaisons dangereuses*.

Histoire et discours. Au niveau le plus général, l'œuvre littéraire a deux aspects : elle est en même temps une histoire et un discours. Elle est histoire dans ce sens qu'elle évoque une certaine réalité, des événements qui se seraient passés, des personnages qui, de ce point de vue, se confondent avec ceux de la vie réelle. Cette même histoire aurait pu nous être rapportée par d'autres moyens; par un film, par exemple; on aurait pu l'apprendre par le récit oral d'un témoin sans qu'elle soit incarnée dans un livre. Mais l'œuvre est en même temps discours : il existe un narrateur qui relate l'histoire; et il y a en face de lui un lecteur qui la perçoit. A ce niveau, ce ne sont pas les événements rapportés qui comptent mais la façon dont le narrateur nous les a fait connaître. Les notions d'histoire et de discours ont été définitivement introduites dans les études du langage, après leur formulation catégorique par E. Benveniste.

Ce sont les formalistes russes qui, les premiers, ont isolé ces deux notions qu'ils appelaient *fable* (« ce qui s'est effectivement passé ») et *sujet* (« la façon dont

cteur en a pris connaissance ») (Tomachevski, TL, p. 268). Mais Laclos avait
éjà bien senti l'existence de ces deux aspects de l'œuvre, et il a écrit deux intro-
uctions : la Préface du Rédacteur nous introduit à l'histoire, l'Avertissement
e l'Éditeur, au discours. Chklovski déclarait que l'histoire n'est pas un élément
rtistique mais un matériau prélittéraire; seul le discours était pour lui une
onstruction esthétique. Il croyait pertinent pour la structure de l'œuvre le fait
ue le dénouement soit placé avant le nœud de l'intrigue; mais non le fait que
: héros accomplisse tel acte au lieu de tel autre (en pratique les formalistes
tudiaient l'un et l'autre). Pourtant les deux aspects, l'histoire et le discours,
ont tous deux également littéraires. La rhétorique classique se serait occupée
es deux : l'histoire relèverait de l'*inventio*, le discours de la *dispositio*.

Trente ans plus tard, dans un élan de repentir, le même Chklovski passait
'un extrême à l'autre, en affirmant : « Il est impossible et inutile de séparer
a partie événementielle de son agencement compositionnel, car il s'agit toujours
e la même chose : 'la connaissance du phénomène » (*O xudozhestvennoj proze*,
. 439). Cette affirmation nous paraît tout aussi inadmissible que la première :
est oublier que l'œuvre a deux aspects et non un seul. Il est vrai qu'il n'est
as toujours facile de les distinguer; mais nous croyons que, pour comprendre
unité même de l'œuvre, il faut d'abord isoler ces deux aspects. C'est ce que
ous allons tenter ici.

I. LE RÉCIT COMME HISTOIRE

Il ne faut pas croire que l'histoire corresponde à un ordre chronologique idéal.
suffit qu'il y ait plus d'un personnage pour que cet ordre idéal devienne extrê-
ement éloigné de l'histoire « naturelle ». La raison en est que, pour sauvegarder
t ordre, nous devrions sauter à chaque phrase d'un personnage à un autre
ur dire ce que ce second personnage faisait « pendant ce temps-là ».
ar l'histoire est rarement simple : elle contient le plus souvent plusieurs « fils »
ce n'est qu'à partir d'un certain moment que ces fils se rejoignent.

L'ordre chronologique idéal est plutôt un procédé de présentation, tenté dans
s œuvres récentes, et ce n'est pas à lui que nous nous référons en parlant de
istoire. Cette notion correspond plutôt à un exposé pragmatique de ce qui
st passé. L'*histoire* est donc une convention, elle n'existe pas au niveau des
énements eux-mêmes. Le rapport d'un agent de police sur un fait divers suit
écisément les normes de cette convention, il expose les événements le plus
airement possible (alors que l'écrivain qui en tire l'intrigue de son récit passera
us silence tel détail important pour ne nous le révéler qu'à la fin). Cette conven-
on est si largement répandue que la déformation particulière faite par l'écrivain
ns sa présentation des événements est confrontée précisément avec elle et non
ec l'ordre chronologique. L'histoire est une abstraction car elle est toujours
rçue et racontée par quelqu'un, elle n'existe pas « en soi ».
Nous distinguerons, en ne nous écartant pas en cela de la tradition,
ux niveaux de l'histoire.

a) *Logique des actions.*

Essayons tout d'abord de considérer les actions dans un récit en elles-mêmes sans tenir compte du rapport qu'elles entretiennent avec les autres éléments. Quel héritage nous a légué ici la poétique classique?

LES RÉPÉTITIONS. Tous les commentaires sur la « technique » du récit reposent sur une simple observation : dans toute œuvre, il existe une tendance à la répétition, qu'elle concerne l'action, les personnages ou bien des détails de la description. Cette loi de la répétition, dont l'extension déborde largement l'œuvre littéraire, se précise dans plusieurs formes particulières qui portent le même nom (et pour cause) que certaines figures rhétoriques. L'une de ces formes serait par exemple l'*antithèse*, contraste qui présuppose, pour être perçu, une partie identique dans chacun des deux termes. On peut dire que, dans *les Liaisons dangereuses*, c'est la succession des lettres qui obéit au contraste : les différentes histoires doivent s'alterner, les lettres successives ne concernent pas le même personnage; si elles sont écrites par la même personne, il y aura une opposition dans le contenu ou dans le ton.

Une autre forme de répétition est la *gradation*. Lorsqu'un rapport entre les personnages reste identique pendant plusieurs pages, un danger de monotonie guette leurs lettres. C'est par exemple le cas de Mme de Tourvel. Tout au long de la deuxième partie, ses lettres expriment le même sentiment. La monotonie est évitée grâce à la gradation : chacune de ses lettres donne un indice supplémentaire de son amour pour Valmont, de sorte que l'aveu de cet amour (l. 90) vient comme une conséquence logique de ce qui précède.

Mais la forme qui est de loin la plus répandue du principe d'identité est ce qu'on appelle communément le *parallélisme*. Tout parallélisme est constitué par deux séquences au moins, qui comportent des éléments semblables et différents. Grâce aux éléments identiques, les dissemblances se trouvent accentuées; le langage, nous le savons, fonctionne avant tout à travers les différences.

On peut distinguer deux types principaux de parallélisme : celui des fils de l'intrigue, qui concerne les grandes unités du récit; et celui des formules verbales (les « détails »). Citons quelques exemples du premier type. Un des dessins confronte les couples Valmont-Tourvel et Danceny-Cécile. Par exemple Danceny fait la cour à Cécile en lui demandant le droit de lui écrire; Valmont conduit son flirt de la même façon. De l'autre côté, Cécile refuse à Danceny le droit de lui écrire, exactement comme Tourvel le fait pour Valmont. Chacun des participants est caractérisé plus nettement grâce à cette comparaison : les sentiments de Tourvel contrastent avec ceux de Cécile, il en est de même quant à Valmont et Danceny.

L'autre dessin parallèle concerne les couples Valmont-Cécile et Merteuil-Danceny; il sert moins la caractéristique des héros que la composition du livre, car sans cela, Merteuil serait restée sans liaison importante avec les autres personnages. On peut remarquer ici qu'un des rares défauts dans la composition du roman est cette faible intégration de Mme de Merteuil dans le réseau de rapports entre les personnages; ainsi nous n'avons pas suffisamment de preuve de son charme féminin qui joue pourtant un si grand rôle dans le dénouement (ni Belleroche ni Prévan ne sont directement présents dans le roman).

Le second type de parallélisme repose sur une ressemblance entre des formules verbales articulées dans des circonstances identiques. Voici par exemple comment

Cécile termine une de ses lettres : « Il faut que je finisse car il est près d'une heure ; ainsi M. de Valmont ne doit pas tarder » (l. 109). Mme de Tourvel conclut la sienne d'une façon semblable : « Je voudrais en vain vous écrire plus longtemps ; voici l'heure où il (Valmont) a promis de venir, et toute autre idée m'abandonne » (l. 132). Ici les formules et les situations semblables (deux femmes attendent leur amant qui est la même personne) accentuent la différence dans les sentiments des deux maîtresses de Valmont et représentent une accusation indirecte contre lui.

On pourrait nous objecter ici qu'une telle ressemblance risque fortement de passer inaperçue, les deux passages étant parfois séparés par des dizaines ou même par des centaines de pages. Mais une telle objection ne concerne qu'une étude située au niveau de la perception ; alors que nous nous plaçons constamment à celui de l'œuvre. Il est dangereux d'identifier l'œuvre avec sa perception chez un individu ; la bonne lecture n'est pas celle du « lecteur moyen » mais une lecture optimale.

De telles remarques sur les répétitions sont bien familières à la poétique traditionnelle. Mais il est à peine besoin de dire que la grille abstraite, proposée ci, est d'une telle généralité qu'elle pourrait difficilement caractériser un type de récit plutôt qu'un autre. D'autre part, cette approche est par trop « formaliste » : elle ne s'intéresse qu'à un rapport formel entre les différentes actions, sans tenir nullement compte de la nature de ces actions. En fait l'opposition n'est même pas entre une étude des « relations » et une étude des « essences », mais entre deux niveaux d'abstraction ; et le premier se révèle comme beaucoup trop élevé.

Il existe une autre tentative pour décrire la logique des actions ; ici encore on étudie les relations qu'elles entretiennent ; mais le degré de généralité est beaucoup moins élevé, et les actions sont caractérisées de plus près. Nous pensons, évidemment, à l'étude du conte populaire et du mythe. La pertinence de ces analyses pour l'étude du récit littéraire est certainement plus grande qu'on ne le pense d'habitude.

L'étude structurale du folklore date d'il y a assez peu de temps, et on ne peut pas dire qu'à l'heure actuelle un accord se soit fait sur la façon dont il faut procéder pour analyser un récit. Des recherches ultérieures prouveront la plus ou moins grande valeur des modèles actuels. Pour notre part, nous nous bornerons ici, en guise d'illustration, à appliquer deux modèles différents à l'histoire centrale des *Liaisons dangereuses* pour discuter des possibilités de la méthode.

Le modèle triadique. La première méthode que nous exposerons est une simplification de la conception de Cl. Bremond (cf. « Le message narratif », *Communications*, 4). Selon cette conception, le récit entier est constitué par l'enchaînement ou l'emboîtement de micro-récits. Chacun de ces micro-récits est composé de trois (ou parfois de deux) éléments dont la présence est obligatoire. Tous les récits du monde seraient constitués, selon cette conception, par les différentes combinaisons d'une dizaine de micro-récits à structure stable, qui correspondraient à un petit nombre de situations essentielles dans la vie ; on pourrait les désigner par des mots comme « tromperie », « contrat », « protection », etc.

Ainsi l'histoire des rapports entre Valmont et Tourvel peut être présenté comme suit :

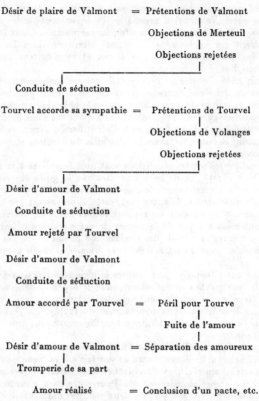

Désir de plaire de Valmont   = Prétentions de Valmont

Objections de Merteuil

Objections rejetées

Conduite de séduction

Tourvel accorde sa sympathie = Prétentions de Tourvel

Objections de Volanges

Objections rejetées

Désir d'amour de Valmont

Conduite de séduction

Amour rejeté par Tourvel

Désir d'amour de Valmont

Conduite de séduction

Amour accordé par Tourvel   = Péril pour Tourve

Fuite de l'amour

Désir d'amour de Valmont   = Séparation des amoureux

Tromperie de sa part

Amour réalisé   = Conclusion d'un pacte, etc.

Les actions qui composent chaque triade sont relativement homogènes se laissent facilement isoler des autres. On remarque trois types de triades : premier concerne la tentative (manquée ou réussie) de réaliser un projet (le triades de gauche), le second, une « prétention », le troisième, un péril.

LE MODÈLE HOMOLOGIQUE. Avant de tirer une conclusion quelconque de cett première analyse, nous procéderons à une seconde, fondée elle aussi sur les méth des courantes d'analyse du folklore et, plus particulièrement, d'analyse d mythes. Il serait injuste d'attribuer ce modèle à Lévi-Strauss, car pour en avo donné une première image, cet auteur ne peut pas être tenu responsable de formule simplifiée que nous présenterons ici. Selon celle-ci, on suppose que récit représente la projection syntagmatique d'un réseau de rapports paradi matiques. On découvre donc dans l'ensemble du récit une dépendance ent certains éléments, et on cherche à la retrouver dans la succession. Cette dépe dance est, dans la plupart des cas, une « homologie », c'est-à-dire une relati proportionnelle à quatre termes (A : B : : a : b). On peut aussi procéder dans l'ordre inverse : essayer de disposer de différentes manières les événements qui se succèdent, pour découvrir, à partir des relations qui s'établissent, la structure de l'univers représenté. Nous procéderons ici de cette deuxième manière et, faute d'un principe déjà établi, nous nous contenterons d'une succession directe et simple.

Les propositions que nous avons inscrites dans le tableau qui suit résument le même fil de l'intrigue, les relations Valmont-Tourvel jusqu'à la chute de Tourvel. Pour suivre ce fil, il faut lire les lignes horizontales qui représentent l'aspect syntagmatique du récit. Ensuite comparer les propositions placées l'une au-dessous de l'autre (dans une même colonne, présumée paradigme) et chercher leur dénominateur commun.

Valmont désire plaire	Tourvel se laisse admirer	Merteuil essaye de faire obstacle au premier désir	Valmont rejette les conseils de Merteuil
Valmont cherche à séduire	Tourvel lui accorde sa sympathie	Volanges essaye de faire obstacle à la sympathie	Tourvel rejette les conseils de Volanges
Valmont déclare son amour	Tourvel résiste	Valmont la poursuit obstinément	Tourvel rejette l'amour
Valmont cherche de nouveau à séduire	Tourvel lui accorde son amour	Tourvel s'enfuit devant l'amour	Valmont rejette en apparence l'amour

L'amour est réalisé...

Cherchons à présent le dénominateur commun de chaque colonne. Toutes les propositions de la première concernent l'attitude de Valmont envers Tourvel. Inversement, la seconde colonne concerne exclusivement Tourvel et caractérise son comportement devant Valmont. La troisième colonne n'a pas un sujet pour dénominateur commun mais toutes les propositions décrivent des actes, au sens fort du mot. Enfin, la quatrième possède un prédicat commun, c'est le rejet, le refus (dans la dernière ligne, c'est un rejet feint). Les deux membres de chaque paire se trouvent dans une relation quasi antithétique, et nous pouvons dresser la proportion :

Valmont : Tourvel : : les actes : le rejet des actes.

Cette présentation paraît d'autant plus justifiée qu'elle indique correctement le rapport général entre Valmont et Tourvel, la seule action brusque de Tourvel etc.

Plusieurs conclusions s'imposent à partir de ces analyses :

1. Il semble évident que, dans un récit, la succession des actions n'est pas arbitraire, mais obéit à une certaine logique. L'apparition d'un projet provoque l'apparition d'un obstacle, le péril provoque une résistance ou une fuite, etc. Il est très possible que ces schémas de base soient en nombre limité et qu'on puisse représenter l'intrigue de tout récit comme une dérivation de ceux-là. Nous ne sommes pas sûrs qu'il faille préférer l'un des découpages à l'autre, et

il n'était pas dans notre dessein d'essayer de le décider, à partir d'un seul exemple
Les recherches menées par les spécialistes du folklore (sur le modèle triadique
cf. ici-même, Cl. Bremond; sur le modèle homologique, cf. ici-même, P. Maranda
montreront quel est le plus approprié à l'analyse des formes simples du récit.

La connaissance de ces techniques et des résultats obtenus grâce à elles es
nécessaire pour la compréhension de l'œuvre. Savoir que telle succession
d'actions relève de cette logique nous permet de ne pas lui chercher une autr
justification dans l'œuvre. Même si un auteur n'obéit pas à cette logique, nou
devons la connaître : sa désobéissance prend tout son sens précisément pa
rapport à la norme que cette logique impose.

2. Le fait que selon le modèle choisi, nous obtenions un résultat différent
partir du même récit, est quelque peu inquiétant. Il se révèle d'une part, qu
ce même récit peut avoir plusieurs structures; et les techniques en question n
nous offrent aucun critère pour en choisir une. D'autre part, certaines partie
du récit sont présentées, dans les deux modèles, par des propositions différentes
pourtant dans chaque cas nous sommes restés fidèles à l'histoire. Cette malléab
lité de l'histoire nous avertit d'un danger : si l'histoire reste la même, alors qu
nous changeons certaines de ses parties, c'est que celles-ci ne sont pas de vér
tables parties. Le fait qu'au même endroit dans la chaîne apparaisse une fo
« prétentions de Valmont », et une autre, « Tourvel se laisse admirer », nous signa
une marge dangereuse d'arbitraire et montre que nous ne pouvons pas être sû
de la valeur des résultats obtenus.

3. Un défaut de notre démonstration tient à la qualité de l'exemple chois
Une telle étude des actions les pose comme un élément indépendant de l'œuvre
nous nous privons ainsi de la possibilité de les relier aux personnages. Or le
Liaisons dangereuses relèvent d'un type de récit qu'on pourrait appeler « psych
logique » et où ces deux éléments sont très étroitement liés. Ce ne serait pas
cas du conte populaire ni même des nouvelles de Boccace où le personnage n'es
la plupart du temps, qu'un nom qui permet de relier les différentes actions (
se trouve le champ d'application par excellence des méthodes destinées à l'étu
de la logique des actions). Nous verrons plus loin comment il est possible d'appl
quer les techniques discutées ici aux récits du type des *Liaisons dangereuses*.

b) *Les personnages et leurs rapports.*

« Le héros n'est guère nécessaire à l'histoire. L'histoire comme système
motifs peut entièrement se passer du héros et de ses traits caractéristiques
écrit Tomachevski (TL, p. 296). Cette affirmation nous semble cependant
rapporter davantage aux histoires anecdotiques ou tout au plus aux nouvell
de la Renaissance qu'à la littérature occidentale classique qui s'étend de D
Quichotte à *Ulysse*. Dans cette littérature, le personnage nous semble jouer
rôle de premier ordre et c'est à partir de lui que s'organisent les autres élémen
du récit. Ce n'est cependant pas le cas dans certaines tendances de la littératu
moderne où le personnage tient à nouveau un rôle secondaire.

L'étude du personnage pose de multiples problèmes qui sont encore loin d'êt
résolus. Nous nous arrêterons sur un type de personnage qui est relativement
mieux étudié : celui qui est caractérisé exhaustivement par ses rapports avec
autres personnages. Il ne faut pas croire que, du fait que le sens de chaque éléme

de l'œuvre équivaut à l'ensemble de ses relations avec les autres, tout personnage se définit entièrement par ses rapports avec les autres personnages. C'est toutefois le cas pour un type de littérature et notamment pour le drame. C'est à partir du drame que E. Souriau a tiré un premier modèle des rapports entre personnages; nous l'utiliserons dans la forme que lui a donnée A.-J. Greimas. *Les Liaisons dangereuses*, roman par lettres, se rapprochent à plusieurs points de vue du drame et ce modèle reste valable pour elles.

LES PRÉDICATS DE BASE. A première vue, ces rapports peuvent paraître trop divers, à cause du grand nombre de personnages; mais on s'aperçoit vite qu'il est facile de les réduire à trois seulement : désir, communication et participation. Commençons par le *désir* qui est attesté chez presque tous les personnages. Dans sa forme la plus répandue que l'on pourrait désigner comme l'« amour », on le trouve chez Valmont (envers Tourvel, Cécile, Merteuil, la Vicomtesse, Émilie), chez Merteuil (pour Belleroche, Prévan, Danceny), chez Tourvel, Cécile et Danceny. Le second axe, moins évident mais tout aussi important est celui de la *communication*, et il se réalise dans la « confidence ». La présence de ce rapport justifie les lettres franches, ouvertes, riches en information, comme il sied entre confidents. Ainsi dans la majeure partie du livre, Valmont et Merteuil se trouvent en rapport de confidence. Tourvel a comme confidente Mme de Rosemonde; Cécile, d'abord Sophie, ensuite Merteuil. Danceny se confie à Merteuil et à Valmont, Volanges à Merteuil, etc. Un troisième type de rapport est ce qu'on peut appeler la *participation*, qui se réalise par l'« aide ». Par exemple Valmont aide Merteuil dans ses projets; Merteuil aide d'abord le couple Danceny-Cécile, plus tard Valmont dans ses rapports avec Cécile. Danceny l'aide aussi dans le même sens bien qu'involontairement. Ce troisième rapport est présent beaucoup moins souvent et il apparaît comme un axe subordonné à l'axe du désir.

Ces trois rapports possèdent une très grande généralité, puisqu'ils sont déjà présents dans la formulation de ce modèle, telle que l'a donnée A.-J. Greimas. Nous ne voulons pas toutefois affirmer qu'il faut réduire tous les rapports humains, dans tous les récits, à ces trois-là. Ce serait une réduction excessive qui nous empêcherait de caractériser un type de récit précisément par la présence de ces trois rapports. Nous croyons en revanche que les rapports entre personnages, dans tout récit, peuvent toujours être réduits à un petit nombre et que ce réseau de rapports a un rôle fondamental pour la structure de l'œuvre. C'est en cela que se justifie notre démarche.

Nous disposons donc de trois prédicats qui désignent des rapports de base. Tous les autres rapports peuvent être dérivés de ces trois-là, à l'aide de deux *règles de dérivation*. Une telle règle formalise la relation entre un prédicat de base et un prédicat dérivé. Nous préférons cette façon de présenter les rapports entre prédicats à la simple énumération, parce que celle-là est logiquement plus simple et que, d'autre part, elle rend correctement compte de la transformation des sentiments, qui se produit au cours du récit.

LA RÈGLE D'OPPOSITION. Nous appellerons la première règle dont les produits sont plus répandus *règle d'opposition*. Chacun des trois prédicats possède un prédicat opposé (notion plus étroite que la négation). Ces prédicats opposés sont moins souvent présents que leurs corrélats positifs; et cela est motivé naturellement par le fait que la présence d'une lettre est déjà le signe d'un rapport amical. Ainsi l'opposé de l'amour, la haine, est plutôt un prétexte, un élément préliminaire, qu'un rapport bien explicité. On peut la remarquer chez la Marquise, pour Gercourt, chez Valmont, pour Mme de Volanges, chez Danceny, pour Valmont. Il s'agit toujours d'un mobile, pas d'un acte présent.

Le rapport qui s'oppose à la confidence est plus fréquent bien qu'il reste également implicite : c'est l'action de rendre un secret public, de l'afficher. Le récit sur Prévan, par exemple, est fondé entièrement sur le droit de priorité à raconter l'événement. De même, l'intrigue générale sera résolue par un geste semblable : Valmont, puis Danceny, publieront les lettres de la Marquise, et ce sera là sa plus grave punition. En fait ce prédicat est présent plus souvent qu'on ne pense, bien qu'il reste latent : le danger de se faire connaître par les gens détermine une grande partie des actes de presque tous les personnages. C'est devant ce danger par exemple, que Cécile cédera aux avances de Valmont. C'est dans ce sens aussi qu'est allée une grande partie de l'éducation de Mme de Merteuil. C'est dans ce but que Valmont et Merteuil cherchent constamment à s'emparer de lettres compromettantes (de Cécile) : c'est là le meilleur moyen de nuire à Gercourt. Chez Mme de Tourvel, ce prédicat subit une transformation personnelle : chez elle, la peur de la parole des autres est intériorisée et se manifeste dans l'importance qu'elle accorde à sa propre conscience. Ainsi à la fin du livre, peu avant sa mort, elle ne regrettera pas l'amour perdu, mais la violation des lois de sa conscience, qui équivalent, en fin de compte, à l'opinion publique, aux parole des autres : « Enfin en me parlant de la façon cruelle dont elle avait été sacrifiée, elle ajouta : « Je me croyais bien sûre d'en mourir, et j'en avais le courage; mai de survivre à mon malheur et à ma honte, c'est ce qui m'est impossible ». » (l. 149)

Enfin l'acte d'aider trouve son contraire dans celui d'empêcher, de s'opposer Ainsi Valmont fait obstacle aux liaisons de Merteuil avec Prévan et de Danceny avec Cécile, Mme de Volanges aux mêmes.

LA RÈGLE DU PASSIF. Les résultats de la deuxième dérivation à partir de trois prédicats de base sont moins répandus; ils correspondent au passage d la voix active à la voix passive, et nous pouvons appeler cette règle *règle de passif* Ainsi Valmont désire Tourvel mais il est aussi désiré par elle; il hait Volanges e est haï par Danceny; il se confie à Merteuil et il est le confident de Danceny; rend publique son aventure avec la Vicomtesse, mais Volanges affiche ses propre actions; il aide Danceny et en même temps il est aidé par ce dernier pour conquéri Cécile; il s'oppose à certaines actions de Merteuil et en même temps il subi l'opposition venant de la part de Volanges ou de Merteuil. En d'autres mots chaque action a un sujet et un objet; mais contrairement à la transformatio linguistique actif-passif, nous ne les changerons pas ici de place : seul le verb passe à la voix passive. Nous traitons donc tous nos prédicats comme des verbe transitifs.

Ainsi nous sommes arrivés à douze rapports différents que nous trouvons a cours du récit, et que nous avons décrits à l'aide de trois prédicats de base e de deux règles de dérivation. Notons ici que ces deux règles n'ont pas exactemen la même fonction : la règle d'opposition sert à engendrer une proposition qu ne peut être exprimée autrement (p. ex. *Merteuil empêche Valmont* à part de *Merteuil aide Valmont*); la règle du passif sert à montrer la parenté de deu propositions déjà existantes (p. ex. *Valmont aime Tourvel* et *Tourvel aime Valmont* : cette dernière est présentée, grâce à notre règle, comme une dérivation d la première, sous la forme *Valmont est aimé par Tourvel*).

L'ÊTRE ET LE PARAÎTRE. Cette description des rapports faisait abstractio de leur incarnation dans un personnage. Si nous les observons de ce point de vu nous verrons qu'une autre distinction est présente dans tous les rapports énumérés. Chaque action peut d'abord paraître comme amour, confidence, etc., mais elle peut ensuite se révéler comme un tout autre rapport, de haine, d'opposition et ainsi de suite. L'apparence ne coïncide pas nécessairement avec l'essence de la relation bien qu'il s'agisse de la même personne et du même moment. Nous pouvons donc postuler l'existence de deux niveaux de rapports, celui de l'être et celui du paraître. (N'oublions pas que ces termes concernent la perception des personnages et non la nôtre.) L'existence de ces deux niveaux est consciente chez Merteuil et Valmont et ils utilisent l'hypocrisie pour arriver à leurs fins. Merteuil est apparemment la confidente de Mᵐᵉ de Volanges et de Cécile, mais en fait elle se sert d'elles pour se venger de Gercourt. Valmont agit de même avec Danceny.

Les autres personnages présentent aussi cette duplicité dans leurs rapports; elle s'explique cette fois non par l' hypocrisie, mais par la mauvaise foi ou par la naïveté. Ainsi Tourvel éprouve de l'amour pour Valmont mais elle n'ose pas se l'avouer à elle-même et le dissimule derrière l'apparence de la confidence. De même Cécile, de même Danceny (dans ses rapports avec Merteuil). Ceci nous amène à postuler l'existence d'un nouveau prédicat qui n'apparaîtra que dans ce groupe de victimes et qui se situe à un niveau secondaire par rapport aux autres : c'est celui de *prendre conscience, de s'apercevoir*. Il désignera l'action qui se produit lorsqu'un personnage se rend compte que le rapport qu'il a avec un autre personnage n'est pas celui qu'il croyait avoir.

Les Transformations personnelles. Nous avons appelé du même nom — disons « amour » ou « confidence » — des sentiments qu'éprouvent des personnages différents et qui ont souvent une teneur inégale. Pour retrouver les nuances nous pouvons introduire la notion de *tranformation personnelle* d'un rapport. Nous avons déjà signalé la transformation que subit la peur de l'affichement chez Mᵐᵉ de Tourvel. Un autre exemple nous est fourni par la réalisation de l'amour chez Valmont et Merteuil. Ces personnages ont décomposé préalablement, pourrait-on dire, le sentiment d'amour, et ils y ont découvert un désir de possession et en même temps une soumission à l'objet aimé; ils n'en ont gardé que la première moitié, le désir de possession. Ce désir, une fois satisfait, est suivi par l'indifférence. Telle est la conduite de Valmont avec toutes ses maîtresses, telle est aussi celle de Merteuil.

Faisons maintenant un rapide bilan. Pour décrire l'univers des personnages nous avons apparemment besoin de trois notions. Il y a d'abord les *prédicats*, notion fonctionnelle, telle que « aimer », « se confier », etc. Il y a d'autre part les *personnages* : Valmont, Merteuil, etc. Ceux-ci peuvent avoir deux fonctions : soit être les sujets, soit être les objets des actions décrites par les prédicats. Nous emploierons le terme générique d'*agent* pour désigner à la fois le sujet et l'objet de l'action. A l'intérieur d'une œuvre, les agents et les prédicats sont des unités stables, ce qui varie, ce sont les combinaisons de deux groupes. Enfin, la troisième notion est celle de *règles de dérivation* : celles-ci décrivent les rapports entre les différents prédicats. Mais la description que nous pouvons faire à l'aide de ces notions reste purement statique; afin de pouvoir décrire le mouvement de ces rapports et, par là, le mouvement du récit, nous introduirons une nouvelle série de règles que nous appellerons, pour les distinguer des règles de dérivation, *règles d'action*.

Règles d'action. Ces règles auront comme données de départ les agents et les prédicats dont nous avons parlé et qui se trouvent déjà dans un certain rapport;

elles prescriront, comme résultat final, les nouveaux rapports qui doivent s'instaurer entre les agents. Pour illustrer cette nouvelle notion, nous formulerons quelques-unes des règles qui régissent *les Liaisons dangereuses.*

Les premières règles concerneront l'axe du *désir.*

R1. Soit A et B, deux agents, et que A aime B. Alors, A agit de sorte que la transformation passive de ce prédicat (c'est-à-dire la proposition « A est aimé par B ») se réalise aussi.

La première règle vise à refléter les actions des personnages qui sont amoureux ou feignent de l'être. Ainsi Valmont, amoureux de Tourvel, fait tout pour que celle-ci commence à l'aimer à son tour. Danceny, amoureux de Cécile, procède de la même manière; et de même Merteuil ou Cécile.

On se souvient que nous avons introduit, dans la discussion précédente, une distinction entre le sentiment apparent et le sentiment véritable qu'éprouve un personnage pour un autre, entre le paraître et l'être. Nous aurons besoin de cette distinction pour formuler notre règle suivante.

R2. Soit A et B, deux agents, et que A aime B au niveau de l'être mais non à celui du paraître. Si A prend conscience du niveau de l'être, il agit contre cet amour.

Un exemple de l'application de cette règle nous est fourni par le comportement de Mme de Tourvel, lorsqu'elle se rend compte qu'elle est amoureuse de Valmont, elle quitte brusquement le château et devient elle-même un obstacle à la réalisation de ce sentiment. Il en est de même pour Danceny lorsqu'il croit n'être qu'en rapport de confidence avec Merteuil : en lui montrant que c'est un amour identique à celui qu'il a pour Cécile, Valmont le pousse à renoncer à cette nouvelle liaison. Nous avons déjà noté que la « révélation » présumée par cette règle est le privilège d'un groupe de personnages qu'on peut appeler les « faibles ». Valmont et Merteuil qui n'en font pas partie n'ont pas la possibilité de « prendre conscience d'une différence entre les deux niveaux car ils n'ont jamais perdu cette conscience.

Passons maintenant aux rapports que nous avons désignés par le nom générique de *participation.* Nous formulerons ici la règle suivante :

R3. Soit A, B et C, trois agents, et que A et B aient un certain rapport avec C. Si A prend conscience que le rapport B-C est identique au rapport A-C, il agira contre B.

Notons tout d'abord que cette règle ne reflète pas une action qui « va de soi » : A aurait pu agir contre C. Nous pouvons lui donner plusieurs illustrations. Danceny aime Cécile et croit Valmont en confidence avec elle; dès qu'il apprend qu'en fait il s'agit d'amour, il agit contre Valmont. il le provoque en duel. De même Valmont croit être le confident de Merteuil et il ne pense pas que Danceny puisse avoir le même rapport; dès qu'il l'apprend, il agit contre celui-ci (à l'aide de Cécile). Merteuil qui connaît cette règle s'en sert pour agir sur Valmont : c'est dans ce but qu'elle lui écrit une lettre pour lui montrer que Belleroche s'est emparé de certains biens dont Valmont se croyait le seul détenteur. La réaction est immédiate.

On peut remarquer que plusieurs actions d'opposition ainsi que celles de l'aide ne s'expliquent pas par cette règle. Mais si nous regardons de près ces actions, nous nous apercevrons qu'elles sont chaque fois la conséquence d'une autre action qui, elle, relève du premier groupe de rapports, centrés autour du désir. Si Merteuil aide Danceny à conquérir Cécile, c'est parce qu'elle hait Gercourt et c'est là pour elle un moyen de se venger; c'est pour les mêmes raisons qu'elle aide Valmont dans ses démarches auprès de Cécile. Si Valmont empêche Danceny de faire la cour à Mme de Merteuil, c'est parce que c'est lui, Valmont, qui désire. Enfin si Danceny aide Valmont à se lier avec Cécile, c'est parce qu'il croit ainsi se rapprocher lui-même de Cécile dont il est amoureux. Et ainsi de suite. On s'aperçoit également que ces actions de participation sont conscientes chez les personnages « forts » (Valmont et Merteuil), alors qu'elles restent inconscientes (et involontaires) chez les « faibles ».

Passons maintenant au dernier groupe de rapports que nous avons signalés : ceux de la *communication*. Voici donc notre quatrième règle :

R4. Soit A et B, deux agents, et que B soit le confident de A. Si A devient l'agent d'une proposition engendrée par R1, il change de confident (l'absence de confident est considérée comme un cas-limite de la confidence).

Pour illustrer R4, nous pouvons rappeler que Cécile change de confidente (Mme de Merteuil au lieu de Sophie) dès que sa liaison avec Valmont commence; de même Tourvel, tombée amoureuse de Valmont, prend Mme de Rosemonde pour confidente; pour la même raison, à un degré plus faible, elle avait cessé de faire ses confidences à Mme de Volanges. Son amour pour Cécile amène Danceny à se confier à Valmont; sa liaison avec Merteuil arrête cette confidence. Cette règle impose des restrictions encore plus fortes en ce qui concerne Valmont et Merteuil car ces deux personnages ne peuvent se confier que l'un à l'autre. Par conséquent tout changement dans le confident signifie l'arrêt de toute confidence. Ainsi Merteuil cesse de se confier à partir du moment où Valmont devient trop insistant dans son désir d'amour. De même Valmont arrête sa confidence à partir du moment où Merteuil laisse voir ses propres désirs, différents des siens. Le sentiment qui anime Merteuil dans la dernière partie est bien le désir de possession.

Nous arrêtons ici la succession de règles qui doivent engendrer le récit de notre roman, pour formuler quelques remarques.

1. Précisons tout d'abord la portée de ces *règles d'action*. Elles reflètent les lois qui gouvernent la vie d'une société, celle des personnages de notre roman. Le fait qu'il s'agit ici de personnes imaginaires et non réelles n'apparaît pas dans la formulation : à l'aide de règles semblables, on pourrait décrire les habitudes et les lois implicites de n'importe quel groupe homogène de personnes. Les personnages eux-mêmes peuvent avoir conscience de ces règles : nous nous trouvons donc bien au niveau de l'histoire et non à celui du discours. Les règles ainsi formulées correspondent aux grandes lignes du récit sans préciser comment chacune des actions prescrites se réalise. Ce remplissage du dessin pourra être décrit, croyons-nous, à l'aide des techniques qui rendent compte de cette « logique des actions » dont nous avons parlé précédemment.

On peut noter par ailleurs que, dans leur contenu, ces règles ne diffèrent pas sensiblement des remarques qui ont été déjà faites sur *les Liaisons*. Ceci nous amène à aborder le problème de la valeur explicative de notre présentation : il est évident qu'une description qui ne peut pas en même temps nous fournir une ouverture sur les interprétations intuitives que nous donnons au récit, manque son but. Il suffit de traduire nos règles dans un langage commun pour voir leur proximité avec les jugements qui ont souvent été portés à propos de l'éthique des *Liaisons dangereuses*. Par exemple, la première règle qui représente le désir d'imposer sa volonté sur celle de l'autre a été relevée par la quasi totalité des critiques qui l'ont interprétée comme une « volonté de la puissance », ou « mythologie de l'intelligence ». De plus, le fait que les termes dont nous nous sommes servis dans ces règles sont liés précisément à une éthique nous paraît hautement significatif : on pourrait facilement imaginer un récit où ces règles seraient d'ordre social, ou formel, etc.

2. La forme que nous avons donnée à ces règles exige une explication particulière. On pourrait facilement nous reprocher de donner une formulation pseudo savante à des banalités : pourquoi dire « A agit de sorte que la transformation passive de ce prédicat se réalise aussi » au lieu de « Valmont impose sa volonté à Tourvel »? Nous croyons toutefois que le désir de rendre nos affirmations précises et explicites ne peut pas, en soi, être un défaut; et nous nous reprocherions plutôt qu'elles ne soient pas toujours assez précises. L'histoire de la critique littéraire fourmille d'exemples d'affirmations souvent tentantes mais qui, à cause d'une imprécision terminologique, ont conduit la recherche à des impasses. La forme de « règles » que nous donnons à nos conclusions, permet de les tester, en « engendrant » successivement les péripéties du récit.

D'autre part, seule une précision poussée des formulations pourra permettre la comparaison valable des lois qui régissent l'univers de différents livres. Prenons un exemple : dans ses recherches sur le récit, Chklovski a formulé la règle qui, à son avis, permettra de rendre compte du mouvement des relations humaines chez Boiardo *(Roland amoureux)* ou chez Pouchkine *(Eugène Onéguine)* : « Si A aime B, B n'aime pas A. Quand B commence à aimer A, A n'aime plus B » (TL, p. 171). Le fait que cette règle ait une formulation semblable à celle des nôtres nous permet une confrontation immédiate de l'univers de ces œuvres.

3. Pour vérifier les règles ainsi formulées, on doit se poser deux questions : toutes les actions dans le roman peuvent-elles être engendrées à l'aide de ces règles? et toutes les actions engendrées à l'aide de ces règles se trouvent-elles dans le roman? Pour répondre à la première question, nous devons d'abord rappeler que les règles formulées ici ont surtout une valeur d'exemple, et non celle d'une description exhaustive; d'autre part, dans les pages qui suivent nous montrerons les mobiles de certaines actions qui dépendent d'autres facteurs dans le récit. En ce qui concerne la deuxième question, nous ne croyons pas qu'une réponse négative puisse faire douter de la valeur du modèle proposé. Lorsque nous lisons un roman, nous sentons intuitivement que les actions décrites découlent d'une certaine logique; et nous pouvons dire, à propos d'autres actions qui n'en font pas partie, qu'elles obéissent ou n'obéissent pas à cette logique. En d'autres mots nous ressentons à travers chaque œuvre, qui n'est que de la *parole*, qu'il existe aussi une *langue* dont elle n'est qu'une des réalisations. Notre tâche est d'étudier précisément cette langue. Ce n'est que dans cette perspective que nous pouvons envisager la question de savoir pourquoi l'auteur a choisi telles péripéties pour ses personnages plutôt que telles autres, alors que les unes et les autres obéissent à la même logique.

II. LE RÉCIT COMME DISCOURS

Nous avons essayé, jusqu'à présent, de faire abstraction du fait que nous lisons un livre, que l'histoire en question n'appartient pas à la « vie » mais à cet univers imaginaire que nous ne connaissons qu'à travers le livre. Pour explorer la seconde partie du problème, nous partirons d'une abstraction inverse : nous considérerons le récit uniquement en tant que discours, parole réelle adressée par le narrateur au lecteur.

Nous séparerons les procédés du discours en trois groupes : *le temps du récit* où s'exprime le rapport entre le temps de l'histoire et celui du discours; *les aspects du récit*, ou la manière dont l'histoire est perçue par le narrateur, et *les modes du récit*, qui dépendent du type de discours utilisé par le narrateur pour nous faire connaître l'histoire.

a) *Le temps du récit.*

Le problème de la présentation du temps dans le récit se pose à cause d'une dissemblance entre la temporalité de l'histoire et celle du discours. Le temps du discours est, dans un certain sens, un temps linéaire, alors que le temps de l'histoire est pluridimensionnel. Dans l'histoire, plusieurs événements peuvent se dérouler en même temps; mais le discours doit obligatoirement les mettre à la suite l'un de l'autre; une figure complexe se trouve projetée sur une ligne droite. C'est de là que vient la nécessité de rompre la succession « naturelle » des événements même si l'auteur voulait la suivre au plus près. Mais la plupart du temps, l'auteur n'essaye pas de retrouver cette succession « naturelle » parce qu'il utilise la déformation temporelle à certaines fins esthétiques.

LA DÉFORMATION TEMPORELLE. Les formalistes russes voyaient dans la déformation temporelle le seul trait du discours qui le distingue de l'histoire; c'est pourquoi ils mettaient celle-là au centre de leurs recherches. Citons à ce propos un extrait de la *Psychologie de l'art* du psychologue Lev Vygotski, livre écrit en 1925 mais qui ne vient seulement d'être publié : « Nous savons déjà que la base de la mélodie est la corrélation dynamique des sons qui la constituent. Il en est exactement de même quant au vers qui n'est pas la simple somme des sons qui le constituent mais leur succession dynamique, une certaine corrélation. De même que deux sons, en se combinant, ou deux mots, en se succédant, forment une certaine relation qui se définit entièrement par l'ordre de succession des éléments, de même deux événements ou actions, en se combinant, donnent ensemble une nouvelle corrélation dynamique, qui est entièrement définie par l'ordre et la disposition de ces événements. Ainsi les sons *a*, *b*, *c*, ou les mots *a*, *b*, *c*, ou les événements *a*, *b*, *c* changent totalement de sens et de signification émotionnelle, si nous les mettons, disons, dans l'ordre suivant : *b*, *c*, *a*; *b*, *a*, *c*. Imaginons une menace et ensuite sa réalisation : un meurtre; on obtiendra une certaine impression si le lecteur est mis d'abord au courant de la menace, puis tenu dans l'ignorance quant à sa réalisation, et enfin si le meurtre n'est relaté qu'après ce suspense. L'impression sera cependant tout autre si l'auteur commence par le récit de la découverte du cadavre, et alors seulement, dans un ordre chronologique inverse, rapporte le meurtre et la menace. Par conséquent la disposition même des événements dans le récit, la combinaison même des phrases, représentations, images, actions, actes, répliques, obéit aux mêmes lois de construction esthétique auxquelles obéissent la combinaison des sons en mélodie ou des mots en vers » (p. 196).

On voit nettement, dans ce passage, une des principales caractéristiques de la théorie formaliste, et même de l'art qui lui était contemporain : la nature des événements compte peu, seule importe la relation qu'ils entretiennent (dans le cas présent, c'est une succession temporelle). Les formalistes ignoraient donc le récit comme histoire, ne s'occupant que du récit comme discours. On peut rapprocher cette théorie de celle des cinéastes russes de l'époque : ce sont les années où le montage était considéré comme l'élément artistique proprement dit d'un film.

Notons en passant que les deux possibilités décrites par Vygotski ont été réalisées dans les différentes formes du roman policier. Le roman à énigme commence par la fin d'une des histoires racontées, pour aboutir à son début. Le roman noir, en revanche, rapporte d'abord les menaces pour arriver, dans les derniers chapitres du livre, aux cadavres.

ENCHAÎNEMENT, ALTERNANCE, ENCHÂSSEMENT. Les remarques précédentes se rapportent à la disposition temporelle à l'intérieur d'une seule histoire. Mais les formes plus complexes du récit littéraire contiennent plusieurs histoires. Dans le cas des *Liaisons dangereuses*, on peut admettre qu'il en existe trois, qui racontent les aventures de Valmont avec Mme de Tourvel, Cécile et Mme de Merteuil. Leur disposition respective nous révèle un autre aspect du temps du récit.

Les histoires peuvent se lier de plusieurs façons. Le conte populaire et les recueils de nouvelles en connaissent déjà deux, l'*enchaînement* et l'*enchâssement*. L'enchaînement consiste simplement à juxtaposer différentes histoires : la première une fois achevée, on commence la seconde. L'unité est assurée, dans ce cas, par une ressemblance dans la construction de chacune : par exemple, trois frères partent successivement à la recherche d'un objet précieux; chacun des voyage fournit la base d'une des histoires.

L'enchâssement, c'est l'inclusion d'une histoire à l'intérieur d'une autre. Ainsi tous les contes des *Mille et une nuits* sont enchâssés dans le conte sur Chahrazade. On voit ici que ces deux types de combinaison représentent une projection rigoureuse des deux rapports syntaxiques fondamentaux, la coordination et la subordination.

Il existe toutefois un troisième type de combinaison que nous pouvons appeler l'*alternance*. Il consiste à raconter les deux histoires simultanément, en interrompant tantôt l'une tantôt l'autre, pour la reprendre à l'interruption suivante. Cette forme caractérise évidemment des genres littéraires ayant perdu toute liaison avec la littérature orale : celle-ci ne peut pas connaître l'alternance. Comme exemple célèbre d'alternance on peut citer le roman de Hoffmann *Le Chat Murr*, où le récit du chat alterne avec celui du musicien; également le *Récit de Souffrances* de Kierkegaard.

Deux de ces formes se manifestent dans *les Liaisons dangereuses*. D'une part, les histoires de Tourvel et de Cécile s'alternent tout au long du récit; de l'autre, elles sont toutes deux enchâssées dans l'histoire du couple Merteuil-Valmont. Ce roman, cependant, étant bien construit, ne permet pas d'établir de limites nettes entre les histoires : les transitions y sont dissimulées; et le dénouement de chacune sert le développement de la suivante. De plus, elles sont liées par l'image de Valmont qui entretient des rapports étroits avec chacune des trois héroïnes. Il existe d'autres liaisons multiples entre les histoires; elles sont réalisées à l'aide des personnages secondaires qui assurent des fonctions dans plusieurs histoires. Par exemple Volanges, mère de Cécile, est amie et parente de Merteuil et en même temps conseillère de Tourvel. Danceny se lie successivement avec Cécile et Merteuil. Mme de Rosemonde offre son hospitalité aussi bien à Tourvel qu'à Cécile et sa mère. Gercourt, ancien amant de Merteuil, veut épouser Cécile Etc. Chaque personnage peut cumuler de multiples fonctions.

A côté des histoires principales, le roman peut en contenir d'autres, secondaires qui ne servent habituellement qu'à caractériser un personnage. Ces histoires (les aventures de Valmont au château de la Comtesse, ou avec Emilie; celles de Prévan avec les « inséparables »; celles de la Marquise avec Prévan ou Belleroche) sont dans notre cas moins intégrées à l'ensemble du récit que les histoires principales, et nous les sentons comme « enchâssées ».

TEMPS DE L'ÉCRITURE, TEMPS DE LA LECTURE. A ces temporalités propres aux personnages, qui se situent toutes dans la même perspective, s'ajoutent deux autres qui appartiennent à un plan différent : le temps de l'énonciation (de l'écriture) et le temps de la perception (de la lecture). Le temps de l'énonciation devient un élément littéraire à partir du moment où on l'introduit dans l'histoire : cas où le narrateur nous parle de son propre récit, du temps qu'il a pour l'écrire ou pour nous le raconter. Ce type de temporalité se manifeste très souvent dans un récit qui s'avoue comme tel; pensons par exemple au fameux raisonnement de Tristram Shandy sur son impuissance à terminer son récit. Un cas limite serait celui où le temps de l'énonciation est l'unique temporalité présente dans le récit : ce serait un récit entièrement tourné sur lui-même, le récit d'une narration. — Le temps de la lecture est un temps irréversible qui détermine notre perception de l'ensemble; mais il peut aussi devenir un élément littéraire à condition que l'auteur en tienne compte dans l'histoire. Par exemple au début de la page il est dit qu'il est dix heures; et à la page suivante qu'il est dix heures cinq. Cette introduction naïve du temps de la lecture dans la structure du récit n'est pas la seule possible : il en existe d'autres sur lesquelles nous ne pouvons pas nous arrêter; indiquons seulement qu'on touche ici au problème de la signification esthétique des dimensions d'une œuvre.

b) *Les aspects du récit.*

En lisant une œuvre de fiction, nous n'avons pas une perception directe des événements qu'elle décrit. En même temps que ces événements, nous percevons, bien que d'une manière différente, la perception qu'en a celui qui les raconte. C'est aux différents types de perception, reconnaissables dans le récit, que nous nous référons par le terme d'*aspects* du récit (en prenant ce mot dans une acception proche de son sens étymologique, c'est-à-dire « regard »). Plus précisément, l'aspect reflète la relation entre un *il* (dans l'histoire) et un *je* (dans le discours), entre le personnage et le narrateur.

J. Pouillon a proposé une classification des aspects du récit, que nous reprendrons ici avec des modifications mineures. Cette perception interne connaît trois types principaux.

NARRATEUR > PERSONNAGE (LA VISION « PAR DERRIÈRE »). Le récit classique utilise le plus souvent cette formule. Dans ce cas, le narrateur en sait davantage que son personnage. Il ne se soucie pas de nous expliquer comment il a acquis cette connaissance : il voit à travers les murs de la maison aussi bien qu'à travers le crâne de son héros. Ses personnages n'ont pas de secrets pour lui. Évidemment, cette forme présente différents degrés. La supériorité du narrateur peut se manifester soit dans une connaissance des désirs secrets de quelqu'un (que ce quelqu'un ignore lui-même), soit dans la connaissance simultanée des pensées de plusieurs personnages (ce dont aucun d'eux n'est capable), soit simplement dans la narration des événements qui ne sont pas perçus par un seul personnage. Ainsi

Tolstoï dans sa nouvelle *Trois morts* raconte successivement l'histoire de la mort d'une aristocrate, d'un paysan et d'un arbre. Aucun des personnages ne les a perçus ensemble; nous sommes donc en présence d'une variante de la vision « par derrière ».

NARRATEUR = PERSONNAGE (LA VISION « AVEC »). Cette seconde form e est tout aussi répandue en littérature, surtout à l'époque moderne. Dans ce cas, le narrateur en sait autant que les personnages, il ne peut nous fo rnir une explication des événements avant que les personnages ne l'aient trouvée. Ici aussi on peut établir plusieurs distinctions. D'une part, le récit peut être mené à la première personne (ce qui justifie le procédé) ou à la troisième personne, mais toujours suivant la vision qu'a des événements un même personnage : le résultat, évidemment, n'est pas le même; nous savons que Kafka avait commencé à écrire le *Château* à la première personne, et il n'a modifié la vision que beaucoup plus tard, passant à la troisième personne mais toujours dans l'aspect « narrateur = personnage ». D'autre part, le narrateur peut suivre un seul ou plusieurs personnages (les changements pouvant être systématiques ou non). Enfin, il peut s'agir d'un récit conscient de la part d'un personnage, ou d'une « dissection » de son cerveau, comme dans beaucoup de récits de Faulkner. Nous reviendrons un peu plus tard sur ce cas.

NARRATEUR < PERSONNAGE (LA VISION « DU DEHORS »). Dans ce troisième cas, le narrateur en sait moins que n'importe lequel des personnages. Il peut nous décrire uniquement ce que l'on voit, entend, etc. mais il n'a accès à aucune conscience. Bien sûr, ce pur « sensualisme » est une convention car un tel récit serait incompréhensible; mais il existe comme modèle d'une certaine écriture. Les récits de ce genre sont beaucoup plus rares que les autres, et l'utilisation systématique de ce procédé n'a été faite qu'au vingtième siècle. Citons un passage qui caractérise cette vision :

« Ned Beaumont repassa devant Madvig et écrasa le bout de son cigare dans un cendrier de cuivre avec des doigts qui tremblaient.

« Les yeux de Madvig restèrent fixés sur le dos du jeune homme jusqu'à ce qu'il se fût redressé et retourné. L'homme blond eut alors un rictus à la fois affectueux et exaspéré » (D. Hammett, *La Clé de verre*).

D'après une telle description nous ne pouvons savoir si les deux personnages sont des amis ou des ennemis, satisfaits ou mécontents, encore moins à quoi ils pensent en faisant ces gestes. Ils sont même à peine nommés : on préfère dire « l'homme blond », « le jeune homme ». Le narrateur est donc un témoin qui ne sait rien et, plus même, ne veut rien savoir. Pourtant l'objectivité n'est pas aussi absolue qu'elle se voudrait (« affectueux et exaspéré »).

PLUSIEURS ASPECTS D'UN MÊME ÉVÉNEMENT. Revenons maintenant au deuxième type, celui dans lequel le narrateur possède autant de connaissances que les personnages. Nous avons dit que le narrateur peut passer de personnage à personnage; mais encore faut-il spécifier si ces personnages racontent (ou voient) le même événement ou bien des événements différents. Dans le premier cas, on obtient un effet particulier qu'on pourrait appeler une « vision stéréoscopique ». En effet, la pluralité de perceptions nous donne une vision plus complexe du phénomène décrit. D'autre part, les descriptions d'un même événement nous permettent de concentrer notre attention sur le personnage qui le perçoit car nous connaissons déjà l'histoire.

Considérons à nouveau *les Liaisons dangereuses*. Les romans par lettres du XVIIIe siècle utilisaient couramment cette technique, chère à Faulkner, qui consiste à raconter la même histoire plusieurs fois mais vue par des personnages différents. Toute l'histoire des *Liaisons* est racontée en fait deux, et souvent même trois fois. Mais à regarder ces récits de près, nous découvrons que non seulement ils nous donnent une vision stéréoscopique des événements, mais encore qu'ils sont qualitativement différents. Rappelons brièvement cette succession.

L'ÊTRE ET LE PARAÎTRE. Dès le début, les deux histoires qui alternent nous sont présentées sous des éclairages différents : Cécile raconte naïvement ses expériences à Sophie, tandis que Merteuil les interprète dans ses lettres à Valmont; d'autre part, Valmont informe la Marquise de ses expériences avec Tourvel, qui écrit elle-même à Volanges. Dès le début nous pouvons nous rendre compte de la dualité déjà remarquée au niveau des rapports entre les personnages : les révélations de Valmont nous instruisent de la mauvaise foi que Tourvel met dans ses descriptions; de même pour la naïveté de Cécile. Avec l'arrivée de Valmont à Paris, on se rend compte de ce que sont en fait Danceny et ses actes. A la fin de la deuxième partie, c'est Merteuil elle-même qui donne deux versions de l'affaire Prévan : l'une de ce qu'elle est, l'autre, de ce qu'elle doit paraître aux yeux des gens. Il s'agit donc à nouveau de l'opposition entre niveau apparent et niveau réel, ou vrai.

L'ordre d'apparition des versions n'est pas obligatoire mais il est utilisé dans des buts différents. Quand le récit de Valmont ou de Merteuil précède celui des autres personnages, nous lisons ce dernier avant tout comme une information sur celui qui écrit la lettre. Dans le cas inverse, un récit sur les apparences réveille notre curiosité et nous attendons une interprétation plus profonde.

Nous voyons donc que l'aspect du récit qui relève de l'« être » se rapproche d'une vision « par derrière » (du cas « narrateur > personnage »). Le récit a beau toujours être narré par des personnages : certains d'entre eux peuvent, tout comme l'auteur, nous révéler ce que les autres pensent ou ressentent.

ÉVOLUTION DES ASPECTS DU RÉCIT. La valeur des aspects du récit s'est rapidement modifiée depuis l'époque de Laclos. L'artifice qui consiste à présenter l'histoire à travers ses projections dans la conscience d'un personnage sera de plus en plus utilisé au cours du XIXe siècle, et, après avoir été systématisé par Henry James, il deviendra règle obligatoire au XXe siècle. D'autre part, l'existence de deux niveaux qualitativement différents est un héritage des temps plus anciens : le siècle des Lumières exige que la vérité soit dite. Le roman postérieur se contentera de plusieurs versions du « paraître » sans prétendre à une version qui soit la seule vraie. Il faut dire que *les Liaisons dangereuses* se distinguent avantageusement de beaucoup d'autres romans de l'époque par la discrétion avec laquelle ce niveau de l'être est représenté : le cas de Valmont, à la fin du livre, laisse le lecteur perplexe. C'est dans ce même sens qu'ira une grande partie de la littérature du XIXe siècle.

c) *Les modes du récit.*

Les aspects du récit concernaient la façon dont l'histoire était perçue par le narrateur; les modes du récit concernent la façon dont ce narrateur nous l'expose, nous la présente. C'est à ces modes du récit qu'on se réfère lorsqu'on dit qu'un écrivain nous « montre » les choses, alors que tel autre ne fait que les « dire ». Il existe deux modes principaux : la *représentation* et la *narration*. Ces deux modes correspondent, à un niveau plus concret, aux deux notions que nous avons déjà rencontrées : le discours et l'histoire.

On peut supposer que ces deux modes dans le récit contemporain viennent de deux origines différentes : la chronique et le drame. La chronique, ou l'histoire, c'est, croit-on, une pure narration, l'auteur est un simple témoin qui rapporte des faits; les personnages ne parlent pas; les règles sont celles du genre historique. En revanche, dans le drame, l'histoire n'est pas rapportée, elle se déroule devant nos yeux (même si nous ne faisons que lire la pièce); il n'y a pas de narration, le récit est contenu dans les répliques des personnages.

PAROLE DES PERSONNAGES, PAROLE DU NARRATEUR. Si nous cherchons une base linguistique à cette distinction, il nous faut, à première vue, recourir à l'opposition entre la parole des personnages (le style direct) et la parole du narrateur. Une telle opposition nous expliquerait pourquoi nous avons l'impression d'assister à des actes lorsque le mode utilisé est la représentation, alors que cette impression disparaît lors de la narration. La parole des personnages dans une œuvre littéraire jouit d'un statut particulier. Elle se rapporte, comme toute parole, à la réalité désignée, mais représente également un acte, l'acte d'articuler cette phrase. Si un personnage dit : « Vous êtes très belle », c'est que non seulement la personne à laquelle il s'adresse est (ou n'est pas) belle, mais que ce personnage accomplit devant nos yeux un acte : il articule une phrase, il fait un compliment. Il ne faut pas croire que la signification de ces actes se résume au simple « il dit »; cette signification connaît la même variété que les actes réalisés à l'aide du langage; et ceux-là sont innombrables.

Cependant cette première identification de la narration et de la représentation pèche par son côté simpliste. Si l'on s'en tient là, il s'ensuit que le drame ne connaît que la narration, le récit non-dialogué, la représentation. Pourtant on peut facilement se convaincre du contraire. Prenons le premier cas : *les Liaisons dangereuses*, tout comme le drame, ne connaissent que le style direct, tout le récit étant constitué par des lettres. Toutefois ce roman connaît nos deux modes : si la plupart des lettres représentent des actes et relèvent ainsi de la représentation, d'autres informent seulement d'événements qui se sont déroulés ailleurs. Jusqu'au dénouement du livre, cette fonction est essentiellement assumée par les lettres de Valmont à la Marquise et en partie, par les réponses de celle-ci; après le dénouement, c'est Mᵐᵉ de Volanges qui reprend la narration. Lorsque Valmont écrit à Mᵐᵉ de Merteuil, il n'a qu'un seul but : l'informer des événements qui lui sont arrivés; ainsi il commence ses lettres par cette phrase : « Voici le bulletin d'hier. » La lettre qui contient ce « bulletin » ne *représente* rien, elle est de la pure narration. Il en est de même pour les lettres de Mᵐᵉ de Volanges à Mᵐᵉ de Rosemonde à la fin du roman : ce sont des « bulletins » sur la santé de Mᵐᵉ Tourvel, sur les malheurs de Mᵐᵉ de Merteuil, etc. Notons ici que cette répartition des modes dans *les Liaisons dangereuses* est justifiée par l'existence de différentes relations : la narration apparaît dans les lettres de confidence, laquelle est attestée par la simple existence de la lettre; la représentation concerne les relations amoureuses et de participation, qui acquièrent ainsi une présence plus sensible.

Prenons maintenant le cas inverse, pour voir si le discours de l'auteur relève toujours de la narration. Voici un extrait de *l'Éducation sentimentale* :

« ... ils entraient dans la rue Caumartin, quand, tout à coup, éclata derrière eux un bruit *pareil au craquement d'une immense pièce de soie que l'on déchire.* C'était la fusillade du boulevard des Capucines.

— *Ah ! on casse quelques bourgeois*, dit Frédéric tranquillement.

« *Car il y a des situations où l'homme le moins cruel est si détaché des autres, qu'il verrait périr le genre humain sans un battement de cœur.* »

Nous avons mis en italiques les phrases qui relèvent de la représentation; comme on voit, le style direct n'en couvre qu'une partie. Cet extrait transmet la représentation par trois formes de discours différentes : par le style direct; par la comparaison; et par la réflexion générale. Les deux dernières relèvent de la parole du narrateur mais non de la narration. Elles ne nous informent pas sur une réalité extérieure au discours, mais prennent leur sens de la même façon que les répliques des personnages; seulement, cette fois, elle nous renseignent sur l'image du narrateur et non sur celle d'un personnage.

OBJECTIVITÉ ET SUBJECTIVITÉ DANS LE LANGAGE. Nous devons donc abandonner notre première identification de la narration avec la parole du narrateur et de la représentation avec celle des personnages, pour leur chercher un fondement plus profond. Une telle identification se serait fondée, nous le voyons maintenant, non sur les catégories implicites mais sur leur manifestation, ce qui peut nous induire facilement en erreur. Nous trouverons ce fondement dans l'opposition entre les aspects subjectif et objectif du langage.

Toute parole est, on le sait, à la fois un énoncé et une énonciation. En tant qu'énoncé, elle se rapporte au sujet de l'énoncé et reste donc objective. En tant qu'énonciation, elle se rapporte au sujet de l'énonciation et garde un aspect subjectif car elle représente dans chaque cas un acte accompli par ce sujet. Toute phrase présente ces deux aspects mais à des degrés différents; certaines parties du discours ont pour seule fonction de transmettre cette subjectivité (les pronoms personnels et démonstratifs, les temps du verbe, certains verbes; cf. E. Benveniste « De la subjectivité dans le langage », dans *Problèmes de linguistique générale*), d'autres concernent avant tout la réalité objective. Nous pouvons donc parler, avec John Austin, de deux modes du discours, constatif (objectif) et performatif (subjectif).

Prenons un exemple. La phrase « M. Dupont est sorti de chez lui à dix heures, le 18 mars » a un caractère essentiellement objectif; elle n'apporte, à première vue, aucune information sur le sujet de l'énonciation (la seule information est que l'énonciation a eu lieu après l'heure indiquée dans la phrase). D'autres phrases, en revanche, ont une signification qui concerne presque exclusivement le sujet de l'énonciation, p. ex. : « Vous êtes un imbécile! » Une telle phrase est avant tout un acte chez celui qui la prononce, une injure, bien qu'elle garde aussi une valeur objective. Ce n'est que le contexte global de l'énoncé, toutefois, qui détermine le degré de subjectivité propre à une phrase. Si notre première proposition était reprise dans la réplique d'un personnage, elle pourrait devenir une indication sur le sujet de l'énonciation.

Le style direct est lié, en général, à l'aspect subjectif du langage; mais comme nous l'avons vu à propos de Valmont et de Mme de Volanges, cette subjectivité se réduit parfois à une simple convention : l'information nous est présentée comme venant du personnage et non du narrateur, mais nous n'apprenons rien sur ce personnage. Inversement, la parole du narrateur appartient généralement au plan de l'énonciation historique mais lors d'une comparaison (comme de toute autre figure rhétorique) ou d'une réflexion générale, le sujet de l'énonciation devient apparent, et le narrateur se rapproche ainsi des personnages. Ainsi les paroles du narrateur chez Flaubert nous signalent l'existence d'un sujet de l'énonciation qui fait des comparaisons ou des réflexions sur la nature humaine.

ASPECTS ET MODES. Les aspects et les modes du récit sont deux catégories qui entrent dans des rapports très étroits et qui concernent, toutes les deux, l'image du narrateur. C'est pourquoi les critiques littéraires ont eu tendance à les confondre. Ainsi Henry James et, à sa suite, Percy Lubbock, ont distingué deux styles principaux dans le récit : le style « panoramique » et le style « scénique ». Chacun de ces termes cumule deux notions : le scénique, c'est en même temps la représentation et la vision « avec » (narrateur = personnage); le « panoramique », c'est la narration et la vision « par derrière » (narrateur > personnage).

Pourtant cette identification n'est pas obligatoire. Pour revenir aux *Liaisons dangereuses*, nous pouvons rappeler que jusqu'au dénouement la narration est confiée à Valmont qui a une vision proche de celle « par derrière »; en revanche, après le dénouement, elle est reprise par Mme de Volanges qui ne comprend guère les événements qui surviennent et dont le récit relève entièrement de la vision « avec » (sinon « du dehors »). Les deux catégories doivent donc être bien distinguées pour qu'on puisse ensuite se rendre compte de leurs relations mutuelles.

Cette confusion apparaît comme plus dangereuse encore si nous nous rappelons que derrière tous ces procédés se dessine l'image du narrateur, image prise parfois pour celle de l'auteur lui-même. Le narrateur dans *les Liaisons dangereuses* n'est évidemment pas Valmont, celui-ci n'est qu'un personnage provisoirement chargé de la narration. Nous abordons ici une nouvelle question importante : celle de l'image du narrateur.

IMAGE DU NARRATEUR ET IMAGE DU LECTEUR. Le narrateur, c'est le sujet de cette énonciation que représente un livre. Tous les procédés que nous avons traités dans cette partie nous ramènent à ce sujet. C'est lui qui dispose certaines descriptions avant les autres, bien que celles-ci les précèdent dans le temps de l'histoire. C'est lui qui nous fait voir l'action par les yeux de tel ou tel personnage, ou bien par ses propres yeux, sans qu'il lui soit pour autant nécessaire d'apparaître sur scène. C'est lui, enfin, qui choisit de nous rapporter telle péripétie à travers le dialogue de deux personnages ou bien par une description « objective ». Nous avons donc une quantité de renseignements sur lui, qui devraient nous permettre de le saisir, de le situer avec précision; mais cette image fugitive ne se laisse pas approcher et elle revêt constamment des masques contradictoires, allant de celle d'un auteur en chair et en os à celle d'un personnage quelconque.

Il y a toutefois un lieu où, semble-t-il, nous approchons suffisamment cette image : nous pouvons l'appeler le niveau appréciatif. La description de chaque partie de l'histoire comporte son appréciation morale; l'absence d'une appréciation représente une prise de position tout aussi significative. Cette appréciation, disons le tout de suite, ne fait pas partie de notre expérience individuelle de lecteurs ni de celle de l'auteur réel; elle est inhérente au livre et l'on ne pourrait correctement saisir la structure de celui-ci sans en tenir compte. On peut, avec Stendhal, trouver que Mme de Tourvel est le personnage le plus immoral des *Liaisons dangereuses*; on peut, avec Simone de Beauvoir, affirmer que Mme de Merteuil en est le personnage le plus attachant; mais ce sont là des interprétations

qui n'appartiennent pas au sens du livre. Si nous ne condamnions pas Mme de Merteuil, si nous ne prenions pas le parti de la Présidente, la structure de l'œuvre
en serait altérée. Il faut se rendre compte au départ qu'il existe deux interprétations morales, de caractère tout à fait différent : l'une qui est intérieure au livre
(à toute œuvre d'art imitatif), et l'autre que les lecteurs donnent sans se soucier
de la logique de l'œuvre; celle-ci peut varier sensiblement suivant les époques
et la personnalité du lecteur. Dans le livre, Mme de Merteuil reçoit une appréciation négative, Mme de Tourvel est une sainte, etc. Chaque acte y possède son
appréciation bien qu'elle puisse ne pas être celle de l'auteur ni la nôtre (et c'est
là un des critères dont nous disposons pour juger de la réussite de l'auteur).

Ce niveau appréciatif nous rapproche de l'image du narrateur. Il n'est pas
nécessaire pour cela que celui-ci nous adresse « directement » la parole : dans
ce cas, il s'assimilerait, par la force de la convention littéraire, aux personnages.
Pour deviner le niveau appréciatif, nous avons recours à un code de principes
et de réactions psychologiques que le narrateur postule commun au lecteur et
à lui-même (ce code n'étant pas admis par nous aujourd'hui, nous sommes en
état de distribuer différemment les accents d'évaluation). Dans le cas de notre
récit, ce code peut être réduit à quelques maximes assez banales : ne faites pas de
mal; soyez sincères; résistez à la passion, etc. En même temps, le narrateur
s'appuie sur une échelle évaluative des qualités psychiques; c'est grâce à elle
que nous respectons et craignons Valmont et Merteuil (pour la force de leur
esprit, pour leur don de prévision) ou préférons Tourvel à Cécile Volanges.

L'image du narrateur n'est pas une image solitaire : dès qu'elle apparaît,
dès la première page, elle est accompagnée de ce qu'on peut appeler « l'image
du lecteur ». Évidemment, cette image a aussi peu de rapports avec un lecteur
concret que l'image du narrateur, avec l'auteur véritable. Les deux se trouvent
en dépendance étroite l'une de l'autre, et dès que l'image du narrateur commence
à ressortir plus nettement, le lecteur imaginaire se trouve lui aussi dessiné avec
plus de précision. Ces deux images sont propres à toute œuvre de fiction : la
conscience de lire un roman et non un document nous engage à jouer le rôle de
ce lecteur imaginaire et en même temps apparaît le narrateur, celui qui nous
rapporte le récit, puisque le récit lui-même est imaginaire. Cette dépendance
confirme la loi sémiologique générale selon laquelle « je » et « tu », l'émetteur et
le récepteur d'un énoncé, apparaissent toujours ensemble.

Ces images se forment d'après les conventions qui transforment l'histoire en
discours. Le fait même que nous lisions le livre du début vers la fin (c'est-à-dire
comme l'aurait voulu le narrateur) nous engage à jouer le rôle du lecteur. Dans
le cas du roman par lettres, ces conventions sont théoriquement réduites au
minimum : c'est comme si nous lisions un véritable recueil de lettres, l'auteur
ne prend jamais la parole, le style est toujours direct. Mais dans son Avertissement de l'Éditeur, Laclos détruit déjà cette illusion. Les autres conventions
concernent l'exposé même des événements et, en particulier, l'existence de différents aspects. Ainsi nous remarquons notre rôle de lecteur dès que nous en savons
plus que les personnages car cette situation contredit une vraisemblance dans
le vécu.

III. L'INFRACTION A L'ORDRE

On peut résumer toutes les observations que nous avons présentées jusqu'ici en disant qu'elles avaient pour objet de saisir la structure littéraire de l'œuvre, ou comme nous dirons dorénavant, un certain *ordre*. Nous employons ce terme comme une notion générique pour toutes les relations et structures élémentaires que nous avons étudiées. Mais notre présentation ne contient aucune indication sur la succession dans le récit; si les parties du récit étaient interchangées, cette présentation n'en serait pas sensiblement modifiée. A présent, nous nous arrêterons sur le moment crucial de la succession propre au récit : le dénouement, qui représente, comme nous allons le voir, une véritable infraction à l'ordre précédent. Nous observons cette infraction en prenant comme seul exemple *les Liaisons dangereuses*.

L'INFRACTION DANS L'HISTOIRE. Cette infraction est sensible dans toute la dernière partie du livre, et en particulier entre les lettres 142 et 162, c'est-à-dire entre la rupture de Valmont avec Tourvel et la mort de Valmont. Elle concerne tout d'abord l'image même de Valmont, personnage principal du récit. La quatrième partie commence par la chute de Tourvel. Valmont prétend dans sa lettre 125 qu'il s'agit d'une aventure qui ne se distingue en rien des autres; mais le lecteur s'aperçoit facilement, surtout aidé par Mme de Merteuil, que le ton trahit un rapport autre que celui qui est déclaré : cette fois-ci, il s'agit d'amour, c'est-à-dire de la même passion qui anime toutes les « victimes ». En remplaçant son désir de possession et l'indifférence qui le suivait par l'amour, Valmont quitte son groupe et détruit déjà une première répartition. Il est vrai que plus tard il sacrifiera cet amour pour écarter les accusations de Mme de Merteuil, mais ce sacrifice ne résout pas l'ambiguïté de son attitude précédente. Plus tard, d'ailleurs, Valmont entreprend d'autres démarches qui devraient le rapprocher de Tourvel (il lui écrit, il écrit à Volanges, sa dernière confidente); et son désir de vengeance contre Merteuil devrait aussi nous indiquer qu'il regrette son premier geste. Mais le doute n'est pas levé; le Rédacteur nous le dit explicitement dans une de ses Notes (l. 154) sur la lettre de Valmont envoyée à Mme de Volanges pour être remise à Mme de Tourvel et qui n'est pas présente dans le livre : « C'est parce qu'on n'a rien trouvé dans la suite de cette Correspondance qui pût résoudre ce doute, qu'on a pris le parti de supprimer la lettre de M. de Valmont. »

La conduite de Valmont avec Mme de Merteuil est tout aussi étrange, vue dans la perspective de la logique que nous avons esquissée précédemment. Ce rapport semble réunir des éléments très divers, et jusqu'alors incompatibles : il y a un désir de possession, mais aussi opposition et en même temps confidence. Ce dernier trait (qui est donc une désobéissance à notre quatrième règle) se révèle comme décisif pour le sort de Valmont : il continue à se confier à la Marquise même après la déclaration de « guerre ». Et l'infraction de la loi est punie par la mort. De même Valmont oublie qu'il peut agir à deux niveaux pour réaliser ses désirs, ce dont il se servait si habilement auparavant : dans ses lettres à la Marquise, il avoue naïvement ses désirs sans essayer de les dissimuler, d'adopter une tactique plus souple (ce qu'il devrait faire en raison de l'attitude de Merteuil).

Même sans se référer aux lettres de la Marquise à Danceny, le lecteur peut se rendre compte qu'elle a mis fin à son rapport amical avec Valmont.

L'infraction dans le discours. Nous nous rendons compte ici que l'infraction ne se résume pas simplement à une conduite de Valmont, qui n'est plus conforme aux règles et distinctions établies; elle concerne également la façon dont nous en sommes avertis. Tout au long du récit, nous étions certains de la véracité ou de la fausseté des actes et des sentiments relatés : le commentaire constant de Merteuil et de Valmont nous renseignait sur l'essence même de tout acte, il nous donnait « l'être » lui-même, et non seulement le « paraître ». Mais le dénouement consiste précisément dans la suspension des confidences entre les deux protagonistes; ceux-ci cessent de se confier à qui que ce soit et nous sommes, tout d'un coup, privés du savoir certain, nous sommes privés de l'être et nous devons, seuls, essayer de le deviner à travers le paraître. C'est pour cette raison que nous ne savons pas si Valmont aime ou n'aime pas vraiment la Présidente; c'est pour la même raison que nous ne sommes pas certains des véritables raisons qui poussent Merteuil à agir (alors que jusque-là, tous les éléments du récit avaient une interprétation indiscutable) : voulait-elle vraiment tuer Valmont sans craindre les révélations qu'il peut faire? Ou bien Danceny est-il allé trop loin dans sa colère et a-t-il cessé d'être une simple arme entre les mains de Merteuil? Nous ne le saurons jamais.

Nous avons noté précédemment que la *narration* était contenue dans les lettres de Valmont et Merteuil, avant ce moment d'infraction, et, plus tard, dans celles de Mme de Volanges. Ce changement n'est pas une substitution simple, mais le choix d'une nouvelle vision : alors que dans les trois premières parties du livre, la narration se situait au niveau de l'être, dans la dernière, elle prend celui de paraître. Mme de Volanges ne comprend pas les événements qui l'entourent, elle n'en saisit que les apparences (même Mme de Rosemonde est mieux renseignée qu'elle; mais elle ne raconte pas). Ce changement d'optique dans la narration est particulièrement sensible par rapport à Cécile : comme dans la quatrième partie du livre, il n'y a pas de lettres d'elle (la seule qu'elle signe est dictée par Valmont), nous n'avons plus aucun moyen d'apprendre quel est, à ce moment, son « être ». Ainsi le Rédacteur a raison de nous promettre, dans sa Note de conclusion, de nouvelles aventures de Cécile : nous ne connaissons pas les véritables raisons de sa conduite, son sort n'est pas clair, son avenir est énigmatique.

Valeur de l'infraction. Peut-on imaginer au roman une quatrième partie différente, une partie telle que l'ordre précédent n'en soit pas enfreint? Valmont aurait sans doute trouvé un moyen plus souple pour rompre avec Tourvel; s'il était survenu un conflit entre lui et Merteuil, il aurait su le résoudre avec plus d'habileté et sans s'exposer à tant de dangers. Les « roués » auraient trouvé une solution qui leur permette d'éviter les attaques de leurs propres victimes. A la fin du livre, nous aurions eu les deux camps aussi séparés qu'au début, et les deux complices tout aussi puissants. Même si le duel avec Danceny avait eu lieu, Valmont aurait su ne pas s'exposer au danger mortel...

Il est inutile de continuer : sans faire des interprétations psychologiques, on se rend compte que le roman ainsi conçu ne serait plus le même; il ne serait même plus rien. Nous n'aurions eu que le récit d'une simple aventure galante, la conquête d'une « prude », avec une conclusion « cocasse ». Ceci nous montre qu'il ne s'agit pas ici d'une particularité mineure de la construction mais de son centre même; on a plutôt l'impression que le récit entier consiste dans la possibilité d'amener précisément ce dénouement.

Le fait que le récit perdrait toute son épaisseur esthétique et morale s'il n'avait pas ce dénouement se trouve symbolisé dans le roman même. En effet, l'histoire est présentée de telle sorte qu'elle doit sa propre existence à l'infraction de l'ordre. Si Valmont n'avait pas transgressé les lois de sa propre morale (et celles de la structure du roman), nous n'aurions jamais vu publiée sa correspondance, ni celle de Merteuil : cette publication de leurs lettres est une conséquence de leur rupture et, plus généralement, de l'infraction. Ce détail n'est pas dû au hasard, comme on pourrait le croire : l'histoire entière ne se justifie, en effet, que dans la mesure où il existe une punition du mal peint dans le roman. Si Valmont n'avait pas trahi sa première image, le livre n'aurait pas le droit d'exister.

LES DEUX ORDRES. Jusqu'ici nous n'avons caractérisé cette infraction à l'ordre que d'une façon négative, comme la négation de l'ordre précédent. Essayons maintenant de voir quel est le contenu positif de ces actions, quel est le système qui leur est sous-jacent. Regardons d'abord ses éléments : Valmont, le roué, tombe amoureux d'une « simple » femme; Valmont oubliant de ruser avec Mme de Merteuil; Cécile allant se repentir de ses péchés au monastère; Mme de Volanges prenant le rôle du raisonneur... Toutes ces actions ont un dénominateur commun : elles obéissent à la morale conventionnelle, telle qu'elle existait au temps de Laclos (ou même plus tard). Donc l'ordre qui détermine les actions des personnages dans et après le dénouement est simplement l'ordre conventionnel, l'ordre extérieur à l'univers du livre. Une confirmation de cette hypothèse est donnée aussi par le nouveau rebondissement de l'affaire Prévan. A la fin du livre, nous voyons Prévan rétabli dans toute son ancienne grandeur; pourtant nous nous rappelons que, dans le conflit avec la Marquise, tous deux avaient exactement les mêmes désirs cachés et manifestes. Merteuil avait simplement réussi à être la plus rapide, elle n'était pas la plus coupable. Ce n'est donc pas une justice suprême, un ordre supérieur qui s'instaure à la fin du livre; c'est bel et bien la morale conventionnelle de la société contemporaine, morale pudibonde et hypocrite, différente en cela de celle de Valmont et Merteuil dans le reste du livre. Ainsi la « vie » devient partie intégrante de l'œuvre : son existence est un élément essentiel que nous devons connaître pour comprendre la structure du récit. C'est seulement à ce moment de notre analyse que l'intervention de l'aspect social se justifie; ajoutons qu'elle est aussi tout à fait nécessaire. Le livre peut s'arrêter parce qu'il établit l'ordre qui existe dans la réalité.

Placés dans cette perspective, nous pouvons nous apercevoir que les éléments de cet ordre conventionnel étaient présents aussi précédemment; et ils expliquent ces événements et ces actions qui ne pouvaient l'être dans le système que nous avons décrit. Ici s'inscrit par exemple l'action de Mme de Volanges auprès de Tourvel et Valmont, une action d'opposition qui n'avait pas les mêmes motivations que celles reflétées par notre R 3. Mme de Volanges hait Valmont non parce qu'elle est du nombre des femmes qu'il a délaissées, mais en accord avec ses principes moraux. Il en est exactement de même quant à l'attitude du Confesseur de Cécile qui devient, lui aussi, un opposant : c'est la morale conventionnelle, extérieure à l'univers du roman, qui guide ses pas. Ce sont des actions dont la motivation ou les mobiles ne sont pas dans le roman, mais à l'extérieur de lui : on agit ainsi parce qu'il le faut, c'est l'attitude naturelle qui ne demande pas de justification. Enfin, nous pouvons trouver là aussi l'explication de l'attitude de Tourvel qui s'oppose obstinément à ses propres sentiments au nom d'une conception éthique qui dit que la femme ne doit pas tromper son mari.

Ainsi nous voyons tout le récit dans une nouvelle perspective. Il n'est pas le simple exposé d'une action, mais l'histoire du conflit entre deux ordres : celui du livre et celui de son contexte social. Dans notre cas, jusqu'à leur dénouement, *les Liaisons dangereuses* établissent un nouvel ordre, différent de celui du milieu extérieur. L'ordre extérieur n'est présent ici que comme un mobile pour certaines actions. Le dénouement représente une infraction à cet ordre du livre, et ce qui le suit nous mène à ce même ordre extérieur, à la restauration de ce qui était détruit par le récit précédent. La présentation de cette partie du schéma structural dans notre roman est particulièrement instructive : aidé par les différents *aspects* du récit, Laclos évite de prendre position envers cette restauration. Si le récit précédent était mené au niveau de l'être, le récit de la fin est entièrement dans le paraître. Nous ne savons pas quelle est la vérité, nous ne connaissons que les apparences; et nous ne savons pas quelle est la position exacte de l'auteur : le niveau appréciatif est dissimulé. La seule morale dont nous prenons connaissance vient de Mme de Volanges; or, comme par un fait exprès, c'est précisément dans ses dernières lettres que Mme de Volanges est caractérisée comme une femme superficielle, privée d'opinion propre, cancanière, etc. Comme si l'auteur nous préservait d'accorder trop de confiance aux jugements qu'elle porte! La morale de la fin du livre rétablit Prévan dans ses droits; est-ce là la morale de Laclos? C'est cette ambiguïté profonde, cette ouverture vers des interprétations opposées qui distingue le roman de Laclos de nombreux romans « bien construits » et le place au rang des chefs-d'œuvre.

L'INFRACTION COMME CRITÈRE TYPOLOGIQUE. On peut penser que la relation entre l'ordre du récit et l'ordre de la vie qui l'entoure ne doit pas être nécessairement celle qui se réalise dans *les Liaisons dangereuses*. On peut supposer que la possibilité inverse existe aussi : le récit qui explicite, dans son développement, l'ordre existant à l'extérieur, et dont le dénouement introduirait un ordre nouveau, celui, précisément, de l'univers romanesque. Pensons par exemple aux romans de Dickens, qui présentent, pour la plupart, la structure inverse : tout au long du livre, c'est l'ordre extérieur, l'ordre de la vie qui domine les actions des personnages; dans le dénouement il se produit un miracle, tel personnage riche se révèle subitement comme un être généreux, et rend possible l'instauration d'un ordre nouveau. Ce nouvel ordre — le règne de la vertu — n'existe évidemment que dans le livre, mais c'est lui qui triomphe après le dénouement.

Il n'est toutefois pas certain qu'on doive trouver dans tous les récits une semblable infraction. Certains romans modernes ne peuvent pas être présentés comme le conflit de deux ordres mais plutôt comme une série de variations en gradation, portant sur le même sujet. Telle se présente la structure des romans de Kafka, Beckett, etc. En tous les cas, la notion d'infraction, comme d'ailleurs toutes celles concernant la structure de l'œuvre, pourra servir comme critère pour une typologie future des récits littéraires.

Nous arrêtons ici notre esquisse d'un cadre pour l'étude du récit littéraire. Espérons que cette recherche d'un dénominateur commun aux discussions du passé rendra celles du futur plus fructueuses.

TZVETAN TODOROV
École Pratique des Hautes Études, Paris.

Gérard Genette

Frontières du récit

Si l'on accepte, par convention, de s'en tenir au domaine de l'expression littéraire, on définira sans difficulté le récit comme la représentation d'un événement
ou d'une suite d'événements, réels ou fictifs, par le moyen du langage, et plus
particulièrement du langage écrit. Cette définition positive (et courante) a le
mérite de l'évidence et de la simplicité; son principal inconvénient est peut-être,
justement, de s'enfermer et de nous enfermer dans l'évidence, de masquer à
nos yeux ce qui précisément, dans l'être même du récit, fait problème et difficulté, en effaçant en quelque sorte les frontières de son exercice, les conditions
de son existence. Définir positivement le récit, c'est accréditer, peut-être dange-
reusement, l'idée ou le sentiment que le récit *va de soi*, que rien n'est plus naturel
que de raconter une histoire ou d'agencer un ensemble d'actions dans un mythe,
un conte, une épopée, un roman. L'évolution de la littérature et de la conscience
littéraire depuis un demi-siècle aura eu, entre autres heureuses conséquences,
celle d'attirer notre attention, tout au contraire, sur l'aspect singulier, artificiel
et problématique de l'acte narratif. Il faut en revenir une fois de plus à la stupeur
de Valéry considérant un énoncé tel que « La marquise sortit à cinq heures ».
On sait combien, sous des formes diverses et parfois contradictoires, la littérature
moderne a vécu et illustré cet étonnement fécond, comment elle s'est voulue et
s'est faite, en son fond même, interrogation, ébranlement, contestation du propos
narratif. Cette question faussement naïve : *pourquoi le récit?* — pourrait au moins
nous inciter à rechercher, ou plus simplement à reconnaître les limites en quelque
sorte négatives du récit, à considérer les principaux jeux d'oppositions à travers
lesquels le récit se définit, se constitue en face des diverses formes du non-récit.

Diègèsis et mimèsis.

Une première opposition est celle qu'indique Aristote en quelques phrases
rapides de la *Poétique*. Pour Aristote, le récit *(diègèsis)* est un des deux modes
de l'imitation poétique *(mimèsis)*, l'autre étant la représentation directe des
événements par des acteurs parlant et agissant devant le public [1]. Ici s'instaure
la distinction classique entre poésie narrative et poésie dramatique. Cette dis-

1. 1448 a.

tinction était déjà esquissée par Platon dans le 3e livre de *la République*, à ces deux différences près que d'une part Socrate y déniait au récit la qualité (c'est-à-dire, pour lui, le défaut) d'imitation, et que d'autre part il tenait compte des aspects de représentation directe (dialogues) que peut comporter un poème non dramatique comme ceux d'Homère. Il y a donc, aux origines de la tradition classique, deux partages apparemment contradictoires, où le récit s'opposerait à l'imitation, ici comme son antithèse, et là comme un de ses modes.

Pour Platon, le domaine de ce qu'il appelle *lexis* (ou façon de dire, par opposition à *logos*, qui désigne ce qui est dit) se divise théoriquement en imitation proprement dite *(mimèsis)* et simple récit *(diègèsis).* Par simple récit, Platon entend tout ce que le poète raconte « en parlant en son propre nom, sans essayer de nous faire croire que c'est un autre qui parle [1] » : ainsi, lorsqu'Homère, au chant I de l'*Iliade*, nous dit à propos de Chrysès : « Il était venu aux fines nefs des Achéens, pour racheter sa fille, porteur d'une immense rançon et tenant en main, sur son bâton d'or, les bandelettes de l'archer Apollon ; et il suppliait tous les Achéens, mais surtout les deux fils d'Atrée, bon rangeurs de guerriers [2] ». Au contraire, l'imitation consiste, dès le vers suivant, en ce qu'Homère fait parler Chrysès lui-même, ou plutôt, selon Platon, parle en feignant d'être devenu Chrysès, et « en s'efforçant de nous donner autant que possible l'illusion que ce n'est pas Homère qui parle, mais bien le vieillard, prêtre d'Apollon ». Voici le texte du discours de Chrysès : « Atrides, et vous aussi, Achéens aux bonnes jambières, puissent les dieux, habitants de l'Olympe, vous donner de détruire la ville de Priam, puis de rentrer sans mal dans vos foyers ! Mais à moi, puissiez-vous aussi rendre ma fille ! Et pour ce, agréez la rançon que voici, par égard pour le fils de Zeus, pour l'archer Apollon ». Or, ajoute Platon, Homère aurait pu tout aussi bien poursuivre son récit sous une forme purement narrative, en *racontant* les paroles de Chrysès au lieu de les rapporter, ce qui, pour le même passage, aurait donné, au style indirect et en prose : « Le prêtre étant venu pria les dieux de leur accorder de prendre Troie en les préservant d'y périr, et il demanda aux Grecs de lui rendre sa fille en échange d'une rançon, et par respect pour le dieu [3] ». Cette division théorique, qui oppose, à l'intérieur de la diction poétique, les deux modes purs et hétérogènes du récit et de l'imitation, entraîne et fonde une classification pratique des genres, qui comprend les deux modes purs (narratif, représenté par l'ancien dithyrambe, mimétique, représenté par le théâtre), plus un mode mixte, ou, plus précisément, alterné, qui est celui de l'épopée, comme on vient de le voir par l'exemple de l'*Iliade*.

La classification d'Aristote est à première vue toute différente, puisqu'elle ramène toute poésie à l'imitation, distinguant seulement deux modes imitatifs, le direct, qui est celui que Platon nomme proprement imitation, et le narratif, qu'il nomme, comme Platon, *diègèsis.* D'autre part, Aristote semble identifier pleinement, non seulement, comme Platon, le genre dramatique au mode imitatif, mais aussi, sans tenir compte en principe de son caractère mixte, le genre épique au mode narratif pur. Cette réduction peut tenir au fait qu'Aristote définit, plus strictement que Platon, le mode imitatif par les conditions scéniques de la représentation dramatique. Elle peut se justifier également par le fait que l'œuvre épique, quelle qu'y soit la part matérielle des dialogues ou discours au

1. 393 a.
2. *Iliade*, I, 12-16, trad. Mazon.
3. 393 e, trad. Chambry.

style direct, et même si cette part dépasse celle du récit, demeure essentiellement narrative en ce que les dialogues y sont nécessairement encadrés et amenés par des parties narratives qui constituent, au sens propre, le *fond*, ou, si l'on veut, la trame de son discours. Au reste, Aristote reconnaît à Homère cette supériorité sur les autres poètes épiques, qu'il intervient personnellement le moins possible dans son poème, mettant le plus souvent en scène des personnages caractérisés, conformément au rôle du poète, qui est d'imiter le plus possible[1]. Par là, il semble bien reconnaître implicitement le caractère imitatif des dialogues homériques, et donc le caractère mixte de la diction épique, narrative en son fond mais dramatique en sa plus grande étendue.

La différence entre les classifications de Platon et d'Aristote se réduit donc à une simple variante de termes : ces deux classifications se rejoignent bien sur l'essentiel, c'est-à-dire l'opposition du dramatique et du narratif, le premier étant considéré par les deux philosophes comme plus pleinement imitatif que le second : accord sur le fait, en quelque sorte souligné par le désaccord sur les valeurs, puisque Platon condamne les poètes en tant qu'imitateurs, à commencer par les dramaturges, et sans excepter Homère, jugé encore trop mimétique pour un poète narratif, n'admettant dans la Cité qu'un poète idéal dont la diction austère serait aussi peu mimétique que possible; tandis qu'Aristote, symétriquement, place la tragédie au-dessus de l'épopée, et loue chez Homère tout ce qui rapproche son écriture de la diction dramatique. Les deux systèmes sont donc bien identiques, à la seule réserve d'un renversement de valeurs : pour Platon comme pour Aristote, le récit est un mode affaibli, atténué de la représentation littéraire — et l'on perçoit mal, à première vue, ce qui pourrait en faire juger autrement.

Il faut pourtant introduire ici une observation dont ni Platon ni Aristote ne semblent s'être souciés, et qui restituera au récit toute sa valeur et toute son importance. L'imitation directe, telle qu'elle fonctionne à la scène, consiste en gestes et en paroles. En tant qu'elle consiste en gestes, elle peut évidemment représenter des actions, mais elle échappe ici au plan linguistique, qui est celui où s'exerce l'activité spécifique du poète. En tant qu'elle consiste en paroles, discours tenus par des personnages (et il va de soi que dans une œuvre narrative la part de l'imitation directe se réduit à cela), elle n'est pas à proprement parler représentative, puisqu'elle se borne à reproduire tel quel un discours réel ou fictif. On peut dire que les vers 12 à 16 de l'*Iliade*, cités plus haut, nous donnent une représentation verbale des actes de Chrysès, on ne peut en dire autant des cinq suivants; ils ne *représentent* pas le discours de Chrysès : s'il s'agit d'un discours réellement prononcé, ils le *répètent*, littéralement, et s'il s'agit d'un discours fictif, ils le *constituent*, tout aussi littéralement; dans les deux cas, le travail de la représentation est nul, dans les deux cas, les cinq vers d'Homère se confondent rigoureusement avec le discours de Chrysès : il n'en va évidemment pas de même pour les cinq vers narratifs qui précèdent, et qui ne se confondent en aucune manière avec les actes de Chrysès : « Le mot *chien*, dit William James, ne mord pas. » Si l'on appelle imitation poétique le fait de représenter par des moyens verbaux une réalité non-verbale, et, exceptionnellement, verbale (comme on appelle imitation picturale le fait de représenter par des moyens picturaux une réalité non-picturale, et, exceptionnellement, picturale), il faut admettre

---

1. 1460 a.

que l'imitation se trouve dans les cinq vers narratifs, et ne se trouve nullement dans les cinq vers dramatiques, qui consistent simplement en l'interpolation, au milieu d'un texte représentant des événements, d'un autre texte directement emprunté à ces événements : comme si un peintre hollandais du xviiᵉ siècle, dans une anticipation de certains procédés modernes, avait placé au milieu d'une nature morte, non la peinture d'une coquille d'huître, mais une coquille d'huître véritable. Cette comparaison simpliste est ici pour faire toucher du doigt le caractère profondément hétérogène d'un mode d'expression auquel nous sommes si habitués que nous n'en percevons pas les changements de registre les plus abrupts. Le récit « mixte » selon Platon, c'est-à-dire le mode de relation le plus courant et le plus universel, « imite » alternativement, sur le même ton et, comme dirait Michaux, « sans même voir la différence », une matière non-verbale qu'il doit bien effectivement représenter comme il le peut, et une matière verbale qui se représente d'elle-même, et qu'il se contente le plus souvent de *citer*. S'il s'agit d'un récit historique rigoureusement fidèle, l'historien-narrateur doit bien être sensible au changement de régime, lorsqu'il passe de l'effort narratif dans la relation des actes accomplis à la transcription mécanique des paroles prononcées, mais lorsqu'il s'agit d'un récit partiellement ou totalement fictif, le travail de fiction, qui porte également sur les contenus verbaux et non-verbaux, a sans doute pour effet de masquer la différence qui sépare les deux types d'imitation, dont l'une est, si j'ose dire, en prise directe, tandis que l'autre fait intervenir un système d'engrenages plutôt complexe. En admettant (ce qui est d'ailleurs difficile) qu'imaginer des actes et imaginer des paroles procède de la même opération mentale, « dire » ces actes et dire ces paroles constituent deux opérations verbales fort différentes. Ou plutôt, seule la première constitue une véritable opération, un acte de *diction* au sens platonicien, comportant une série de transpositions et d'équivalences, et une série de choix inévitables entre les éléments de l'*histoire* à retenir et les éléments à négliger, entre les divers points de vue possibles, etc. — toutes opérations évidemment absentes lorsque le poète ou l'historien se bornent à transcrire un discours. On peut certes (on doit même) contester cette distinction entre l'acte de représentation mentale et l'acte de représentation verbale — entre le *logos* et la *lexis* —, mais cela revient à contester la théorie même de l'imitation, qui conçoit la fiction poétique comme un simulacre de réalité, aussi transcendant au discours qui le prend en charge que l'événement historique est extérieur au discours de l'historien ou le paysage représenté au tableau qui le représente : théorie qui ne fait aucune différence entre fiction et représentation, l'objet de la fiction se ramenant pour elle à un réel feint et qui attend d'être représenté. Or il apparaît que dans cette perspective la notion même d'imitation sur le plan de la *lexis* est un pur mirage, qui s'évanouit à mesure qu'on l'approche : le langage ne peut imiter parfaitement que du langage, ou plus précisément un discours ne peut imiter parfaitement qu'un discours parfaitement identique; bref, un discours ne peut imiter que lui-même. En tant que *lexis*, l'imitation directe est, exactement, une tautologie.

Nous sommes donc conduits à cette conclusion inattendue, que le seul mode que connaisse la littérature en tant que représentation est le récit, équivalent verbal d'événements non verbaux et aussi (comme le montre l'exemple forgé par Platon) d'événements verbaux, sauf à s'effacer dans ce dernier cas devant une citation directe où s'abolit toute fonction représentative, à peu près comme un orateur judiciaire peut interrompre son discours pour laisser le tribunal examiner lui-même une pièce à conviction. La représentation littéraire, la *mimèsis* des anciens, ce n'est donc pas le récit plus les « discours » : c'est le récit, et seulement le récit. Platon opposait *mimèsis* à *diègèsis* comme une imitation parfaite à une imitation imparfaite; mais l'imitation parfaite n'est plus une imitation, c'est la chose même, et finalement la seule imitation, c'est l'imparfaite. *Mimèsis*, c'est *diégésis*.

Narration et description.

Mais la représentation littéraire ainsi définie, si elle se confond avec le récit (au sens large), ne se réduit pas aux éléments purement narratifs (au sens étroit) du récit. Il faut maintenant faire droit, au sein même de la diégèse, à une distinction qui n'apparaît ni chez Platon ni chez Aristote, et qui dessinera une nouvelle frontière, intérieure au domaine de la représentation. Tout récit comporte en effet, quoique intimement mêlées et en proportions très variables, d'une part des représentations d'actions et d'événements, qui constituent la narration proprement dite, et d'autre part des représentations d'objets ou de personnages, qui sont le fait de ce que l'on nomme aujourd'hui la *description*. L'opposition entre narration et description, d'ailleurs accentuée par la tradition scolaire, est un des traits majeurs de notre conscience littéraire. Il s'agit pourtant là d'une distinction relativement récente, dont il faudrait un jour étudier la naissance et le développement dans la théorie et la pratique de la littérature. Il ne semble pas, à première vue, qu'elle ait une existence très active avant le xixe siècle, où l'introduction de longs passages descriptifs dans un genre typiquement narratif comme le roman met en évidence les ressources et les exigences du procédé. [1]

Cette persistante confusion, ou insouciance à distinguer, qu'indique très nettement, en grec, l'emploi du terme commun *diègèsis*, tient peut-être surtout au statut littéraire très inégal des deux types de représentation. En principe il est évidemment possible de concevoir des textes purement descriptifs, visant à représenter des objets dans leur seule existence spatiale, en dehors de tout événement et même de toute dimension temporelle. Il est même plus facile de concevoir une description pure de tout élément narratif que l'inverse, car la désignation la plus sobre des éléments et des circonstances d'un procès peut déjà passer pour une amorce de description : une phrase comme « La maison est blanche avec un toit d'ardoise et des volets verts » ne comporte aucun trait de narration, tandis qu'une phrase comme « L'homme s'approcha de la table et prit un couteau » contient au moins, à côté des deux verbes d'action, trois substantifs qui, si peu qualifiés soient-ils, peuvent être considérés comme descriptifs du seul fait qu'ils désignent des êtres animés ou inanimés; même un verbe peut être plus ou moins descriptif, dans la précision qu'il donne au spectacle de l'action (il suffit pour s'en convaincre de comparer « saisit le couteau », par exemple à « prit le couteau »), et par conséquent aucun verbe n'est tout à fait exempt de résonance descriptive. On peut donc dire que la description est plus indispensable que la narration, puisqu'il est plus facile de décrire sans raconter que de

---

1. On la trouve cependant chez Boileau, à propos de l'épopée :

> *Soyez vif et pressé dans vos narrations;*
> *Soyez riche et pompeux dans vos descriptions.*

(*Art. Poét.* III, 257-258.)

raconter sans décrire (peut-être parce que les objets peuvent exister sans mouvement, mais non le mouvement sans objets). Mais cette situation de principe indique déjà, en fait, la nature du rapport qui unit les deux fonctions dans l'immense majorité des textes littéraires : la description pourrait se concevoir indépendamment de la narration, mais en fait on ne la trouve pour ainsi dire jamais à l'état libre; la narration, elle, ne peut exister sans description, mais cette dépendance ne l'empêche pas de jouer constamment le premier rôle. La description est tout naturellement *ancilla narrationis*, esclave toujours nécessaire, mais toujours soumise, jamais émancipée. Il existe des genres narratifs, comme l'épopée, le conte, la nouvelle, le roman, où la description peut occuper une très grande place, voire matériellement la plus grande, sans cesser d'être, comme par vocation, un simple auxiliaire du récit. Il n'existe pas, en revanche, de genres descriptifs, et l'on imagine mal, en dehors du domaine didactique (ou de fictions semi-didactiques comme celles de Jules Verne), une œuvre où le récit se comporterait en auxiliaire de la description.

L'étude des rapports entre le narratif et le descriptif se ramène donc, pour l'essentiel, à considérer les *fonctions diégétiques* de la description, c'est-à-dire le rôle joué par les passages ou les aspects descriptifs dans l'économie générale du récit. Sans tenter d'entrer ici dans le détail de cette étude, on retiendra au moins, dans la tradition littéraire « classique » (d'Homère à la fin du xixe siècle), deux fonctions relativement distinctes. La première est d'ordre en quelque sorte décoratif. On sait que la rhétorique traditionnelle range la description, au même titre que les autres figures de style, parmi les ornements du discours : la description étendue et détaillée apparaît ici comme une pause et une récréation dans le récit, de rôle purement esthétique, comme celui de la sculpture dans un édifice classique. L'exemple le plus célèbre en est peut-être la description du bouclier d'Achille au chant xviii de l'*Iliade*[1]. C'est sans doute à ce rôle de décor que pense Boileau quand il recommande la richesse et la pompe dans ce genre de morceaux. L'époque baroque s'est signalée par une sorte de prolifération de l'excursus descriptif, très sensible par exemple dans le *Moyse sauvé* de Saint-Amant, et qui a fini par détruire l'équilibre du poème narratif à son déclin.

La seconde grande fonction de la description, la plus manifeste aujourd'hui parce qu'elle s'est imposée, avec Balzac, dans la tradition du genre romanesque, est d'ordre à la fois explicatif et symbolique : les portraits physiques, les descriptions d'habillements et d'ameublements tendent, chez Balzac, et ses successeurs réalistes, à révéler et en même temps à justifier la psychologie des personnages, dont ils sont à la fois signe, cause et effet. La description devient ici, ce qu'elle n'était pas à l'époque classique, un élément majeur de l'exposition : que l'on songe aux maisons de Mlle Cormon dans *la Vieille Fille* ou de Balthazar Claës dans *la Recherche de l'Absolu*. Tout cela est d'ailleurs trop bien connu pour que l'on se permette d'y insister. Remarquons seulement que l'évolution des formes narratives, en substituant la description significative à la description ornementale, a tendu (au moins jusqu'au début du xxe siècle) à renforcer la domination du narratif : la description a sans aucun doute perdu en autonomie ce qu'elle a gagné en importance dramatique. Quant à certaines formes du roman contemporain qui sont apparues tout d'abord comme des tentatives pour libérer le mode

---

1. Au moins comme l'a interprétée et imitée la tradition classique. Il faut remarquer d'ailleurs que la description y tend à s'animer et donc à se narrativiser.

descriptif de la tyrannie du récit, il n'est pas certain qu'il faille vraiment les interpréter ainsi : si on la considère de ce point de vue, l'œuvre de Robbe-Grillet apparaît peut-être davantage comme un effort pour constituer un récit (une *histoire*) par le moyen presque exclusif de descriptions imperceptiblement modifiées de page en page, ce qui peut passer à la fois pour une promotion spectaculaire de la fonction descriptive, et pour une confirmation éclatante de son irréductible finalité narrative.

Il faut observer enfin que toutes les différences qui séparent description et narration sont des différences de contenu, qui n'ont pas à proprement parler d'existence sémiologique : la narration s'attache à des actions ou des événements considérés comme purs procès, et par là même elle met l'accent sur l'aspect temporel et dramatique du récit; la description au contraire, parce qu'elle s'attarde sur les objets et des êtres considérés dans leur simultanéité, et qu'elle envisage les procès eux-mêmes comme des spectacles, semble suspendre le cours du temps et contribue à étaler le récit dans l'espace. Ces deux types de discours peuvent donc apparaître comme exprimant deux attitudes antithétiques devant le monde et l'existence, l'une plus active, l'autre plus contemplative et donc, selon une équivalence traditionnelle, plus « poétique ». Mais du point de vue des modes de représentation, raconter un événement et décrire un objet sont deux opérations semblables, qui mettent en jeu les mêmes ressources du langage. La différence la plus significative serait peut-être que la narration restitue, dans la succession temporelle de son discours, la succession également temporelle des événements, tandis que la description doit moduler dans le successif la représentation d'objets simultanés et juxtaposés dans l'espace : le langage narratif se distinguerait ainsi par une sorte de coïncidence temporelle avec son objet, dont le langage descriptif serait au contraire irrémédiablement privé. Mais cette opposition perd beaucoup de sa force dans la littérature écrite, où rien n'empêche le lecteur de revenir en arrière et de considérer le texte, dans sa simultanéité spatiale, comme un *analogon* du spectacle qu'il décrit : les calligrammes d'Apollinaire ou les dispositions graphiques du *Coup de dés* ne font que pousser à la limite l'exploitation de certaines ressources latentes de l'expression écrite. D'autre part, aucune narration, pas même celle du reportage radiophonique, n'est rigoureusement synchrone à l'événement qu'elle relate, et la variété des rapports que peut entretenir le temps de l'histoire et celui du récit achève de réduire la spécificité de la représentation narrative. Aristote observe déjà que l'un des avantages du récit sur la représentation scénique est de pouvoir traiter plusieurs actions simultanées [1] : mais il lui faut bien les traiter successivement, et dès lors sa situation, ses ressources et ses limites sont analogues à celles du langage descriptif.

Il apparaît donc bien qu'en tant que mode de la représentation littéraire la description ne se distingue pas assez nettement de la narration, ni par l'autonomie de ses fins, ni par l'originalité de ses moyens, pour qu'il soit nécessaire de rompre l'unité narrativo-descriptive (à dominante narrative) que Platon et Aristote ont nommée récit. Si la description marque une frontière du récit c'est bien une frontière intérieure, et somme toute assez indécise : on englobera donc sans dommage, dans la notion de récit, toutes les formes de la représentation littéraire, et l'on considérera la description non comme un de ses modes (ce qu

1. 1459 b.

impliquerait une spécificité de langage), mais, plus modestement, comme un de ses aspects — fût-ce, d'un certain point de vue, le plus attachant.

Récit et discours.

A lire *la République* et la *Poétique*, il semble que Platon et Aristote aient préalablement et implicitement réduit le champ de la littérature au domaine particulier de la littérature représentative : *poièsis = mimèsis*. Si l'on considère tout ce qui se trouve exclu du poétique par cette décision, on voit se dessiner une dernière frontière du récit qui pourrait être la plus importante et la plus significative. Il ne s'agit de rien de moins que de la poésie lyrique, satirique, et didactique : soit, pour s'en tenir à quelques-uns des noms que devait connaître un grec du ve ou du ive siècle, Pindare, Alcée, Sapho, Archiloque, Hésiode. Ainsi, pour Aristote, et bien qu'il use du même mètre qu'Homère, Empédocle n'est pas un poète : « Il faut appeler l'un poète et l'autre physicien plutôt que poète [1]. » Mais certes, Archiloque, Sapho, Pindare ne peuvent être appelés physiciens : ce qu'ont en commun tous les exclus de la *Poétique*, c'est que leur œuvre ne consiste pas en l'imitation, par récit ou représentation scénique, d'une action, réelle ou feinte, extérieure à la personne et à la parole du poète, mais simplement en un discours tenu par lui directement et en son propre nom. Pindare chante les mérites du vainqueur olympique, Archiloque invective ses ennemis politiques, Hésiode donne des conseils aux agriculteurs, Empédocle ou Parménide expose sa théorie de l'univers : il n'y a là aucune représentation, aucune fiction, simplement une parole qui s'investit directement dans le discours de l'œuvre. On en dira autant de la poésie élégiaque latine et de tout ce que nous appelons aujourd'hui très largement poésie lyrique, et, passant à la prose, de tout ce qui est éloquence, réflexion morale et philosophique [2], exposé scientifique ou para-scientifique, essai, correspondance, journal intime, etc. Tout ce domaine immense de l'expression directe, quels qu'en soient les modes, les tours, les formes, échappe à la réflexion de la *Poétique* en tant qu'il néglige la fonction représentative de la poésie. Nous avons là un nouveau partage, d'une très grande ampleur, puisqu'il divise en deux parties d'importance sensiblement égale l'ensemble de ce que nous appelons aujourd'hui la littérature.

Ce partage correspond à peu près à la distinction proposée naguère par Emile Benveniste [3] entre *récit* (ou *histoire*) et *discours*, avec cette différence que Benveniste englobe dans la catégorie du discours tout ce qu'Aristote appelait imitation directe, et qui consiste effectivement, du moins pour sa partie verbale, en discours prêté par le poète ou le narrateur à l'un de ses personnages. Benveniste montre que certaines formes grammaticales, comme le pronom *je* (et sa référence implicite *tu*), les « indicateurs » pronominaux (certains démonstratifs) ou adverbiaux comme *ici, maintenant, hier, aujourd'hui, demain*, etc.), et, au moins en français, certains temps du verbe, comme le présent, le passé composé ou le futur, se

---

1. 1447 b.
2. Comme c'est la diction qui compte ici, et non ce qui est dit, on exclura de cette liste, comme le fait Aristote (1447 b), les dialogues socratiques de Platon, et tous les exposés en forme dramatique, qui relèvent de l'imitation en prose.
3. « Les relations de temps dans le verbe français », B.S.L. 1959; repris dans *Problèmes de linguistique générale*, p. 237-250.

trouvent réservées au discours, alors que le récit dans sa forme stricte se marque par l'emploi exclusif de la troisième personne et de formes telles que l'aoriste (passé simple) et le plus-que-parfait. Quels qu'en soient les détails et les variations d'un idiome à l'autre, toutes ces différences se ramènent clairement à une opposition entre l'objectivité du récit et la subjectivité du discours; mais il faut préciser qu'il s'agit là d'une objectivité et d'une subjectivité définies par des critères d'ordre proprement linguistique : est « subjectif » le discours où se marque, explicitement ou non, la présence de (ou la référence à) *je*, mais ce *je* ne se définit pas autrement que comme la personne qui tient ce discours, de même que le présent, qui est le temps par excellence du mode discursif, ne se définit pas autrement que comme le moment où est tenu le discours, son emploi marquant « la coïncidence de l'événement décrit avec l'instance de discours qui le décrit [1] ». Inversement, l'objectivité du récit se définit par l'absence de toute référence au narrateur : « A vrai dire, il n'y a même plus de narrateur. Les événements sont posés comme ils se sont produits à mesure qu'ils apparaissent à l'horizon de l'histoire. Personne ne parle ici; les événements semblent se raconter eux-mêmes [2] ».

Nous avons là, sans aucun doute, une description parfaite de ce qu'est en son essence, et dans son opposition radicale à toute forme d'expression personnelle du locuteur, le récit à l'état pur, tel qu'on peut idéalement le concevoir, et tel qu'on peut effectivement le saisir sur quelques exemples privilégiés, comme ceux qu'emprunte Benveniste lui-même à l'historien Glotz et à Balzac. Reproduisons ici l'extrait de *Gambara*, que nous aurons à considérer avec quelque attention :

« Après un tour de galerie, le jeune homme regarda tour à tour le ciel et sa montre, fit un geste d'impatience, entra dans un bureau de tabac, y alluma un cigare, se posa devant une glace, et jeta un regard sur son costume, un peu plus riche que ne le permettent en France les lois du goût. Il rajusta son col et son gilet de velours noir sur lequel se croisait plusieurs fois une de ces grosses chaînes d'or fabriquées à Gênes; puis, après avoir jeté par un seul mouvement sur son épaule gauche son manteau doublé de velours en le drapant avec élégance, il reprit sa promenade sans se laisser distraire par les œillades bourgeoises qu'il recevait. Quand les boutiques commencèrent à s'illuminer et que la nuit lui parut assez noire, il se dirigea vers la place du Palais-Royal en homme qui craignait d'être reconnu, car il côtoya la place jusqu'à la fontaine, pour gagner à l'abri des fiacres l'entrée de la rue Froidmanteau... »

A ce degré de pureté, la diction propre du récit est en quelque sorte la transitivité absolue du texte, l'absence parfaite (si l'on néglige quelques entorses sur lesquelles nous reviendrons tout à l'heure), non seulement du narrateur, mais bien de la narration elle-même, par l'effacement rigoureux de toute référence à l'instance de discours qui le constitue. Le texte est là, sous nos yeux, sans être proféré par personne, et aucune (ou presque) des informations qu'il contient n'exige, pour être comprise ou appréciée, d'être rapportée à sa source, évaluée par sa distance ou sa relation au locuteur et à l'acte de locution. Si l'on compare un tel énoncé à une phrase telle que celle-ci : « J'attendais pour vous écrire que j'eusse un séjour fixe. Enfin je suis décidé : je passerai l'hiver ici [3] », on mesure à

---

1. « De la subjectivité dans le langage », *op. cit.*, p. 262.
2. *Ibid.*, p. 241.
3. SÉNANCOUR, *Oberman*, Lettre V.

quel point l'autonomie du récit s'oppose à la dépendance du discours, dont les déterminations essentielles (qui est *je*, qui est *vous*, quel lieu désigne *ici?*) ne peuvent être déchiffrées que par rapport à la situation dans laquelle il a été produit. Dans le discours, quelqu'un parle, et sa situation dans l'acte même de parler est le foyer des significations les plus importantes ; dans le récit, comme Benveniste le dit avec force, *personne ne parle*, en ce sens qu'à aucun moment nous n'avons à nous demander *qui parle* (*où* et *quand*, etc.) pour recevoir intégralement la signification du texte.

Mais il faut ajouter aussitôt que ces essences du récit et du discours ainsi définies ne se trouvent presque jamais à l'état pur dans aucun texte : il y a presque toujours une certaine proportion de récit dans le discours, une certaine dose de discours dans le récit. A vrai dire, ici s'arrête la symétrie, car tout se passe comme si les deux types d'expression se trouvaient très différemment affectés par la contamination : l'insertion d'éléments narratifs dans le plan du discours ne suffit pas à émanciper celui-ci, car ils demeurent le plus souvent liés à la référence au locuteur, qui reste implicitement présent à l'arrière-plan, et qui peut intervenir de nouveau à chaque instant sans que ce retour soit éprouvé comme une « intrusion ». Ainsi, nous lisons dans les *Mémoires d'outre-tombe* ce passage apparemment objectif : « Lorsque la mer était haute et qu'il y avait tempête, la vague, fouettée au pied du château, du côté de la grande grève, jaillissait jusqu'aux grandes tours. A vingt pieds d'élévation au-dessus de la base d'une de ces tours, régnait un parapet en granit, étroit et glissant, incliné, par lequel on communiquait au ravelin qui défendait le fossé : il s'agissait de saisir l'instant entre deux vagues, de franchir l'endroit périlleux avant que le flot se brisât et couvrît la tour... [1] » Mais nous savons que le narrateur, dont la personne s'est momentanément effacée pendant ce passage, n'est pas parti très loin, et nous ne sommes ni surpris ni gênés lorsqu'il reprend la parole pour ajouter : « Pas un de *nous* ne se refusait à l'aventure, mais *j'ai* vu des enfants pâlir avant de la tenter. » La narration n'était pas vraiment sortie de l'ordre du discours à la première personne, qui l'avait absorbée sans effort ni distorsion, et sans cesser d'être lui-même. Au contraire, toute intervention d'éléments discursifs à l'intérieur d'un récit est ressentie comme une entorse à la rigueur du parti narratif. Il en est ainsi de la brève réflexion insérée par Balzac dans le texte rapporté plus haut : « son costume *un peu plus riche que ne le permettent en France les lois du goût.* » On peut en dire autant de l'expression démonstrative « *une de ces chaînes d'or fabriquées à Gênes* », qui contient évidemment l'amorce d'un passage au présent (*fabriquées* correspond non pas à *que l'on fabriquait*, mais bien à *que l'on fabrique*) et d'une allocution directe au lecteur, implicitement pris à témoin. On en dira encore autant de l'adjectif « œillades *bourgeoises* » et de la locution adverbiale « *avec élégance* », qui impliquent un jugement dont la source est ici visiblement le narrateur ; de l'expression relative « *en homme qui craignait* », que le latin marquerait d'un subjonctif pour l'appréciation personnelle qu'elle comporte ; et enfin de la conjonction « *car il côtoya* », qui introduit une explication proposée par l'auteur. Il est évident que le récit n'intègre pas ces enclaves discursives, justement appelées par Georges Blin « intrusions d'auteur », aussi facilement que le discours accueille les enclaves narratives : le récit inséré dans le discours se transforme en élément de discours, le discours inséré dans le récit reste discours

1. Livre premier, ch. **v**.

et forme une sorte de kyste très facile à reconnaître et à localiser. La pureté du récit, dirait-on, est plus facile à préserver que celle du discours.

La raison de cette dissymétrie est au demeurant très simple, mais elle nous désigne un caractère décisif du récit : en vérité, le discours n'a aucune pureté à préserver, car il est le mode « naturel » du langage, le plus large et le plus universel, accueillant par définition à toutes les formes ; le récit, au contraire, est un mode particulier, défini par un certain nombre d'exclusions et de conditions restrictives (refus du présent, de la première personne, etc). Le discours peut « raconter » sans cesser d'être discours, le récit ne peut « discourir » sans sortir de lui-même. Mais il ne peut pas non plus s'en abstenir sans tomber dans la sécheresse et l'indigence : c'est pourquoi le récit n'existe pour ainsi dire nulle part dans sa forme rigoureuse. La moindre observation générale, le moindre adjectif un peu plus que descriptif, la plus discrète comparaison, le plus modeste « peut-être », la plus inoffensive des articulations logiques introduisent dans sa trame un type de parole qui lui est étranger, et comme réfractaire. Il faudrait, pour étudier le détail de ces accidents parfois microscopiques, de nombreuses et minutieuses analyses de textes. Un des objectifs de cette étude pourrait être de répertorier et de classer les moyens par lesquels la littérature narrative (et particulièrement romanesque) a tenté d'organiser d'une manière acceptable, à l'intérieur de sa propre *lexis*, les rapports délicats qu'y entretiennent les exigences du récit et les nécessités du discours.

On sait en effet que le roman n'a jamais réussi à résoudre d'une manière convaincante et définitive le problème posé par ces rapports. Tantôt, comme ce fut le cas à l'époque classique, chez un Cervantes, un Scarron, un Fielding, l'auteur-narrateur, assumant complaisamment son propre discours, intervient dans le récit avec une indiscrétion ironiquement appuyée, interpellant son lecteur sur le ton de la conversation familière ; tantôt au contraire, comme on le voit encore à la même époque, il transfère toutes les responsabilités du discours à un personnage principal qui *parlera*, c'est-à-dire à la fois racontera et commentera les événements, à la première personne : c'est le cas des romans picaresques, de *Lazarillo* à *Gil Blas*, et d'autres œuvres fictivement autobiographiques comme *Manon Lescaut* ou *la Vie de Marianne ;* tantôt encore, ne pouvant se résoudre ni à parler en son propre nom ni à confier ce soin à un seul personnage, il répartit le discours entre les divers acteurs, soit sous forme de lettres, comme l'a souvent fait le roman au xviiie siècle *(la Nouvelle Héloïse, les Liaisons dangereuses)*, soit, à la manière plus souple et plus subtile d'un Joyce ou d'un Faulkner en faisant successivement assumer le récit par le discours intérieur de ses principaux personnages. Le seul moment où l'équilibre entre récit et discours semble avoir été assumé avec une parfaite bonne conscience, sans scrupule ni ostentation, c'est évidemment le xixe siècle, l'âge classique de la narration objective, de Balzac à Tolstoï ; on voit au contraire à quel point l'époque moderne a accentué la conscience de la difficulté, jusqu'à rendre certains types d'élocution comme physiquement impossibles pour les écrivains les plus lucides et les plus rigoureux.

On sait bien, par exemple, comment l'effort pour amener le récit à son plus haut degré de pureté a conduit certains écrivains américains, comme Hammett ou Hemingway, à en exclure l'exposé des motivations psychologiques, toujours difficile à conduire sans recours à des considérations générales d'allure discursive les qualifications impliquant une appréciation personnelle du narrateur, les liaisons logiques, etc., jusqu'à réduire la diction romanesque à cette succession saccadée de phrases courtes, sans articulations, que Sartre reconnaissait en 194 dans *l'Étranger* de Camus, et que l'on a pu retrouver dix ans plus tard chez Robbe-Grillet. Ce que l'on a souvent interprété comme une application à la littérature des théories behavioristes n'était peut-être que l'effet d'une sensibilité particulièrement aiguë à certaines incompatibilités de langage. Toutes les fluctuations de l'écriture romanesque contemporaine vaudraient sans doute d'être analysées de ce point de vue, et particulièrement la tendance actuelle, peut-être inverse de la précédente, et tout à fait manifeste chez un Sollers ou un Thibaudeau, par exemple, à résorber le récit dans le discours présent de l'écrivain en train d'écrire, dans ce que Michel Foucault appelle « le discours lié à l'acte d'écrire, contemporain de son déroulement et enfermé en lui[1] ». Tout se passe ici comme si la littérature avait épuisé ou débordé les ressources de son mode représentatif, et voulait se replier sur le murmure indéfini de son propre discours Peut-être le roman, après la poésie, va-t-il sortir définitivement de l'âge de la représentation. Peut-être le récit, dans la singularité négative que l'on vient de lui reconnaître, est-il déjà pour nous, comme l'art pour Hegel, une *chose du passé*, qu'il faut nous hâter de considérer dans son retrait, avant qu'elle n'ait complètement déserté notre horizon.

GÉRARD GENETTE
Faculté des Lettres et Sciences humaines, Paris

1. « L'arrière-fable », *L'arc*, numéro spécial sur Jules VERNE, p. 6.

DOSSIER

Choix bibliographique

Le récit appartient, en principe, à une science déjà constituée, l'histoire littéraire, qui pour l'essentiel cependant, n'en a pas traité d'un point de vue structural; d'autre part, la bibliographie du structuralisme est certes abondante, mais sans rapport direct avec le récit. Il s'ensuit qu'une bibliographie de l'analyse structurale du récit ne peut être que très réduite, bornée aux œuvres et aux textes déjà bien connus de Propp (Morphology of the Folktale), Dumézil (la Saga de Hadingus : du mythe au roman), Lévi-Strauss, Greimas (Sémantique structurale) et Bremond (« Le message narratif », Comm. n⁰ 4), ou infinie, élargie notamment, perspective monstrueuse, à tout ce qu'on a écrit sur le conte, l'épopée, le roman, le théâtre, etc. Entre ces deux partis, nous avons choisi, avec un arbitraire évident mais semble-t-il inévitable, de présenter un nombre modeste de travaux, relevés au gré de nos lectures; ces travaux se trouvent tous, parfois d'une façon implicite, en raison de leur date, en rapport avec le point de vue structuraliste. Ce n'est donc pas une bibliographie que nous proposons; c'est, si l'on veut, un premier dossier de travail.

Les ouvrages qui suivent ont été choisis en commun par l'équipe du Centre d'Études des Communications de Masse; ils sont présentés par Cl. Bremond, O. Burgelin, G. Genette et T. Todorov. On les donne ici dans l'ordre approximatif de leur parution. R. B.

Ludwig (Otto), *Studien* (Gesammelte Schriften, VI), Leipzig, 1891. — Dans ses études sur le roman, Ludwig a esquissé deux grands types de récit, qu'il appelle « le récit proprement dit » et « le récit scénique ». Dans le récit proprement dit, le narrateur doit tenir compte de sa propre représentation dans l'œuvre : il raconte l'histoire selon l'ordre dans lequel il l'aurait apprise et il « sera obligé de motiver ses connaissances sur a chose ». Il peut se permettre ici l'analyse de ses personnages et de leurs actions en son propre nom. Dans le récit scénique, le narrateur se contente de représenter l'histoire sans se mettre lui-même en question; il n'a pas besoin « d'expliquer comment il est arrivé à connaître ce qu'il raconte ». Par ces moyens, ce récit se rapproche du drame; son caractère artificiel est ressenti beaucoup plus fortement. Il existe aussi différentes combinaisons de ces deux types qui ne se trouvent que rarement à l'état pur.

Bédier (Joseph), *Les Fabliaux*, Paris, 1893. — L'apport de Joseph Bédier à une théorie structuraliste du récit a été ainsi résumé par Propp : « Un exemple d'approche valable peut être tiré des méthodes de Bédier. Il fut le premier à reconnaître que certaines relations existent dans le conte entre des termes invariants et des variables. Il tente de rendre schématiquement compte de ce fait. Il nomme « élément » les unités constantes et essentielles, symbolisées par le signe Ω. Il désigne les variables par des lettres latines. Le schéma d'un conte, de cette façon, s'écrit $\Omega + a + b + c$; celui d'un autre, $\Omega + a + b + c + n$; celui d'un troisième $\Omega + m + l + n$; et ainsi d suite. Mais cette idée de départ, essentiellement correcte, est vouée à l'échec du fait de l'incapacité où se trouve Bédier de préciser la signification exacte de l'élément Ω. »

FRIEDEMANN (Käte), *Die Rolle des Erzählers in der Epik*, H. Haessel Verlag, Leipzig, 1910. — Ce livre est la première étude systématique sur la place et le rôle du narrateur dans le récit romanesque. Le narrateur est décrit comme un médiateur entre l'univers du livre et le lecteur, qui est déterminé par le point de vue qu'il a choisi pour observer l'action et nous la rapporter. « Ce point de vue... se révèle dans le rôle que ce médiateur joue lui-même dans le récit, dans la place à laquelle il se met, suivant qu'il aura appris ce qu'il relate comme une réalité ou comme une fiction, et enfin, dans la distance qu'il garde en face des choses. » La seconde partie du livre discute, à partir de l'opposition entre l'épique et le dramatique en tant que modes littéraires, les divers moyens dont dispose la narration : description, style direct et indirect, discours de l'auteur, comparaisons et métaphores, etc. L'auteur propose également une typologie des récits, suivant que les éléments de l'action sont présentés « l'un à côté de l'autre » ou « l'un à la suite de l'autre ». Vue d'ensemble sur les théories classiques du récit épique.

LUBBOCK (Percy), *The Craft of Fiction* (1re éd., 1921), Jonathan Cape, London, 1965. — L'auteur développe dans ce livre la théorie de Henry James sur les « points de vue ». Il existe deux pôles dans le mode de narration, qu'il appelle « scènique » et « panoramique ». Dans le premier cas nous assistons directement à des événements évoqués par le livre, dans le second nous ressentons la présence d'un narrateur qui voit plus qu'aucun des personnages ne l'aurait pu. Le dosage, l'alternance et la logique de ces modes de narration déterminent la réussite de l'œuvre. L'auteur lui-même mélange souvent les points de vue descriptif et prescriptif.

LIPS (Marguerite), *Le style indirect libre*, Payot, Paris, 1926. — Ce livre est une étude des différentes formes de discours dont dispose le récit : style direct, indirect, et indirect libre. L'auteur les considère comme manifestations de deux catégories de base : discours avec un sujet de l'énonciation explicite (« la reproduction ») ou implicite (« l'énonciation »). « L'énonciation satisfait au besoin d'exprimer des faits, tandis que la reproduction insiste sur le sujet qui les a conçus. » Les genres narratifs sont considérés comme un mélange des deux types.

Théorie de la littérature, Textes des Formalistes russes, Éd. du Seuil, Paris, 1965. — Plusieurs textes de cette anthologie traitent de la théorie de la prose littéraire, notamment ceux de Chklovski (« la Construction de la nouvelle et du roman »), Tomachevski (« Thématique »), Eikhenbaum (« Sur la théorie de la prose »), Propp (« les Transformations des contes fantastiques »), etc. Plusieurs notions importantes se dégagent des études des formalistes, en particulier celles de « fable » (« ce qui s'est effectivement passé ») et de « sujet » (« la façon dont le lecteur en a pris connaissance »). Ils montrent l'analogie entre les procédés stylistiques et les procédés de composition; la possibilité de considérer des formes apparemment distinctes comme des transformations des unes aux autres; les lois structurales qui opposent le roman à la nouvelle, etc. Chklovski esquisse également une typologie des formes narratives, ainsi les constructions « en boucle » et « en paliers ».

Readings in Russian Poetics (Michigan Slavic Materials, 2), University of Michigan, Ann Arbor, 1962 (en russe). — Cette réédition de textes des formalistes russes contient des extraits de deux des livres les plus importants qu'ils aient consacrés à l'étude de la prose : *Problèmes de la poétique de Dostoïevski* de Bakhtin et *Marxisme et philosophie du langage* de Volochinov. Le texte de Bakhtin établit l'existence de trois types de discours prosaïque : la simple désignation; le discours-objet (paroles des personnages) et le discours connotant un autre discours (toutes sortes de stylisation, pastiche et référence à un autre texte). Volochinov étudie les différentes formes du discours-objet : dialogue et monologue, style indirect et indirect libre; il esquisse une typologie (inspirée de Wölfflin) des rapports entre la parole des personnages et celle du narrateur, qui vont de l'isolation totale à la parfaite fusion.

Jolles (André), *Einfache Formen*, 2e Aufl (1e, 1929), Max Niemeyer Verlag, Halle (Salle), 1956. — L'auteur caractérise son propre travail comme une étude morphologique de la littérature. Il suppose que les formes complexes du récit, que nous trouvons, par exemple, dans le roman contemporain ou classique sont dérivées d'un petit nombre, de « formes simples » qui ne seraient pas le résultat d'une création artistique, mais qui seraient contenues dans le langage lui-même. Les problèmes de composition dans le roman ne font qu'un, selon lui, avec les problèmes linguistiques de la syntaxe. Les formes simples qu'il étudie dans son livre sont au nombre de neuf; il essaie de leur donner une définition morphologique et d'explorer leurs possibilités. Si l'on tient compte des modifications qu'il a apportées à sa thèse après la publication du livre, on peut grouper ces formes de la façon suivante (en postulant l'existence de deux niveaux et de cinq modes différents) :

Niveau	Interrogation	Constatation	Silence	Impératif	Optatif
réel	Fait divers	Racontar	Devinette	Dicton	Fable
idéal	Mythe	Information	Mot d'esprit	Légende	Conte

Thibaudet (Albert), *Réflexions sur le roman*, Gallimard, Paris, 1938. — Dans ce recueil, plusieurs articles contiennent des suggestions concernant la structure du récit romanesque. Ce qui caractérise l'approche de Thibaudet, c'est le désir d'expliquer chaque élément du récit par les relations dans lesquelles il entre avec ses autres éléments; ainsi le rôle de l'intrigue dans le roman psychologique, celui des « passions » dans le roman d'action, etc. Mais il ne vise nullement la construction d'un système, ni même l'élaboration d'une terminologie.

Pouillon (Jean), *Temps et roman*, Gallimard, Paris, 1946. — Dans le deuxième chapitre de la première partie, « les Modes de la compréhension » (p. 69-154), Pouillon esquisse une typologie des visions que peut avoir le narrateur des événements représentés. Ce sont : la vision « avec », la vision « par derrière » et la vision « du dehors ». Les deux premières sont longuement discutées. Cette séparation en trois est recoupée par une autre, celle-ci en deux, qui oppose la *présentation* à la *participation* et qui se rapporte plutôt à la réaction du lecteur, telle qu'elle est impliquée par le livre lui-même.

Magny (Claude-Edmonde), *L'âge du roman américain*, Seuil, Paris, 1948. — A partir de l'exemple — alors particulièrement significatif — du roman américain, et au moyen de comparaisons très éclairantes avec les techniques de la narration cinématographique, ce livre constitue l'une des premières études publiées en France sur les divers procédés de la narration romanesque : choix des points de vue, modifications du champ, monologues intérieurs, retours en arrière, ellipses, enchaînements, etc. Ce livre a fortement contribué à reverser sur la littérature l'intérêt que la nouveauté des moyens cinématographiques avait suscité autour des problèmes de la technique narrative.

Souriau (Étienne), *Les deux cent mille situations dramatiques*, Paris, 1950. — Ce livre est le premier essai systématique visant à étudier les lois structurales propres à un genre : le drame. Souriau distingue deux notions fondamentales, les fonctions et les situations. Les *fonctions*, au nombre de six, correspondent aux forces qui s'incarnent dans les personnages; ainsi l'Arbitre, l'Opposant, le Représentant du bien souhaité. Elles représentent une abstraction par rapport aux personnages, « pions réels sur l'échiquier théâtral », qui peuvent cumuler plusieurs fonctions ou dédoubler une même fonction. Les *situations*, au nombre de 210 441, « c'est la figure structurale dessinée, dans un moment donné de l'action, par un système de forces » (par les fonctions dramatiques). Mais l'auteur s'occupe peu de la succession formée par ces nombreuses situations, e concentre son attention sur les fonctions qui sont rapprochées également des signes astrologiques.

BLIN (Georges), *Stendhal et les problèmes du roman*, Corti, Paris, 1954. — L'auteur étudie, sur le cas particulier de l'œuvre de Stendhal, les conditions et les limites du « réalisme » dans la représentation romanesque. Une première partie est consacrée à l'esthétique théorique du roman-miroir selon Stendhal. Une seconde partie traite des *restrictions de champ*, c'est-à-dire de la façon dont Stendhal, précurseur en cela du roman moderne, « relativise » son récit en le faisant tenir aussi souvent que possible dans l'angle de vision de tel ou tel personnage, et en le coupant de monologues intérieurs. Ainsi, *le Rouge* est entièrement saisi du point de vue de Julien, *la Chartreuse* se partage entre ceux des quatre héros. La troisième partie porte sur les *intrusions d'auteur*, c'est-à-dire les passages où Stendhal intervient en personne dans son récit, soit pour se porter garant de son authenticité, soit pour en assurer ostensiblement la régie, soit enfin pour engager un dialogue direct avec le lecteur et lui donner son opinion, réelle ou feinte, sur les sentiments ou la conduite de ses héros. Agrément de ce procédé comme moyen d'expression désinvolte de l'égotisme stendhalien, et limites qu'il impose au réalisme romanesque. De fréquentes comparaisons avec d'autres auteurs donnent à cette étude un intérêt qui dépasse le cadre strict de l'œuvre de Stendhal.

CURTIUS (Ernst Robert), *La littérature européenne et le Moyen Age latin*, P.U.F., Paris, 1956. — Dans ce livre, bilan de la tradition latine et grecque dans la civilisation occidentale, Curtius fait la somme de l'héritage rhétorique. Une grande partie de cet héritage concerne directement le récit : notamment les parties sur les genres, sur le héros, sur les topoï, etc. Excellent point de départ pour la connaissance de la pensée théorique sur le récit jusqu'au XVIIIe siècle.

KAYSER (Wolfang), « Wer erzählt den Roman? », in *Die Vortragsteise, Studien zur Literatur*, Francke Verlag, Berne, 1958 : pp. 82-101. — Sur le statut du narrateur dans un récit romanesque, Kayser distingue le narrateur aussi bien de l'auteur que d'une représentation du narrateur dans le récit lui-même (en tant que personnage) : en fait, le roman se raconte lui-même. Remarques originales et précieuses sur l'image du lecteur, inhérente à l'œuvre, et sur son interdépendance avec l'image du narrateur.

ROUSSET (Jean), *Forme et signification, Essais sur les structures littéraires de Corneille à Claudel*, Libr. José Corti, Paris, 1962. — Dans ses études sur les structures littéraires, Rousset donne de nombreuses suggestions sur la construction du récit, sans toutefois se soucier de les systématiser. Voir par exemple son étude des visions (des « points de vue ») dans *Madame Bovary*, ses remarques sur le roman par lettres, etc.

HARRIS (Zellig S.), *Discourse Analysis Reprints* (Papers in Formal Linguistics, 2), Mouton et Cᵒ, The Hague, 1963. — Ce petit livre réunit plusieurs études de Harris sur la structure formelle de l'énoncé. Sa méthode consiste à rechercher, sans recourir au sens, des classes d'équivalence (composées de morphèmes, mots ou syntagmes) et à étudier leur distribution dans l'énoncé. Il s'agit donc d'une description purement relationnelle et immanente. Le résultat final est l'attestation d'un certain type de structure formelle. Comme le montre l'exemple littéraire analysé (un récit sous forme de fable), cette structure formelle coïncide très exactement sur la structure sémantique du récit.

ECO (Umberto), *Apocalittici e integrati, Comunicazioni di massa e teorie della cultura di massa*, Bompiani, Milan, 1964. — Recueil d'essais dont plusieurs concernent le récit dans les mass media et dans la littérature occidentale. Sont abordés en particulier le « langage » des bandes dessinées (« Lettura di Steve Canyon »); les différents aspects de la notion de type (« L'uso pratico del personaggio »); les caractères propres du mythe dans une civilisation du roman (« Il mito di Superman »).

BUTOR (Michel), *Répertore II*, Éd. de Minuit, Paris, 1964. — Plusieurs des articles réunis dans ce recueil traitent des propriétés formelles de la prose littéraire. Deux textes théoriques sont à retenir : « Recherches sur la technique du roman », un programme pour des études futures, qui traite de la fonction du récit dans la société; et « l'Usage des pronoms personnels dans le roman » qui explore les différents types de représentation à travers les pronoms personnels.

BENVENISTE (Émile), *Problème de linguistique générale*, Gallimard, Paris, 1966. — Dans la cinquième partie de ce recueil d'articles, « l'Homme dans la langue », Benveniste explore les propriétés linguistiques du discours en général. Sans traiter directement du récit, il pose plusieurs notions d'une importance capitale pour la théorie du récit. Ainsi, l'existence de deux plans d'énonciation, celui du discours et celui de l'histoire. Dans l'histoire, « il s'agit de la présentation des faits survenus à un certain moment du temps sans aucune intervention du locuteur dans le récit ». Le discours, par contraste, est défini comme « toute énonciation supposant un locuteur et un auditeur, et chez le premier l'intention d'influencer l'autre en quelque manière ». Autre catégorie importante, celle de la personne : « les trois « personnes » traditionnelles sont considérées comme formées sur la base de deux corrélations, celle de personnalité et celle de subjectivité. Le statut des verbes performatifs est étudié dans deux articles : « De la subjectivité dans le langage » et « la Philosophie analytique et le langage ».

« Structural Models in Folklore »
Note sur une recherche en cours

Nous voudrions enfin signaler ici une recherche dont l'actualité et la parenté avec celles qui font l'objet de ce numéro de Communications *nous ont frappé. La note suivante comporte deux parties. La première a été établie par l'équipe du CECMAS et résume un article paru sous le titre « Structural Models in Folklore », in* Midwest Folklore, 12 (3), *Indiana University, 1962. La seconde est due à Pierre et Elli Maranda et indique les développements ultérieurs de leurs travaux.*

I

Dans *Structural Models in Folklore*, Elli-Kaija Köngäs et Pierre Maranda s'attachent à vérifier, sur divers textes et matériaux folkloriques, la formule proposée par Cl. Lévi-Strauss pour l'étude des mythes : « Il semble dès à présent acquis que tout mythe (considéré comme l'ensemble de ses variantes) est réductible à une relation canonique du type : F x (a) : F y (b) ... F x (b) : F $a - 1$ (y), dans laquelle, deux termes a et b étant donnés simultanément ainsi que deux fonctions, x et y, de ces termes, on pose qu'une relation d'équivalence existe entre deux situations, définies respectivement par une inversion des *termes* et des *relations*, sous deux conditions : 1) qu'un des termes soit remplacé par son contraire (dans l'expression ci-dessus : a et $a - 1$); 2) qu'une inversion corrélative se produise entre la *valeur de fonction* et la *valeur de terme* de deux éléments (ci-dessus : y et a) [1]. »

On sait que, selon Cl. Lévi-Strauss, la pensée mythique a pour tâche spécifique d'opérer une médiation entre des termes irréductiblement opposés. Ce processus pourrait se ramener au modèle de la conciliation des contraires à travers un médiateur, que d'autres chercheurs considèrent comme le ressort constant des processus symboliques. L'analyse structurale devrait dès lors commencer par chercher dans le texte à interpréter des couples de termes opposés et un médiateur capable d'en surmonter l'opposition. Le processus médiateur peut, en gros, se ramener à une métaphore, mais une telle réduction ne satisfait cependant ni aux exigences du matériel analysé, ni à la

1. *Anthropologie structurale*, Plon, 1958, p. 222-253.

formule de Lévi-Strauss, dans la mesure où cette dernière exprime le processus médiateur selon un schéma « non-linéaire » inaccessible à la simple analogie. Celle-ci, en effet, s'exprime sous la forme : A : B :: B : C, ce qui se lit « A est à B ce que B est à C ». La formule de Lévi-Strauss doit être comprise comme la figuration d'un processus médiateur où le développement dynamique des divers rôles est plus exactement exprimé que dans un modèle analogique. Dans cette formule, (b) représente le médiateur ou moyen terme, c'est-à-dire un symbole capable d'inclure deux opposés, $fx \subset (b) \subset fy$; (a) représente le premier terme qui exprime, en liaison avec le contexte socio-historique, le pôle négatif ou élément dynamique (spécifiant la fonction fx). L'autre fonction, exprimant le pôle positif, fy, opposé au premier, spécifie la première manifestation de (b). Ainsi, (b) est alternativement spécifié par les deux fonctions qu'il médiatise.

En outre, la formule de Cl. Lévi-Strauss « non linéaire », c'est-à-dire qu'elle implique une permutation des rôles (ou fonctions) et des termes : (a), qui est d'abord donné comme terme, devient une fois inversé $a - 1$, un signe de fonction; y, d'abord donné comme signe de fonction, devient de même (y), c'est-à-dire un terme qui figure le résultat final du processus. Cette permutation est nécessaire, selon l'interprétation d'Elli Köngäs et Pierre Maranda, pour rendre compte des modèles structuraux dans lesquels le résultat final ne représente pas seulement un retour cyclique au point de départ après l'annulation de la force perturbatrice, mais une montée en spirale, une nouvelle situation différente de la première, non seulement ence qu'elle la supprime, mais en ce qu'elle fait plus que la supprimer. En d'autres termes, si un personnage donné (a) se caractérise par une fonction négative fx (et devient ainsi un « méchant ») tandis qu'un autre personnage (b) se caractérise par une fonction positive fy (et devient ainsi un « héros »), (b) est susceptible d'assumer, à son tour, la fonction négative (en luttant contre le méchant). Ce processus conduit à une « victoire » d'autant plus complète qu'elle résulte de la ruine du terme (a) et consacre définitivement la valeur positive (y) du résultat final.

Cl. Lévi-Strauss utilise sa formule pour rendre compte des relations qui existent entre la série complète des variantes d'un même mythe et le contexte socio-historique dont elles sont issues. Cela revient à considérer que le mythe est constitué, non seulement par l'ensemble de ses variantes accessibles, mais encore par toutes les variantes de la contrepartie socio-historique du mythe. Ce dernier point n'est pas nettement établi par Cl. Lévi-Strauss, mais il apparaît comme la conséquence inéluctable de l'interaction entre sub- et super-structures que cet auteur souligne si vigoureusement. Cette considération a conduit Elli Köngäs et Pierre Maranda, d'une part à élargir l'application de la formule à l'ensemble du folklore, d'autre part à restreindre cette application à des variantes représentatives.

En cours de travail, ils devaient bientôt découvrir que leur interprétation de cette formule ne convenait qu'à certains types de textes, ceux dans lesquels le résultat final traduit une permutation ou, en d'autres termes, ceux dans lesquels le moyen terme réussit à opérer la médiation. Il s'en faut de beaucoup, en effet, que tous les textes construits sur une opposition initiale indiquent la possibilité d'un processus médiateur; et par ailleurs, on rencontre des cas où le médiateur échoue. Ces constatations conduisent à établir la série des modèles suivants, allant du plus simple au plus complexe :

— pas de médiateur (modèle I),
— échec du médiateur (modèle II),
— succès du médiateur : annulation de la tension initiale (modèle III),
— Succès du médiateur : renversement de la tension initiale (modèle IV).

Divers exemples, tirés de mythes, de sagas, de ballades populaires, mais aussi de poèmes lyriques (un sonnet Cheremis), d'incantations, de devinettes, de superstitions empruntées à des folklores variés, illustrent le champ d'application de ces modèles. En conclusion, les auteurs proposent les distinctions génériques suivantes :

Genres	Lyrique	Narratif	Rituel
Opposition initiale :	Non résolue	Résolue dans le récit lui-même	Résolue par la coopération de l'émetteur et du destinataire
Intrigue :	Inexistante	Existante	
Médiation :	Non cherchée	Trouvée dans l'intrigue	Trouvée hors de l'intrigue, par une action extérieure
Niveaux :	Subjectif	Objectif	Objectif puis subjectif

II

Dans l'intention des auteurs, *Structural Models in Folklore* ne représentait qu'une rédaction provisoire. Cette première esquisse devait être refondue et développée dans un ouvrage plus considérable. La suite de nos recherches nous a cependant entraînés dans de nouvelles démarches analytiques et nous a obligés à reporter à plus tard la reformulation de notre approche. Les quatre directions ci-après marquent une étape. Un regroupement systématique ne sera possible que dans un avenir encore assez éloigné.

1. *Expérimentation.* Elli Köngäs Maranda a utilisé les quatre modèles structuraux dans des tests de conservation des structures de récit. Dans le cadre d'une expérience menée au Harvard Center for Cognitive Studies et s'inspirant des méthodes de Piaget en psychologie génétique de la connaissance, elle a choisi des contes folkloriques américains, les uns du type III, les autres du type IV. Ces contes étaient dits à des enfants de cinq à douze ans qui devaient les répéter, soit à l'expérimentatrice, soit à d'autres enfants du même âge (en chaînes de huit à dix maillons). Ces séances étaient enregistrées sur bandes magnétiques.

Les résultats obtenus peuvent sommairement se résumer comme suit : les enfants de moins de sept ans ne conservent aucune structure et ne répètent que des éléments discontinus; ceux de moins de dix ans réduisent les modèles III et IV à des modèles I ou parfois II; enfin, ceux de plus de dix ans retiennent le caractère propre de chaque modèle (Cf. Elli Köngäs Maranda, 1964).

2. *Applications ethnographiques.* Les auteurs et d'autres chercheurs (dans des articles à paraître sous peu) ont examiné la répartition des quatre modèles dans différentes sociétés, afin de savoir si l'un ou l'autre type structural domine ici ou là et si cette approche peut être utilisée comme une grille par l'ethnologue. Trop peu d'analyses ont encore été menées sur des corpus suffisamment étendus pour que l'on ait des résultats concluants. Deux cas cependant semblent clairs : alors que le modèle IV domine le folklore européen (dans une perspective « capitaliste » où le résultat est un bénéfice individuel), le modèle III y est rare (dans le conte populaire français, par exemple, ce modèle se réduit presque exclusivement aux récits dont les héros sont féminins), et les modèles II et I y sont exceptionnels. La mythologie eskimo, par contre, accuse les modèles II et III, le modèle IV y étant très rare. (Cf. Elli Maranda 1965, 1966 *a*, 1966 *b*; Pierre Maranda 1966*d*).

3. *Syntagmes métaphoriques.* L'analyse de syntagmes constitués par l'intersection de deux ensembles paradigmatiques formant métaphore ouvre une autre piste. Des écarts différentiels au sein d'ensembles paradigmatiques marquent en effet ce qu'on pourrait nommer les « crans » d'un cadran sémantique (en général des métonymies).

Lorsque les zones de deux ensembles paradigmatiques interfèrent, une métaphore prend forme, reliant les deux pôles par un axe. Ainsi, dans le sonnet de Baudelaire, analysé par Lévi-Strauss et Jakobson, l'ensemble paradigmatique /nature/ pivote et s'arrête au cran « arbre », tandis que l'ensemble paradigmatique /temple/ s'arrête au cran « pilier ». On obtient l'intersection : « la nature est un temple ».

Ce genre de syntagmes métaphoriques au niveau du récit préside aux systèmes de métamorphoses que l'on trouve dans les mythes et permet d'en mettre le mécanisme à jour.

Il n'en reste pas moins que l'approche métaphorique, linéaire, ne semble pas pouvoir être utile pour formaliser les processus d'inversion, non linéaires, si importants en mythologie.

4. *Analyse automatique.* Il serait trop long d'entrer dans une description, si sommaire fût-elle, des procédures d'analyse sur ordinateurs développée depuis *Structural Models in Folklore*. On se reportera donc aux exposés et discussions pertinents (P. Maranda dans Dundes, Leach, Maranda et Maybury-Lewis 1966; P. Maranda 1966a, 1966c, 1966d). Qu'il suffise de mentionner dans cette note que la recherche de catégories binaires au départ de l'analyse — telle qu'elle est suggérée dans *Structural Models* — s'est avérée inadéquate et que des démarches quantitatives et qualitatives plus raffinées ont été développées (sur l'importance théorique et pratique de cette question, cf. Leach 1961 : ch. i).

Les ordinateurs ne cherchent donc pas à repérer des écarts différentiels mais décrivent plutôt les documents en termes quantitatifs et distributionnels d'une part, pour ensuite en abstraire la structure événementielle. Ces dernières sorties sont encore élémentaires et des procédures plus puissantes seront développées. Toutefois, des résultats déjà obtenus permettent de dégager rapidement et économiquement les traits structuraux de différents mythes. Des écarts différentiels sont alors révélés à l'analyste, mais ils émergent au terme de l'analyse plutôt que d'y être cherchés au départ.

RÉFÉRENCES

DUNDES, A., E. R. LEACH, P. MARANDA et D. MAYBURY-LEWIS
1966   "An Experiment in Strutural Analysis", dans *Structural Analysis of Oral Tradition*, edited by P. and E. Maranda (à paraître).

LEACH, E. R.
1961   *Rethinking Anthropology*, Londres.

LEVI-STRAUSS, C.
1964   *Le Cru et le Cuit*, Paris.

MARANDA, E.
1964   « Compte rendu de recherches », dans *Annual Report, Harvard Center for Cognitive Studies*, Cambridge, U.S.A.
1965   Art and Myth as Teaching Materials, *Occasional Paper No 5, Educational Services Incorporated*, Cambridge, U.S.A.
1966a   "What Does a Myth Tell about Society?" *Radcliffe Institute Seminars*, Cambridge, U.S.A.
1966b   "Two Tales of Orphans", *Radcliffe Seminars*, Cambridge, U.S.A.

MARANDA, P.
1966a   "Computers in the Bush : Tools for the Automatic Analysis of Myths", *Proceedings of the Annual Meetings of the American Ethnological Society*, Philadelphie (sous presse).
1966b   « Analyse quantitative et qualitative de mythes sur ordinateurs », *Actes des*

Journées internationales d'études sur les méthodes de calcul dans les sciences de l'homme, Rome (sous presse).

1966c   "Formal Analysis and Intra-Cultural Studies", *Proceedings of the International Symposium on Cross-Cultural Research Tools in Social Anthropology,* Paris (sous presse).

1966d   "Of Bears and Spouses : The Ethnographic Bearing of Transformation Rules", dans *Structural Analysis of Oral Tradition,* edited by P. and E. Maranda (à paraître).

Table

CET OUVRAGE A ÉTÉ REPRODUIT ET ACHEVÉ D'IMPRIMER
PAR L'IMPRIMERIE FLOCH À MAYENNE (10-82)
D.L. 2e TRIMESTRE 1981. N° 5702-2 (20223)

Collection Points

SÉRIE ROMAN

SÉRIE ACTUELS

ĀVR